Thomas Hardy

Traduction : Firmin Rose

Jude l'obscur

(Jude the Obscure)

Première partie

À Marygreen

I

Le maître d'école quittait le village et chacun semblait attristé. Le meunier de Cresscombe lui avait prêté son cheval et sa petite charrette à bâche blanche pour transporter son mobilier à la ville où il devait se rendre, environ à vingt milles de là. Un tel véhicule était de dimensions suffisantes pour contenir les effets du magister qui s'en allait. La maison d'école étant meublée en partie par les administrateurs, le seul objet encombrant que possédât le maître, en plus de ses livres empaquetés, c'était un piano de campagne, acheté aux enchères l'année où il avait songé à apprendre la musique instrumentale. Mais son zèle tombé, le maître d'école n'était jamais devenu un fort pianiste ; et son acquisition lui avait été un tracas perpétuel, à chacun de ses déménagements.

Le pasteur était parti pour toute la journée, étant un de ces hommes qui haïssent le spectacle des changements. Il ne devait revenir que le soir, quand le nouveau maître serait arrivé et installé et tout redevenu paisible.

Le forgeron, le bailli et le maître d'école lui-même étaient debout, avec des attitudes perplexes, dans le salon, devant l'instrument. Le maître avait remarqué que, pût-il même l'emporter dans la charrette, il ne saurait qu'en faire lors de son arrivée à Christminster, la ville où il allait, et où précisément il devait habiter d'abord un logement provisoire.

Un petit garçon de onze ans, qui avait assisté tout pensif à l'emballage, se joignit au groupe des hommes, et comme ceux-ci se frottaient, le menton, il parla, rougissant au son de sa propre voix :

– Ma tante a acheté un grand hangar de marchand de bois. Et le piano pourrait y tenir peut-être, jusqu'à ce que vous ayez trouvé place pour le mettre, monsieur ?

– Une bonne idée, dit le forgeron.

On décida d'envoyer une députation à la tante du garçon – une vieille fille du pays – afin de lui demander si elle voulait bien garder le piano jusqu'à ce que M. Phillotson l'envoyât chercher. Le forgeron et le bailli s'élancèrent pour s'assurer si l'abri proposé était praticable ; le jeune garçon et le maître restèrent seuls.

– Vous êtes fâché de mon départ, Jude ? demanda le maître avec bienveillance.

Des larmes montèrent aux yeux de l'enfant. Il ne comptait point parmi les élèves réguliers de la classe du jour qui occupait banalement la vie du maître d'école ; mais il avait suivi les cours du soir, seulement depuis que cet instituteur était en fonctions. À vrai dire, les élèves réguliers se trouvaient fort loin en ce moment, comme certains disciples historiques, et ne manifestaient aucun enthousiaste désir de se rendre utiles.

Le jeune garçon gauchement ouvrit le livre qu'il tenait à la main, et que lui avait donné en souvenir M. Phillotson. Il convint qu'il avait du chagrin.

– Moi aussi, dit M. Phillotson.

– Pourquoi partez-vous, monsieur ? demande l'enfant.

– Ah ! ce serait une longue histoire… Vous ne pourriez pas comprendre mes raisons, Jude. Vous le pourrez, peut-être, quand vous serez plus âgé !

– Je crois que je comprendrais maintenant, monsieur.

– Bon, mais ne parlez de cela nulle part. Vous savez ce que c'est qu'une université et un grade universitaire. C'est le contrôle nécessaire à tout homme qui veut réussir dans l'enseignement. Mon projet ou mon rêve est de prendre mes grades, et alors d'entrer dans les ordres. En allant habiter Christminster, je serai, pour ainsi dire, au quartier général, et si mon projet est réalisable, mon séjour là-bas m'apportera des chances d'avancement plus sérieuses que partout ailleurs.

Le forgeron et son compagnon revinrent. Le hangar de la vieille miss Fawley était sec et tout à fait ce qu'il fallait, et elle paraissait disposée à y donner asile à l'instrument. On convint de le laisser dans l'école jusqu'au soir, où il y aurait plus de bras disponibles pour le transport. Le maître d'école jeta un dernier regard autour de lui.

Jude assista au chargement de quelques petits articles ; puis, à neuf heures, M. Phillotson monta à côté de ses paquets de livres et autres *impedimenta* et il dit adieu à ses amis.

– Je ne vous oublierai pas. Jude, dit-il en souriant, comme la charrette s'ébranlait. Souvenez-vous d'être un bon garçon, bienveillant pour les animaux et surtout pour les oiseaux. Lisez tout ce que vous pourrez lire. Et si jamais vous allez à Christminster, ne négligez pas de venir me voir, en souvenir de nos anciennes relations.

La charrette cria sur le gazon et disparut à l'angle du presbytère. L'enfant retourna vers le puits, au bord du pré où il avait laissé ses seaux pour aider son bienfaiteur et maître à charger. Un frisson passait maintenant sur ses lèvres. Il enleva le couvercle du puits ; le seau commençait à descendre. Jude appuya son front et ses bras sur la margelle, et son visage prit la fixe expression d'un enfant pensif qui a senti, avant le temps, les aiguillons de la vie. Le puits dans lequel il regardait était aussi ancien que le village même, et, dans la position actuelle de Jude, il lui apparaissait comme une longue perspective circulaire, terminée par un disque brillant d'eau frémissante à la profondeur de cent pieds. Là, il y avait une ligne de mousse verte à fleur d'eau, et, plus près encore, des touffes de *fougère* de l'espèce dite « langue de cerf ».

Jude se disait à lui-même, avec le ton mélodramatique d'un enfant bizarre, que le maître d'école était venu bien des fois tirer de l'eau à ce puits et qu'il n'y viendrait plus jamais. « Je l'ai vu regarder là-dedans, quand il était fatigué de tirer les seaux, tout comme moi maintenant, et pendant les repos, avant d'emporter les seaux à la maison. Mais il était trop remarquable pour demeurer longtemps ici, dans un village endormi comme celui-là. »

Une larme roula de ses yeux dans les profondeurs du puits. Le matin était brumeux et l'haleine de l'enfant se déployait comme une vapeur plus épaisse dans l'air tranquille et lourd. Ses réflexions furent interrompues par un cri soudain :

– Voulez-vous bien apporter l'eau, jeune paresseux, espèce d'arlequin ?

Cela venait d'une vieille femme qui avait surgi près de la porte d'un jardin, au seuil d'une chaumière au toit moussu, située non loin de là. Le garçon fit aussitôt un signe d'assentiment, tira l'eau avec un effort pénible pour un gamin de sa taille, vida le grand seau dans ses deux seaux plus petits ; et après s'être arrêté un instant pour respirer, il s'élança tout chargé dans la moiteur de l'herbe à travers le bout de pré où le puits était situé, presque au centre du hameau.

Il était aussi ancien que petit, placé dans un pli de terrain, vers les dunes du Vessex septentrional. Le vieux puits était probablement la seule relique locale qui fût demeurée intacte, car, pendant les dernières années, on avait démoli beaucoup de vieilles chaumières à lucarnes et jeté bas beaucoup d'arbres. On avait détruit l'église primitive, ornée de tours en bois, pour en utiliser les matériaux. À la place, s'élevait une nouvelle et vaste église, construite dans le style gothique allemand, peu familier aux yeux anglais. Il n'y avait plus aucun souvenir du temple antique sur la verte pelouse qui avait été un cimetière, depuis un temps immémorial, et les tombes effacées étaient marquées par d'humbles croix de fer garanties pour cinq ans.

II

Délicat comme était Jude Fawley, il porta sans s'arrêter les seaux pleins d'eau jusqu'au cottage. Sur la porte était un petit rectangle de carton bleu, où étaient peints en lettres jaunes ces mots : « Drusilla Fawley, boulangère. » Derrière les petits carreaux plombés de la fenêtre – cette maison était une des plus anciennes du pays – il y avait cinq bocaux de bonbons, et trois gâteaux sur une assiette à ramages.

Tandis qu'il vidait ses seaux derrière la maison, Jude pouvait entendre une conversation animée qui continuait à l'intérieur, entre sa grand-tante, la Drusilla de l'enseigne, et quelques autres villageoises. Ayant vu le départ du maître d'école, elles discutaient sur les détails de l'évènement et se plaisaient à en tirer des pronostics pour l'avenir.

– Qui est donc celui-là ? demanda l'une, qui paraissait n'être pas du pays, quand le garçon entra.

– Vous pouvez bien me le demander, mistress Williams. C'est mon petit-neveu. Il n'était pas ici la dernière fois que vous êtes venue.

La vieille bonne femme qui répondait était une grande maigre ; elle parlait d'un ton tragique sur le sujet le plus trivial et adressait une phrase de sa conversation à chaque auditeur à son tour. « Il vient de Mellstock, dans le Vessex méridional, il y a un an déjà, – il n'a pas eu de chance, Belinda – (se *tournant à droite*) : son père vivait dans ce pays ; il attrapa le mal de la mort, et mourut en deux jours, comme vous savez, Caroline. (*Se tournant à gauche*) : C'eût été une bénédiction si la Providence t'avait enlevé aussi, avec ta mère et ton père, toi, pauvre enfant inutile !… Mais je l'ai pris ici pour rester avec moi, jusqu'à ce que je puisse voir ce que je ferai de lui, quoique je sois obligée de le laisser gagner un penny quand il en trouve l'occasion. Précisément, en ce moment, il écarte les oiseaux dans les champs du fermier Troutham. Cela l'empêche de mal faire. – Pourquoi te tournes-tu, Jude ? continua-t-elle, en s'adressant à l'enfant qui sentait pleuvoir les regards comme des soufflets sur son visage et détournait la tête.

La blanchisseuse du pays répondit que Mme ou Mlle Fawley (comme on la nommait indifféremment) avait fait peut-être un très bon calcul en prenant Jude avec elle. « Pour vous tenir compagnie dans votre solitude, chercher l'eau, fermer les volets le soir, et vous aider un peu dans la boulangerie. »

Miss Fawley n'était pas convaincue… « Pourquoi n'avons-nous pas persuadé au maître d'école de le prendre avec lui à Christminster et d'en faire un étudiant ? continua-t-elle avec une plaisanterie renfrognée. Je suis sûre qu'il n'eût pas trouvé meilleur élève. Le garçon est fou des livres, il en est fou. Cela vient de famille. Sa cousine Sue est absolument de même ; je l'ai entendu dire, du moins, car je n'ai pas vu cette enfant depuis des années, quoiqu'elle soit née ici, entre ces quatre murs. Ma nièce et son mari, après leur mariage, n'eurent pas de maison à eux pendant un ou deux ans. Lorsqu'ensuite ils furent installés… mais ne parlons plus de ça. Jude, mon enfant, ne vous mariez jamais : il n'est pas bon pour les Fawley d'entrer dans ce chemin-là. Elle, leur unique enfant, fut comme ma propre fille, Belinda, jusqu'à la séparation. Ah ! qu'une petite fille ait connu de tels changements ! … »

Jude, voyant l'attention générale concentrée encore sur lui, quitta la boulangerie, où il avait mangé le gâteau réservé pour son déjeuner. La fin de son court repos était arrivée et, sortant du jardin en escaladant la haie, il suivit un sentier vers le nord jusqu'à une large et solitaire dépression du plateau, ensemencée de blé. Ce vaste creux était le théâtre de ses travaux pour M. Troutham, le fermier ; Jude descendit au milieu.

La surface brune du champ était limitée tout autour par le ciel et se perdait par degrés dans la brume qui envahissait ses confins et rendait la solitude plus saisissante. Rien n'en rompait l'uniformité, si ce n'est une meule formée par les récoltes de l'année précédente, des corneilles qui s'envolèrent à l'approche de Jude et le sentier par lequel il était venu.

– Que c'est laid, ici ! murmura-t-il.

Il s'arrêta auprès de la meule et, pendant quelques instants, il fit vigoureusement résonner sa crécelle. À chaque claquement, les corneilles, cessant de becqueter, s'élevaient sur leurs ailes nonchalantes, sombres comme une cotte de mailles, tournoyaient en regardant Jude avec circonspection et descendaient picorer à distance respectueuse.

L'enfant agita sa claquette jusqu'à ce que son bras fût fatigué, et peu à peu son cœur sympathisa avec les désirs contrariés des oiseaux. Ils semblaient, comme lui, vivre dans un monde qui ne se souciait pas d'eux. Pourquoi les effaroucher ? Ils prenaient de plus en plus l'aspect de gentils amis et protégés – les seuls amis que Jude pût considérer comme siens, car sa tante lui avait dit souvent qu'il ne devait pas compter sur elle. Il cessa de claquer et, de nouveau, les oiseaux redescendirent.

– Pauvres petits chéris ! dit Jude à haute voix. Vous aurez votre dîner, vous l'aurez ! Il y a bien assez pour nous tous, et le fermier Troutham est assez riche pour vous offrir quelque chose. Donc, mangez, mes chers petits oiseaux, et faites un bon repas.

Les corneilles s'arrêtèrent pour manger, taches d'encre sur le sol brou de noix, et Jude se réjouissait de leur appétit. Un fil magique de sympathie unissait sa propre vie à la leur. Ces existences chétives et pénibles ressemblaient à son existence.

Il avait jeté de côté sa claquette, comme un vil et sordide objet, aussi cruel pour l'ami des oiseaux que pour les oiseaux eux-mêmes. Soudain, il sentit un rude choc sur sa culotte, choc suivi d'un sourd claquement qui révéla à ses sens surpris que l'instrument de correction employé était la claquette elle-même. Les oiseaux et Jude s'effrayèrent simultanément, et les yeux effarés du gamin aperçurent le fermier en personne, le grand Troutham, abaissant sur Jude épouvanté un visage coloré par l'indignation, et balançant la crécelle dans sa main.

– C'est cela : « Mangez, mes chers oiseaux ! » c'est cela, jeune homme ! « Mangez, chers oiseaux ! » En vérité ? J'arrive derrière vous et je vous entends dire : « Mangez, chers oiseaux ! » Et vous avez été faire le paresseux chez le maître d'école, avant de venir ici, n'est-ce pas, hein ?... C'est ainsi que vous gagnez vos six pence par jour pour écarter les oiseaux de mon blé ?

Tout en cornant aux oreilles de Jude ce discours indigné, Troutham avait saisi la main gauche de l'enfant dans la sienne, et balançant Jude au bout de son bras, il le fit tourner autour de lui en le frappant avec le plat de la crécelle, jusqu'à ce que l'écho du champ retentit du bruit des coups, distribués deux ou trois fois à chaque révolution.

– Ne me battez pas, monsieur, je vous en prie, ne me battez pas... Je... je... monsieur... je voulais dire qu'il y avait beaucoup de grain – je l'ai vu semer – et que les oiseaux pouvaient en prendre un peu pour leur repas et que ça ne vous ferait pas de tort, monsieur, et M. Phillotson, dit qu'il faut être bon pour eux. Oh !... Oh !... Oh !...

Cette explication sincère parut exaspérer le fermier, plus que ne l'eût fait une protestation. Il continua de balancer Jude et de faire résonner la claquette dont le bruit parvenait jusqu'aux travailleurs éloignés qui croyaient Jude assidûment occupé à sa besogne, et jusqu'à la nouvelle église pour laquelle le fermier avait largement souscrit en témoignage de l'amour qu'il portait à Dieu et aux hommes.

Quand il en eut assez de cette besogne, Troutham remit l'enfant tremblant sur ses jambes, prit six pence dans sa poche et les lui donna comme salaire en lui disant de retourner à la maison et de ne jamais reparaître devant ses yeux ni dans son champ.

Jude s'enfuit hors de la portée de son bras et s'en alla en pleurant, non de douleur, quoiqu'elle fût assez vive ; non même de la découverte qu'il avait faite d'une fêlure dans le système de l'univers, ce qui est bon aux oiseaux de Dieu étant nuisible au jardinier créé par Dieu ; mais il avait la sensation terrifiante de s'être porté le plus grand tort, depuis un an qu'il habitait la commune, et d'être un fardeau pour sa grand-tante durant toute sa vie.

Il y avait, sur son chemin, une quantité de ces vers qui sortent de terre à cette époque de l'année, et il était presque impossible d'avancer sans en écraser quelques-uns. Quoique le fermier Troutham l'eût justement corrigé, Jude était incapable de faire, du mal à qui que ce fût. Il n'avait jamais déniché des oiseaux, sans rester éveillé toute la nuit par la pitié ; et bien souvent, le lendemain matin, il avait remis les captifs dans leur nid. À peine pouvait-il supporter la vue des arbres taillés ou abattus... Cette disposition de caractère, qu'on appelle communément de la faiblesse, révélait qu'il appartenait à l'espèce des hommes destinés à souffrir beaucoup, avant que la chute du rideau sur le spectacle de leur vie inutile ne vienne marquer le moment où tout redeviendra bien pour eux. Il continua sa route sur la pointe du pied, parmi les vers de terre, sans en écraser un seul.

En entrant dans la chaumière, il trouva sa tante vendant un pain de deux sous à une petite fille. La cliente partie, elle demanda :

– Eh bien, pourquoi revenez-vous ici au milieu de la matinée ?

– Je suis renvoyé.

– Quoi ?

– M. Troutham m'a renvoyé parce que j'ai laissé les corneilles manger un peu de maïs. Et voilà mes gages, les derniers.

Tragiquement, il jeta les six pence sur la table.

– Ah ! dit la tante qui suspendit sa respiration.

Elle commença un sermon pour prouver qu'elle allait avoir Jude sur les bras, tout le printemps, sans qu'il pût rien faire.

– Si vous ne pouvez écarter les oiseaux, à quoi êtes-vous bon ?... Là, vous ne semblez pas capable de grand-chose. Je suis meilleure que le fermier Troutham. Mais, comme a dit Job : « Maintenant, les jeunes me tournent en dérision, ceux dont j'aurais dédaigné les pères, comme gardiens de mes troupeaux. » Son père était ouvrier chez mon propre père ; n'importe, j'ai été bien folle de vous laisser travailler pour lui... Jude, Jude, pourquoi n'avez-vous pas suivi le maître d'école à Christminster ou ailleurs ?

– Où est cette belle cité, tante, cette ville où est allé M. Phillotson ? demanda l'enfant après une méditation silencieuse.

– Seigneur ! vous devriez savoir où est Christminster. À une vingtaine de milles environ. C'est un endroit beaucoup trop beau pour vous, mon pauvre garçon, j'en ai bien peur.

– Et M. Phillotson y restera toujours ?

– Est-ce que je sais ?

– Ne pourrais-je aller le voir ?

– Dieu non. On voit bien que vous n'êtes pas d'ici ; ou vous ne demanderiez pas une chose pareille. Nous n'avons jamais eu aucun rapport avec les gens de Christminster ni eux avec nous.

Jude sortit et, sentant plus que jamais l'inanité de son existence, il se laissa tomber sur un tas de paille près de l'étable à porcs. Le brouillard était devenu transparent et l'on devinait le soleil au travers... Jude comprit que l'âge apportait des responsabilités. L'ordre des évènements ne ressemblait pas à celui qu'il avait espéré. La logique de la nature était trop cruelle pour le ménager, et son sens de l'harmonie était blessé de ce que la compassion due à certaines créatures portât préjudice aux autres...

S'il pouvait seulement s'empêcher de grandir ! Il n'éprouvait nul besoin de devenir un homme.

Dans l'après-midi, quand il n'eut plus rien à faire à la maison, il sortit du village et demanda le chemin de Christminster, qu'on lui indiqua, dans la direction du champ de Troutham.

III

Pas une âme sur la route blanche, qui semblait monter et se perdre dans le ciel. Une ancienne voie romaine la croisait à angle droit, allant de l'est à l'ouest sur un espace de plusieurs milles. Jamais Jude ne s'était hasardé si loin, vers le nord, hors du hameau où le courrier d'une petite station l'avait déposé, par un soir très sombre, quelques mois auparavant. Il ne soupçonnait pas qu'une aussi vaste, plate et basse région s'étendît si près de lui, aux confins de son plateau. La contrée septentrionale s'étendait devant lui, en demi-cercle, sur une largeur de quarante à cinquante milles ; et l'atmosphère semblait plus bleue et plus humide que celle où il respirait.

Il y avait, au bord de la route, une vieille grange bâtie en briques et en tuiles et que les gens du pays appelaient la Maison-Noire. Jude aperçut une échelle appuyée au bord du toit où deux hommes réparaient les tuiles. Il grimpa sur l'échelle, et, arrivant près des ouvriers il leur demanda où était Christminster.

– Christminster est par ici, dans la direction de ce bouquet d'arbres. Vous ne pouvez pas le voir par un temps comme celui d'aujourd'hui… Il faut choisir un temps clair. Moi, quand je l'ai vu, c'est à l'heure où le soleil descend dans une auréole de flammes… Alors on croirait voir… je ne sais pas quoi…

– La Jérusalem céleste ? dit le grave bambin.

– Oui… quoique je ne me sois jamais avisé de penser à cela…

Jude abandonna donc le projet de voir Christminster et se mit à errer çà et là en observant toutes choses. Quand il repassa près de la grange, il vit que les tuiliers étaient partis, mais que l'échelle était encore à sa place.

Le soir tombait. Il y avait toujours un léger brouillard. Jude songea à Christminster et désira n'avoir pas marché inutilement pendant deux ou trois milles, sans apercevoir la ville qui l'attirait. Il monta jusqu'au sommet de l'échelle et s'assit sur le dernier barreau, parmi les tuiles… Au bout de dix ou quinze minutes, le brouillard s'évanouit à l'est, et un quart d'heure après, les vapeurs du couchant disparurent ; les rayons filtrèrent entre deux barres de nuages gris. À l'extrême limite du paysage, l'enfant vit briller des points de topaze, qui devinrent peu à peu des girouettes, des fenêtres, des toits d'ardoise, des clochers, des dômes… C'était Christminster ou son mirage.

Le petit spectateur regarda jusqu'à ce que les fenêtres et les girouettes eussent perdu leur éclat, comme des flambeaux brusquement éteints. La vague apparition se voila de brume. Se tournant vers l'ouest, Jude vit que le soleil avait disparu. Le premier plan du paysage s'assombrissait d'une manière funèbre, et les objets les plus proches prenaient des formes et des couleurs chimériques.

Il descendit l'échelle, plein d'anxiété, et s'en alla par la route, essayant de ne pas penser aux géants, à Herne le chasseur, à l'Apollon qui tend des pièges, à Christian, au capitaine qui porte un trou sanglant au milieu du front et chaque nuit lutte contre des cadavres ressuscités et révoltés à bord du vaisseau maudit. Il savait bien qu'il avait passé l'âge de croire à ces horreurs, mais, néanmoins, il fut charmé quand il vit le clocher et les lumières aux fenêtres de la chaumière, quoique cette maison ne fût pas son foyer natal et que sa grand-tante ne se souciât guère de lui.

À travers la solide barrière de froides collines crétacées qui s'étendait au nord, Jude contempla toujours une cité merveilleuse, ce lien qui avait semblé à son imagination la nouvelle Jérusalem. Pendant la morne saison humide, il savait qu'il pleuvait à Christminster, mais il pouvait à peine croire que la pluie y fût aussi triste qu'ailleurs. Souvent il allait jusqu'à la Maison-Noire, fasciné par la vue d'un dôme, d'un clocher ou d'une petite fumée qui lui semblait mystique comme un encens.

Il rêva de s'y rendre après la tombée du jour, et même d'aller un peu plus loin pour voiries lumières nocturnes de la cité. Malgré son appréhension de rentrer seul, il s'arma de courage et mit son projet à exécution. Il n'était pas bien tard quand il arriva à la Maison-Noire, juste à l'heure du crépuscule ; mais le ciel sombre au nord-est, d'où soufflait le vent, paraissait favoriser son entreprise. Il fut récompensé : sans distinguer les lumières, il apercevait un halo de brouillard lumineux. Dans ce rayonnement, Jude crut voir Phillotson se promener, comme dans la fournaise de Nabuchodonosor. Il offrit ses lèvres au vert du nord-est qu'il savoura comme une douce liqueur. Et il crut entendre le son des cloches, la voix de la cité, faible et musicale, murmurant : « On est heureux ici. »

Un bruit le tira de son extase. Il aperçut une voiture de charbon conduite par deux hommes et un gamin.

Celui-ci plaça une grosse pierre contre les roues et donna aux bêtes haletantes le loisir de se reposer.

Jude s'adressa aux deux hommes, demandant s'ils venaient de Christminster.

– À Dieu ne plaise !... Avec ce chargement !...

– L'endroit dont je parle est là-bas.

Jude était si romanesquement épris de Christminster qu'il n'osait prononcer ce nom : tel un amant parlant de sa maîtresse. Il montra la lumière dans le ciel ; elle était à peine visible pour des yeux un peu âgés.

– Oui, il y a au nord-est un point brillant. Cela doit être Christminster.

Ici, un petit livre de contes, que Jude portait sous son bras, glissa et tomba sur la route. Le charretier l'examina pendant qu'il le ramassait et arrangeait les feuillets.

– Ah ! jeune homme, dit-il, il vous faudrait une autre caboche pour lire ce qu'on lit là-bas.

– Pourquoi ? demanda l'enfant.

– Oh ! les gens de Christminster ne s'occupent jamais de rien que nous puissions comprendre. Ils étudient les langues étrangères, les langues d'avant le déluge, quand il n'y avait pas deux familles qui parlaient la même. Et ils lisent ces sortes de choses aussi vite que vole un engoulevent... Oh ! c'est une ville grave... Vous savez, je pense, qu'ils élèvent les pasteurs comme des radis de couche. Il leur faut cinq ans pour faire d'un lourdaud bredouillant un prêcheur solennel, à la longue figure, à la longue redingote noire, que sa propre mère ne reconnaîtrait pas toujours... Voilà ; c'est leur métier : chacun le sien.

– Mais comment savez-vous ?...

– N'interrompez pas, mon garçon, n'interrompez jamais vos anciens... Je ne suis point allé à Christminster, mais j'en ai entendu parler, ici et là, en allant par le monde et en fréquentant toutes les classes de la société. J'ai été renseigné par un de mes amis qui cirait les bottes à l'hôtel Crozier, à Christminster, dans sa jeunesse.

Jude remercia chaleureusement le charretier, disant qu'il aurait désiré pouvoir parler de Christminster, la moitié seulement aussi bien que lui.

Il continua seul sa route vers la maison ; et sa méditation était si profonde qu'il en oublia d'avoir peur. L'enfant se transformait soudain. C'était le vœu de son cœur de s'attacher, de se vouer à quelque chose d'admirable. Trouverait-il à Christminster cet objet d'admiration ? Y avait-il un endroit où sans crainte des fermiers, des empêchements ; du ridicule, il pourrait veiller et attendre, et se préparer à quelque haute entreprise, comme ces hommes d'autrefois dont il avait entendu parler ? Pareil au halo lumineux qui avait paru devant ses yeux un quart d'heure plus tôt, le lieu idéal rayonnait dans son esprit pendant qu'il poursuivait sa route ténébreuse.

« C'est une ville de lumière, » se disait-il.

« C'est là que croit l'arbre de la science, » ajouta-t-il quelques pas plus loin.

« C'est de là que viennent et c'est là que vont ceux qui parlent aux hommes. »

« On peut dire que c'est un château gardé par la science et la religion. »

Après cette métaphore, il resta silencieux quelque temps, puis il ajouta :

« C'est là ce qu'il me faut. »

IV

L'enfant marchait avec lenteur, absorbé dans ses pensées – homme déjà vieux par certains côtés de son esprit, et, par d'autres, plus jeune que son âge. – Il fut rejoint par un voyageur alerte, et, malgré l'ombre, il vit que le nouveau venu portait un chapeau extraordinairement haut, un habit à queue d'hirondelle, une chaîne de montre qui dansait follement et accrochait les reflets du jour. Il avait des jambes grêles et des chaussures qui ne faisaient pas de bruit.

Jude, qui commençait à s'émouvoir de sa solitude, résolut de l'accompagner.

– Bien, mon camarade !... Mais je suis pressé et vous irez d'un bon pas si vous voulez me suivre. Savez-vous qui je suis ?

– Oui, je crois... Le docteur Vilbert ?

– Ah ! Je vois que je suis connu partout... Ce que c'est que d'être un bienfaiteur public !

Vilbert était un charlatan ambulant, bien connu de la population rustique, et absolument ignoré des autres, comme il le désirait, d'ailleurs, pour éviter une surveillance gênante. Les paysans composaient seuls sa clientèle. Il traversait à pied des distances énormes, dans la longueur et la largeur du Wessex Jude l'avait vu un jour vendre un pot de graisse colorée à une vieille femme comme un remède certain pour guérir une jambe malade. La vieille avait payé fort cher ce remède précieux, tiré, disait Vilbert, d'un animal particulier qui paissait sur le mont Sinaï et qui ne pouvait être capturé sans danger de mort. Bien qu'il commençât à douter des vertus médicales du personnage, Jude pensa qu'il était bon de l'interroger :

– Je suppose que vous êtes allé à Christminster, docteur ?

– Oui, plusieurs fois, répondit le grand homme maigre. C'est un de mes centres d'opération.

– C'est une ville étonnante par la science et la religion...

– Vous pourriez en parler, mon garçon, si vous l'aviez vue... Les fils des blanchisseuses du collège y parlent latin – non pas le meilleur latin, j'en conviens : un latin de chien, un latin de chat, comme nous disons au collège.

– Et le grec ?

– Le grec est bon pour les futurs évêques qui doivent lire le Nouveau Testament dans le texte original.

– Je voudrais apprendre le latin et le grec.

– Noble désir... il vous faut une grammaire pour chaque langue.

– Je tâcherai d'aller un jour à Christminster.

– Quand vous irez, vous direz que le docteur Vilbert est le seul propriétaire des célèbres pilules qui guérissent infailliblement tous les désordres du système digestif, l'asthme et l'insuffisance de la respiration. Quatre et six sous la boîte, avec autorisation spéciale du gouvernement.

– Pourriez-vous m'apporter les grammaires si je vous promettais de dire cela un peu partout ?

– Je vous vendrais les miennes avec plaisir, celles que j'avais quand j'étais étudiant.

– Oh ! merci, dit Jude avec reconnaissance, et tout haletant, car il suivait avec peine le charlatan au petit trot.

– Je crois que vous feriez mieux de rester en arrière, jeune homme. Voici ce que je ferai : je vous apporterai les grammaires et je vous donnerai une première leçon si, dans chaque maison du village, vous vous souvenez de recommander l'onguent d'or du docteur Vilbert, ses gouttes de vie, et ses pilules pour les dames.

– Où serez-vous avec les grammaires ?

– Je passerai ici d'aujourd'hui en quinze, à sept heures vingt-cinq minutes. Mes mouvements sont réglés comme ceux des planètes dans leur cours.

– Je vous rencontrerai ici, dit Jude.

– Avec des commandes de médicaments ?

– Oui, docteur.

Jude resta en arrière, attendit un instant pour reprendre haleine et retourna à la maison avec la conscience d'avoir fait un grand pas vers Christminster.

Il tint consciencieusement sa promesse, et, quinze jours plus tard, il était immobile sur le plateau, attendant Vilbert au même endroit où il l'avait rencontré. Mais à sa grande surprise, le charlatan parut pas le reconnaître. Jude, pensant que c'était l'effet d'un chapeau neuf qu'il avait mis, salua avec dignité.

– Eh bien, mon garçon ?… dit l'autre, distraitement.

– Je suis venu, dit Jude.

– Vous ?… Qui êtes-vous ?… Oh !… je sais… Apportez-vous des commandes, petit ?

– Oui.

Jude donna les noms et les adresses des villageois qui désiraient s'assurer des vertus spéciales des pilules. Le charlatan les retint précieusement.

– Et les grammaires grecque et latine ?

La voix de Jude tremblait d'anxiété.

– Lesquelles ?

– Vous m'aviez promis les vôtres, celles qui vous ont servi pour vos études.

– Ah ! oui, oui… J'ai oublié… Vous le voyez, jeune homme, tant de vies dépendent de mes soins que je n'ai pas le temps de penser à autre chose.

17

Jude mit quelque temps à s'assurer de la vérité ; puis ; d'un ton de profonde douleur, il répéta :

– Vous ne les avez pas apportées ?

– Non, mais vous me ferez avoir quelques commandes de plus pour les malades, et je vous apporterai les grammaires la prochaine fois.

Jude laissa Vilbert passer en avant. C'était un être simple et droit, mais le don de pénétration est souvent dévolu aux enfants et Jude devinait tout à coup à quelle humanité de camelote appartenait le charlatan. Le laurier de sa couronne imaginaire s'effeuilla. Il retourna chez lui, s'appuya contre la porte et pleura amèrement.

Cette désillusion fut suivie par une série de jours pâles et vides. Jude aurait pu faire venir ses grammaires d'Alfredston, mais il aurait fallu choisir ces livres et les payer, et bien qu'il ne manquât pas du nécessaire, il ne possédait pas un liard.

À cette époque, M. Phillotson envoya chercher son piano, ce qui donna une heureuse idée à Jude. Pourquoi n'écrirait-il pas au maître d'école, en le priant de bien vouloir lui envoyer les grammaires de Christminster ? Il pouvait glisser sa lettre dans le couvercle de l'instrument. Pourquoi même ne pas demander à M. Phillotson de vieux cahiers d'exercices, tout imprégnés de l'atmosphère de l'Université ?

Jude mit son projet à exécution sans rien dire à sa tante, et après quelques jours d'anxiété, il reçut un paquet qu'il alla chercher à la poste même. Ce paquet contenait deux petits livres. Jude choisit un coin solitaire et s'assit sur un orme abattu pour le défaire.

Depuis qu'il rêvait de Christminster, Jude avait beaucoup médité sur le procédé probable par lequel on transposait les mots d'une langue dans une autre. Il avait conclu que la grammaire de la langue en question contiendrait d'abord un mode, un procédé, la clef d'un chiffre secret, qu'une fois connue il n'aurait qu'à utiliser pour changer à son gré tous les mots de sa langue en ceux d'une autre. Quand, ayant coupé la ficelle du paquet et pris les livres, il ouvrit la grammaire latine, il put à peine en croire ses yeux.

Le livre était très vieux – trente ans au moins mais ce n'était pas son aspect qui causait la surprise de Jude. Il apprenait, pour la première fois, que la loi de transmutation, supposée par son ignorance, n'avait jamais existé ; et que chaque mot grec ou latin devait être retenu par un effort de mémoire qui représentait des années de pénible assiduité.

Jude jeta les livres, s'étendit sur le large tronc de l'orme, et se sentit profondément misérable pendant tout un quart d'heure. Selon son habitude, il se couvrit le visage avec son chapeau et regarda les flèches brillantes que lui décochait le soleil à travers les interstices de la paille. C'était donc cela le grec et le latin ! Grande déception… Le charme qu'il avait espéré était en réalité un labeur digne d'Israël en Égypte.

Quel cerveau devaient avoir les gens de Christminster et des grandes écoles, pensa-t-il, pour retenir un par un des centaines de mots ! Son cerveau à lui n'était point fait pour un pareil travail ; et comme les petits rais lumineux du soleil continuaient de briller sur lui, à travers son chapeau de paille, il désira n'avoir jamais aucun livre, et de n'en voir jamais aucun ; il regretta d'être né.

Quelqu'un aurait pu passer par le chemin et l'interroger sur les causes de sa peine, le réconforter en lui enseignant ce qu'expliquaient mal les grammairiens… Mais personne ne passa, parce que personne ne passe jamais ; et, reconnaissant avec effroi son immense erreur, Jude souhaita quitter ce monde.

V

Pendant trois ou quatre aimées successives, on put voir un bizarre véhicule, bizarrement conduit, traverser les chemins et les routes aux environs de Marygreen.

Un mois environ après la réception des livres, Jude était devenu insensible au vilain tour que lui avaient joué les langues mortes. La difficulté de l'étude augmenta sa vénération pour la science de Christminster, et il attaqua l'énorme montagne des classiques avec une patience de souris.

Il s'était ingénié à rendre sa présence tolérable chez sa tante qu'il aidait de son mieux. Les affaires de la boulangerie devinrent plus importantes. On acheta un vieux cheval et une charrette à bâche de toile, et trois fois par semaine, Jude alla porter le pain chez les clients des environs.

L'intérieur de la charrette devint la salle d'étude du jeune garçon. Dès que le cheval prenait la route qu'il avait appris à connaître, Jude, les rênes enrouées autour de son bras, ouvrait un volume et se plongeait dans Virgile, Horace ou César, avec une ardeur qui eût mis des larmes dans les yeux d'un pédagogue. Il suppléait à la science qui lui manquait par une divination qui le servait souvent beaucoup mieux.

Les seuls livres qu'il avait pu se procurer étaient des éditions *ad usum Delphini*, couvertes de notes qui guidaient utilement l'esprit du lecteur. Tandis qu'il étudiait ces pages, feuilletées jadis par des doigts qui se reposaient dans le tombeau, le vieux cheval osseux poursuivait sa route, et les malheurs dc Didon étaient interrompus par l'arrêt de la charrette et la voix d'une vieille femme qui criait : « Deux pains aujourd'hui, boulanger, et je vous rends celui qui est rassis. »

Jude était rencontré fréquemment par des passants qu'il ne voyait même pas, et peu à peu, les gens du voisinage commentèrent cette manière de combiner le travail et le plaisir (car on croyait qu'il lisait pour son plaisir). Le procédé n'était pas sans dangers pour eux et pour les voyageurs qui suivaient la même route. On murmura. La police fut avisée des dangereuses habitudes du garçon boulanger. Un agent attendit Jude et le réprimanda.

Comme Jude se levait à trois heures du matin pour chauffer le four, cuire le pain, il était obligé de se coucher immédiatement après avoir quitté le pétrin. Ne pouvant étudier sur les grandes routes, il était condamné à ne plus étudier du tout. Il résolut d'observer tout ce qui se passait autour de lui et de cacher ses livres dès qu'il apercevrait le policeman. Mais celui-ci n'encombra pas beaucoup le chemin de Jude, considérant que si quelqu'un courait un danger dans ces parages solitaires, c'était Jude lui-même ; et souvent, lorsqu'il voyait la bâche blanche entre les haies, il s'en allait d'un autre côté.

Jude Fawley avait seize ans. Il barbotait dans le *Carmen Seculare*, certain soir, en traversant le plateau de la Maison-Noire. Le soleil déclinait et la pleine lune se levait derrière les bois sur l'horizon opposé. Tout imprégné de poésie, saisi de la même émotion impulsive qui, peu d'années auparavant, l'avait jeté à genoux sur l'échelle, Jude arrêta son cheval, descendit, et s'assurant que personne ne pouvait le voir, il se prosterna, le livre ouvert à la main, sur le bord de la route. Tourné d'abord vers la déesse brillante, qui semblait le regarder avec douceur et ironie, il commença :

Phœbe silvarumque potens Diana !

Revenu au logis, il médita sur cette curieuse superstition, innée ou acquise, qu'il se reprocha comme indigne d'un chrétien. Il avait lu trop de livres païens, sans doute. Il avait pataugé dans Homère, mais ne s'était guère préoccupé du Nouveau-Testament en grec, bien qu'il en eût un exemplaire, acheté d'occasion. Il abandonna donc le dialecte ionien pour un autre, moins familier, et restreignit ses lectures aux évangiles et aux épîtres. Un jour, à Alfredstone, il fit connaissance avec la littérature patristique en achetant quelques volumes des Pères de l'Église chez un bouquiniste où les avait abandonnés un clergyman insolvable.

Le dimanche, il visitait les églises et déchiffrait les épitaphes latines. Dans un de ces pèlerinages, il rencontra une vieille bossue, fort intelligente et qui lisait tout ce qui lui tombait sous la main. Elle lui parla plus encore du charme romantique de la cité de lumière et de science. Jude fut plus résolu que jamais d'y aller.

Mais comment vivre dans cette ville ? Il n'avait ni rentes ni métier qui lui permit de subsister pendant des années de travail intellectuel.

Que réclame-t-on à la ville ? La nourriture, le vêtement, le logis. Ne pouvant être ni cuisinier ni tailleur, Jude pensa à son oncle inconnu, le père de sa cousine Suzanne, qui avait taillé la pierre. Il ne pouvait mal faire en suivant l'exemple de son parent.

Il obtint d'abord quelques petits blocs de pierre de taille, sans grande valeur ; puis s'étant fait remplacer chez sa tante, il offrit ses services à un tailleur de pierre pour des gages dérisoires. Plus tard, il entra chez un entrepreneur d'Alfredston, et, sous la direction d'un architecte, il restaura habilement plusieurs églises de village.

Sans oublier que cet humble métier devait servir à réaliser de grands rêves, il prit de l'intérêt à ce travail. Toute la semaine il habitait dans la petite ville, et le samedi soir seulement il retournait à Marygreen. C'est ainsi qu'il atteignit et dépassa sa vingtième année.

VI

À cette époque mémorable de sa vie, certain samedi, vers trois heures, Jude s'en retournait d'Alfredston à Marygreen. Il faisait un beau temps d'été, doux et chaud. Le jeune homme marchait, portant ses outils dans un paquet, sur son dos. Comme il devait faire une commission pour sa tante, dans un moulin du voisinage, il n'avait pas pris le chemin habituel.

Jude était dans un état d'enthousiasme singulier. Il songeait qu'avant deux ans il pourrait s'établir à Christminster et frapper aux portes de ces forteresses de la science qui l'avaient tant fait rêver. Une joie chaleureuse l'envahissait quand il considérait les progrès accomplis.

Il songeait qu'il lisait parfaitement bien les classiques latins ; qu'il connaissait deux livres d'Homère, quelque peu Hésiode, Thucydide et le Nouveau-Testament. Il avait étudié les mathématiques dans le premier, le sixième, le onzième et le douzième livre d'Euclide. Il savait quelque chose de l'histoire d'Angleterre. C'était un commencement, mais il devenait difficile de se procurer les livres nécessaires. Il devait donc concentrer toutes ses énergies pour entrer dans un des collèges de Christminster.

– Je finirai bien par être docteur en théologie !

Il étudierait les auteurs qu'il ne connaissait point ! Tite-Live, Tacite, Eschyle, Sophocle, Aristophane, etc…

– Ah ! ah ! ah !…

Des rires légers bruissaient de l'autre côté d'une haie, mais Jude n'y prit point garde. Ses pensées allaient bon train.

– Je lirai Euripide, Platon, Aristote, Lucrèce, Épictète, Sénèque, Marc-Aurèle...

– Ah ! ah ! ah !...

– Je travaillerai avec acharnement... Oui, Christminster sera mon *Alma Mater*, et je serai son fils bien-aimé, en qui elle mettra toutes ses complaisances...

En rêvant à l'avenir, Jude s'était arrêté, immobile, regardant la terre. Soudain, il sentit un coup sur l'oreille, et il vit tomber à ses pieds un morceau de vessie de porc.

La haie bordait un ruisseau d'où montaient les rires et les voix qui avaient troublé la rêverie de Jude. Il gravit le talus et regarda par-dessus la clôture. Au bord du ruisseau, il y avait une maisonnette entourée de jardins et de porcheries. Sur la rive, trois jeunes filles agenouillées lavaient des andouilles dans l'eau courante. Leurs yeux se fixèrent sur Jude, puis elles s'entre-regardèrent et continuèrent leur travail.

– Je vous remercie bien, dit Jude, sévèrement.

– Je vous dis que n'ai rien jeté, dit l'une des filles à sa voisine, sans paraître remarquer Jude.

– Ni moi, dit l'autre.

– Oh ! Anny, comment pouvez-vous... fit la troisième.

– Bah !... Je m'en moque pas mal !

Et elles riaient en continuant leur travail.

Jude s'essuya la joue. Il devint moqueur.

– Vraiment, ce n'est pas vous ? dit-il à la plus proche des trois.

Celle qu'il interpellait était une brune aux yeux noirs, qui, sans être parfaitement belle, pouvait paraître belle à quelque distance, malgré sa peau rude et sa chair grossière. Elle avait une gorge arrondie et proéminente, des lèvres pleines, des dents parfaites. C'était véritablement la femelle humaine – ni plus ni moins ; et Jude la reconnut pour l'auteur du délit, la vessie de porc dont elle avait arraché le morceau gisant encore à côté d'elle.

– Ça, vous ne le saurez jamais.

– C'est en tout cas quelqu'un qui ne ménage guère le bien d'autrui.

– Oh ! il n'y a pas de mal : le porc est à mon père.

– Vous voulez que je vous le rende quand même, n'est-ce pas ?

– Oui, si vous voulez me le donner.

– Dois-je vous le jeter, ou bien passerez-vous la planche pour venir le prendre de ma main ?

Les yeux noirs le fixèrent pendant qu'il prononçait ces mots. Une lueur d'intelligence y brilla, muette révélation d'une affinité possible entre cette femme et Jude, qui était bien loin de s'en douter. Elle avait remarqué qu'il l'avait distinguée entre trois, comme une femme peut être distinguée en de telles circonstances, par instinct, non par choix. Elle se leva et dit :

– Ne jetez pas cela. Donnez-le-moi.

Jude posa son paquet d'outils, prit le morceau de parc au bout d'une baguette et escalada la clôture. Tous deux marchèrent parallèlement, sur les deux rives du ruisseau, jusqu'à la planche qui servait de pont. Comme la jeune fille approchait, elle pratiqua, sans que Jude s'en aperçût, une adroite succion dans l'intérieur de ses joues, et cette curieuse manœuvre dessina une fossette parfaite sur la surface arrondie. Cette production des fossettes à volonté est un tour d'adresse bien connu, mais difficile à réussir.

Ils se rencontrèrent au milieu de la planche, Jude tendit sa baguette avec le morceau de porc ; la fille le prit sans y regarder et le posa sur le rebord du pont.

– Vous ne croirez pas que je vous ai jeté cela ?

– Oh ! non !

– Et vous ne le raconterez à personne ?

– Je ne connais même pas votre nom.

– C'est vrai. Dois-je vous le dire ?

– Dites.

– Je m'appelle Arabella Down. J'habite ici. Mon père est éleveur de porcs, et les filles que vous voyez m'aident à laver les boyaux pour les boudins et les andouilles.

Ils se parlèrent encore et encore, regardant le flasque objet qui ballottait sur le parapet du pont. Le muet appel de la femme à l'homme, qui émanait de toute la personne d'Arabella, frappa Jude, contre sa volonté, d'une manière nouvelle à son inexpérience. On pourrait dire sans exagérer, que, jusqu'à ce moment, Jude n'avait jamais regardé une femme en tant que femme, considérant que ce sexe n'avait aucun rôle à prendre dans sa vie. Il examina Arabella des yeux à la bouche, puis à la poitrine, et aux bras rougis par l'eau, mais fermes comme le marbre.

– Quelle belle fille vous êtes ! murmura-t-il, bien qu'il n'y eût pas besoin de paroles pour traduire le charme qui agissait magnétiquement sur lui.

– Ah ! si vous me voyiez les dimanches ! dit-elle d'un air piquant.

– Ce n'est pas impossible ?

– Ça dépend de vous. Précisément, je n'ai pas d'amoureux, bien que j'en puisse avoir un avant quinze jours, si je veux.

Elle avait dit cela sans sourire ; les fossettes avaient disparu.

Jude se sentait aller à la dérive, sans qu'il y pût rien.

– Me permettez-vous de venir ?

– Pourquoi pas ?… ça m'est égal.

Les fossettes reparaissaient.

– Alors, à demain, dit-il.

– Oui.

Elle le suivit des yeux avec un air de triomphe, puis, jetant le débris de porc dans l'herbe, elle rejoignit ses compagnes.

Jude Fawley ramassa son paquet et reprit son chemin, singulièrement troublé. Les beaux projets d'étude s'étaient évanouis sans qu'il sût pourquoi.

« C'est tout simplement une mauvaise farce », se disait-il, sentant qu'il perdait le sens commun et que le Jude épris de belles-lettres et absorbé par le rêve de Christminster ne pouvait sympathiser avec cette fille. Une vestale n'eût pas choisi un tel moyen d'entrer en relation. Jude vit cela, avec l'œil de l'esprit, dans une lueur, comme à la clarté d'une lampe mourante on pourrait voir une inscription sur un mur avant qu'elle ne soit ensevelie dans l'ombre. Puis, la lueur s'éteignit et Jude resta aveugle à tout, devant l'avènement d'un plaisir inconnu... Un instinct insoupçonné le domina. Il résolut de revoir la femme qui l'embrasait.

Celle-ci avait rejoint ses compagnes et recommencé ses lavages silencieusement dans le clair ruisseau.

– Il est pincé, ma chère ? demanda laconiquement celle qu'on appelait Anny.

– Je ne sais pas... J'aurais préféré lui jeter autre chose, murmura Arabella d'un ton de regret.

– Seigneur ! mais ce garçon-là n'est rien du tout, quoi que vous pensiez. Il conduisait la carriole de la vieille Drusilla Fawley avant d'entrer en apprentissage à Alfredston. Maintenant il se croit quelqu'un. Il lit toujours. On dit qu'il veut être étudiant.

– Je me moque de lui et de ses histoires... Qu'allez-vous penser là, ma petite ?

– Allons donc ! N'essayez pas de nous tromper. Pourquoi lui avez-vous parlé, si vous vous moquez de lui ? Il est aussi simple qu'un enfant. Je crois vous revoir sur le pont faisant des grâces, avec ce morceau de porc entre vous... Ce garçon-là est à la première qui voudra le prendre, pourvu qu'elle sache le mettre dans le bon chemin.

VII

Le lendemain, Jude était assis dans sa chambre, devant la petite table couverte de livres. Il s'était proposé d'examiner ce jour-là une nouvelle édition grecque du Nouveau Testament, et, la veille encore, cette perspective le réjouissait. Mais un évènement imprévu avait brisé le cours égal de sa vie, et il se demandait s'il irait au rendez-vous fixé par Arabella.

Il décida de rester.

Les coudes sur la table, ses mains pressant ses tempes, il commença :

H KAINH #IA#HKH

[...]

Et pourtant, si cette pauvre fille allait se morfondre à l'attendre ? Il ne pouvait pas lui manquer de parole. Un après-midi perdu, ce n'était pas un grand malheur. D'ailleurs, il comptait ne jamais revoir Arabella...

Il ferma son livre, poussé par une force supérieure qui ne ressemblait en rien à celles qui avaient dirigé sa vie. Déjà, il avait mis ses plus beaux vêtements, et, en moins de trois minutes, il fut dehors.

Ayant consulté sa montre, il pensa pouvoir revenir dans deux heures, ce qui lui permettrait d'étudier un peu avant le dîner.

Il se dirigea vers la maison d'Arabella, qu'il devina de loin à l'odeur des étables et aux grognements des porcs. Il entra dans le jardin et heurta la porte avec le pommeau de sa canne.

Quelqu'un l'avait aperçu par la fenêtre, car une voix masculine s'éleva dans l'intérieur de la maison.

– Arabella ! voici votre jeune homme qui vient vous faire sa cour. Décampez, ma fille !

Jude hésita, pris de répugnance, car il ne pensait guère à cette cour dont on parlait si délibérément. Il avait tout juste envie de promener Arabella, de l'embrasser, peut-être, mais, quant à la courtiser, il n'y songeait guère. La porte s'ouvrit. Il entra au moment où Arabella, en costume de promenade, descendait les escaliers.

– Asseyez-vous, monsieur Je-Ne-Sais-Qui, dit le père, un homme à mine énergique, à gros favoris noirs, de cette même voix déplaisante qui semblait régler une affaire.

– J'aimerais mieux sortir, murmura la fille à l'oreille de Jude.

– Oui, répondit-il. Nous irons jusqu'à la Maison-Noire et nous reviendrons. Il n'y en a pas pour une demi-heure.

Arabella semblait si jolie qu'il ne regretta plus sa visite.

Ensemble, ils gravirent la grande dune et Jude dut prendre la main d'Arabella pour lui faciliter l'ascension. Ils parvinrent jusqu'à ce lieu qui avait été pour Jude un lieu de pèlerinage quand il souhaitait apercevoir Christminster. Mais il ne s'en souvenait plus. Il prenait aux bavardages d'Arabella le même intérêt qu'aux discussions les plus philosophiques, marchant d'un pied léger, et tout honoré, tout glorieux, lui, futur professeur, docteur ou évêque, que cette jolie fille voulût bien se promener avec lui dans ses atours du dimanche. Arrivés à la Maison-Noire, ils aperçurent une colonne de fumée dans la direction d'un bourg voisin.

– Un incendie ! dit Arabella. Courons le voir. Ce n'est pas loin.

La tendresse croissante de Jude ne lui permit pas de contrecarrer ce désir, qui lui fournissait une excuse pour la prolongation de la promenade. Ils descendirent la colline, marchèrent l'espace d'un mille et virent que l'incendie était plus éloigné qu'ils ne l'avaient cru d'abord. Il n'était pas tout à fait cinq heures quand ils arrivèrent sur le lieu du sinistre. Tout était fini. Après un rapide regard sur la mélancolie des décombres, ils se dirigèrent vers Alfredston.

Arabella ayant dit qu'elle désirait du thé, ils entrèrent dans une toute petite auberge ; mais on les fit attendre assez longtemps. La servante avait reconnu Jude, et témoigna tout bas à la patronne son étonnement de voir cet étudiant, qui semblait si fier de lui, s'abaisser jusqu'à la compagnie d'Arabella. Celle-ci devina la réflexion et jeta sur Jude le regard amoureux et triomphant d'une femme qui voit réussir ses projets.

Ils s'étaient assis et regardaient la salle, la peinture représentant Samson et Dalila, le cercle des chopes d'étain sur la table et les crachoirs pleins de sciure de bois. Le soir venait. Ils ne pouvaient guère attendre plus longtemps et Jude se sentait pris de mélancolie à l'aspect de cette auberge.

– Si nous prenions de la bière ? proposa Arabella.

Jude demanda de la bière. Arabella y trempa ses lèvres et lit :

– Pouah !

– Qu'y a-t-il ? demanda Jude… Je ne connais guère la qualité de la bière. Je bois surtout du café. Cela vaut mieux quand on doit travailler. Mais pourtant, cette bière me paraît bonne.

– Elle est falsifiée. Je n'y toucherai pas.

Arabella énuméra les divers ingrédients qu'elle reconnaissait mêlés à la bière.

– Comme vous êtes savante ! dit-il avec bonne humeur.

Malgré son dégoût, elle acheva sa chope et tous deux reprirent leur chemin.

L'ombre s'épaississait. Dès qu'ils eurent vu disparaître les lumières de la ville, Jude et Arabella se rapprochèrent. Elle s'étonna qu'il ne lui prit pas la taille. Il lui offrit simplement son bras.

– Nous sommes bien ensemble, n'est-ce pas ?

– Oui, répondit-elle, pensant en elle-même : « C'est un peu tiède. »

Il songeait : « Comme je suis devenu fou ! »

Ils continuèrent leur route. Des passants les croisèrent, et l'un d'eux déclara en les voyant :

– Ces amoureux !... Ils sont comme les chiens qui se promènent à toute heure et par tous les temps.

Arabella eut un rire léger.

– Sommes-nous donc des amoureux ? demanda Jude.

– Vous le savez mieux que moi.

– Mais vous pouvez bien me le dire.

Elle répondit en inclinant sa tête sur l'épaule du jeune homme. Il l'entoura de ses bras et lui donna un baiser.

Ils allèrent ainsi, enlacés. À mi-chemin de la colline, ils s'arrêtèrent pour s'embrasser et ils s'embrassèrent encore dans le chemin.

À neuf heures, après un dernier baiser, Jude conduisit Arabella devant la porte de son père.

Elle le pria d'entrer, pour une minute seulement, et il consentit à la suivre. La porte ouverte, il trouva les parents et quelques voisins, assis en cercle. Ces gens parurent le féliciter et le prendre pour le prétendant avoué d'Arabella. Un peu embarrassé, il n'osa dire qu'il ne désirait rien de plus qu'un après-midi de promenade avec la jeune fille. Il salua la mère, paisible femme au visage et au caractère également insignifiants, puis, ayant souhaité le bonsoir à tout le monde, il reprit avec une sensation de délivrance le chemin de son logis.

Cette sensation ne dura guère. Arabella hanta son esprit. Il n'était plus le même homme. Ses livres lui devenaient indifférents. Où étaient ces résolutions de ne pas perdre une minute de sa vie ? Ne venait-il pas de se sentir vivre pour la première fois ? Il vaut mieux aimer une femme que de devenir diplômé, pasteur et même pape.

Sa tante était couchée quand il rentra. Il trouva son livre ouvert sur la table, tel qu'il l'avait laissé, et les lettres de la première page semblaient le fixer dans la pénombre avec une expression de reproche, comme les yeux ouverts d'un homme mort.

H KAINH #IA#HKH

Le lendemain matin, Jude, son paquet d'outils sur l'épaule, reprit le chemin qu'il avait parcouru la veille avec Arabella. Il s'arrêta à l'endroit où ils s'étaient embrassés la veille, près d'un saule qu'il reconnut et qui lui parut unique au monde. S'il n'avait eu qu'une semaine à vivre, il en eût donné avec joie les six premiers jours pour hâter l'avènement du septième qui lui prendrait Arabella.

Une heure plus tard, Arabella passait au même lieu avec ses amies, leur racontant la scène de la veille, répétant mot pour mot la tendre conversation, d'une manière qui eût étonné Jude en lui révélant combien peu ses actions et ses paroles resteraient secrètes.

– Vous avez fait sa conquête !... C'est bien de vous, cela, dit Anny judicieusement.

– Cela ne me suffit pas, répliqua Arabella. Je veux qu'il m'épouse. Je le veux. C'est l'homme qu'il me faut.

– C'est un garçon honnête et romanesque. Il pourra faire un mari, si vous employez le bon moyen.

– Quel bon moyen ?

– Allons donc ! vous ne savez pas ? dit Sarah.

– Non certes, si ce n'est de me faire courtiser en prenant garde d'aller trop loin.

– Elle ne comprend pas, c'est clair, dit Anny en regardant Sarah. Et dire qu'elle vient de la ville ! Nous lui ferons la leçon.

– Je veux bien… Ainsi vous connaissez un moyen sûr de gagner un mari ?

– Oui, quand il s'agit d'un honnête et grave campagnard comme ce jeune homme. Il n'y a rien à faire avec les gens de la ville, commerçants ou matelots… Ceux-là sont bons pour attraper les femmes.

Les compagnes d'Arabella lui parlèrent un instant à voix basse, quoique personne ne pût les entendre, tout en l'observant avec curiosité.

– Ah ! fit Arabella, je comprends… Mais supposez que l'homme ne soit pas honnête… C'est bien dangereux pour la femme, de risquer ça.

– Qui ne risque rien n'a rien. Assurez-vous d'abord qu'il est honnête… et bonne chance. C'est le sort des filles… Croyez-vous qu'elles pourraient se marier autrement ?

Arabella s'en retourna, silencieuse, et, sans l'avouer à ses amies, elle murmura :

– J'essaierai.

VIII

À la fin de la semaine suivante, Jude quitta Alfredston pour Marygreen, attiré par un désir tout autre que celui de voir sa tante. Chemin faisant, il fit un détour pour passer près de la maison d'Arabella. Ses yeux curieux aperçurent soudain Arabella elle-même courant dans le jardin à la poursuite de trois cochons de lait échappés de leur étable. Elle appela Jude et le pria de l'aider à rattraper les animaux.

– Il n'y a personne à la maison, excepté ma mère. Fermez la porte du jardin… Ah ! si je n'y prenais garde, ils seraient vite perdus.

Ils se mirent à courir ensemble, à travers le potager. Le premier cochon fut pris aisément ; le second fit quelques difficultés. Le troisième, plus obstiné et plus agile, fila à travers la clôture par le sentier. Jude et Arabella le poursuivirent et, après une longue course à travers champs, ils le virent se diriger vers une ferme voisine.

– Tant mieux ! s'écria Arabella. Les fermiers nous connaissent. Ils nous le feront ramener. Ah ! mon ami, que je suis lasse !

Sans lâcher la main de Jude, elle se jeta sur le sol près d'un buisson rabougri, entraînant le jeune homme, qui tomba à genoux.

– Oh ! pardon ; je ne l'ai pas fait exprès… Je suis tellement fatiguée…

Elle s'étendit sur le dos, regardant l'azur infini, sa main retenant celle de Jude dans une ardente pression. Il s'appuya sur le coude, auprès d'elle.

– Nous avons couru pour rien, dit Arabella.

Son sein se soulevait, son visage rougissait, ses belles lèvres se séparaient, tout humides.

– Eh bien ? Pourquoi ne me dites-vous rien, mon chéri ?

– Je suis essoufflé, moi aussi.

Ils étaient dans la plus absolue solitude, au centre d'un immense espace vide, d'où l'on aurait pu distinguer le paysage qui environne Christminster. Mais Jude n'en avait nul souci.

– Oh ! je vois quelque chose de très joli sur cet arbre, dit Arabella… Une espèce de chenille verte et jaune, du plus beau vert, du plus beau jaune qu'on puisse voir.

– Où donc ?

– Venez plus près, vous verrez.

Il se rapprocha et leurs têtes se frôlèrent.

– Non, je ne vois rien.

– Là, près de cette feuille qui remue…

– Rien, dit-il, rien… Mais, debout, je verrai peut-être mieux.

Il se leva. Arabella tourna la tête et dit d'un air vexé :

– Êtes-vous bête !

– Oh ! je ne tiens pas beaucoup à voir cette chenille… Relevez-vous, Arabella.

– Pourquoi ?

– Je veux vous embrasser.

Elle le regarda, sourit et se leva ; puis, brusquement :

– Il faut que je m'en aille, dit-elle en se sauvant.

Jude la suivit, suppliant :

– Un seul baiser.

– Non.

– Pourquoi ?

Elle serra les lèvres d'un air offensé, et Jude, humble et docile comme un agneau, l'accompagna sans obtenir le baiser qu'il désirait. En la quittant, il soupira :

– J'ai pris trop de libertés avec elle.

Et tout triste, il atteignit Marygreen.

Le lendemain, dans la journée, Arabella s'arrangea pour congédier toute la famille. Puis elle retrouva Jude, qui maintenant n'ouvrait plus ses livres de grec et de latin, et fit avec lui une longue promenade. Il marchait près d'elle sans trop savoir où il était ; et quand il l'eut reconduite, il murmura :

– Êtes-vous si pressée de rentrer ?... Il ne fait pas nuit encore.

– Attendez un moment, dit-elle... Ah ! la porte est fermée... Ils sont à l'église...

Elle trouva la clef, ouvrit et déclara :

– Vous allez entrer un instant... Nous serons seuls.

– Volontiers, dit Jude gaiement, car il n'avait pas rêvé pareille aubaine.

Ils entrèrent... Jude voulait-il du thé ? Non, il préférait s'asseoir et causer avec Arabella. Elle enleva sa jaquette et son chapeau et s'assit tout contre le jeune homme.

– Ne me touchez pas, dit-elle doucement... Je porte avec moi un œuf, un œuf très rare. Ah ! j'aurais dû le mettre ailleurs, ajouta-t-elle, en déboutonnant le col de sa robe.

– Vous le gardez là ?

– Justement.

Elle glissa sa main dans son sein et ramena l'œuf, enveloppé par précaution dans un morceau de vessie de porc. L'ayant montré à Jude, elle le replaça dans sa cachette :

– Maintenant, ne me touchez pas. Vous le briseriez et je serais obligée d'en couver un autre.

– Étrange fantaisie...

– Bien naturelle. La femme est faite pour repeupler le monde.

– Votre fantaisie est malencontreuse pour moi, dit-il en riant.

– Tant pis. Voilà tout ce que vous aurez de moi, fit-elle en tendant sa joue au baiser de Jude.

– C'est bien mal de votre part.

– Vous avez failli casser l'œuf !... Là, il n'y est plus...

Elle le retira, puis le remit dans son corsage, riant de son stratagème. Il y eut une courte lutte ; enfin, Jude exécuta un plongeon triomphal et s'empara de l'œuf. Le visage de la fille s'enflammait ; Jude le remarqua et rougit à son tour. Ils se regardaient, haletants. Il se leva et dit :

– Un baiser... Je ne risque plus d'endommager votre propriété... Après, je m'en irai.

– Trouvez-moi d'abord, cria-t-elle.

Elle s'échappa.

Son amoureux la suivit. Il faisait déjà sombre dans la chambre que la fenêtre trop petite éclairait mal. Longtemps Jude chercha Arabella ; tout à coup, il l'entendit rire en haut de l'escalier. Alors il s'élança à sa poursuite.

IX

Deux mois passèrent, pendant lesquels les deux jeunes gens ne cessèrent de se voir. Arabella semblait déçue. Elle ne cessait d'imaginer mille choses, d'attendre et de s'étonner.

Un jour, elle rencontra Vilbert qu'elle connaissait comme tous les gens du pays pour avoir eu recours à son expérience. Arabella était sombre ; mais quand elle quitta le charlatan, son visage s'éclaircit. Le même soir, elle rencontra Jude qui semblait triste.

– Je suis désolé, lui dit-il. Il faut que je m'en aille. C'est ce que je pourrai faire de mieux, dans votre intérêt comme dans le mien… Ah ! j'aurais voulu que tout cela ne fût jamais arrivé. Je sais que j'ai de grands torts, mais il n'est jamais trop tard pour bien faire.

Arabella commença à pleurer.

– Savez-vous s'il n'est pas trop tard ? Vous parlez bien !

Et elle le regardait en face avec des yeux ruisselants.

– Quoi ? fit-il en pâlissant. Vous n'êtes pas ?…

– Si, répondit-elle, et vous voulez m'abandonner.

– Oh ! Arabella, pouvez-vous parler ainsi ? Vous savez que je ne vous abandonnerai pas.

– Alors…

– Il faut nous marier, quoique je ne gagne pas grand-chose.

– Je pensais… je craignais…

– Il y a six mois, il y a trois mois, je ne songeais pas au mariage. Le mariage n'entrait pas dans mes plans… Mais qu'importent mes rêves de livres et de diplômes !… Nous nous marierons, puisqu'il le faut.

Cette nuit-là, il sortit seul et marcha dans l'ombre.

Il savait bien, trop bien qu'Arabella n'était pas la femme qu'il eût désirée. Pourtant il acceptait les conséquences de ses actions.

Le dimanche suivant les bans furent publiés. Tout le monde jugea que le jeune Fawley faisait une grande folie. Les parents d'Arabella dirent que le brave garçon faisait son devoir en réparant le tort qu'il avait porté à une fille innocente. Devant le pasteur, Jude et Arabella prirent l'engagement de penser et de sentir toute leur vie comme ils avaient senti et pensé durant les semaines précédentes, et personne ne s'en étonna. La tante Fawley pétrit le

31

gâteau de mariage, non sans maugréer. Arabella en envoya un morceau à ses deux amies, Anny et Sarah, avec ces mots sur chacun des deux petits paquets : *En souvenir d'un bon conseil.*

Jude avait loué une maison entre Marygreen et la Maison-Noire. Il devait continuer son apprentissage comme tailleur de pierres. Arabella tiendrait le ménage et soignerait un cochon. Elle espérait bien que son mari laisserait de côté ses livres stupides.

Le soir des noces, Jude éprouva un sentiment de désillusion quand Arabella, en se décoiffant, enleva une fausse natte habilement mêlée à ses cheveux. Il exprima sa répugnance pour cet artifice de coquetterie. Arabella répondit que c'était la mode, et que toutes les dames de la ville portaient des chignons postiches.

Quelque temps après le mariage, Mme Jude Fawley se promenait dans les rues d'Alfredston, quand elle rencontra Anny, son ancienne camarade.

— Eh bien, votre plan a réussi, dit la fille à la nouvelle mariée. Je savais que tout irait bien. Votre mari est un bon garçon dont vous pouvez être fière.

— J'en suis fière.

— Et quand attendez-vous ?…

— Bah !… rien du tout.

— Comment ?

— Je m'étais trompée.

— Ô Arabella, Arabella, vous êtes un profond politique… Voilà un trait de génie… Je n'aurais jamais osé…

— Tant pis. Le mariage est le mariage.

Ce ne fut pourtant pas sans un léger malaise qu'Arabella vit approcher le moment où il lui faudrait avouer sa supercherie.

Un soir, dans la chambre à coucher, Jude dormait à moitié, pendant qu'Arabella se déshabillait devant la glace. Elle s'amusait au jeu des fossettes artificielles qui devenaient de plus en plus rares, depuis la noce. Jude aperçut son reflet dans le miroir.

— Ne faites pas cela, Arabella, dit-il tout à coup.

Elle se prit à rire.

— Seigneur !… Je vous croyais endormi. Vous avez l'air déconcerté. Ce n'est rien.

— Qui vous a enseigné cela ?

— Personne… Je réussissais mieux quand j'étais à la brasserie. Maintenant ça ne va plus. J'ai trop engraissé.

— Je ne tiens guère à ces fossettes.

— D'autres hommes pensent autrement.

— Peu m'importe ce que pensent les autres. Mais comment connaissez-vous leur goût ?

– J'en ai entendu parler quand j'étais fille de brasserie.

– Ah ! je m'explique votre critique de la bière falsifiée, le soir où nous nous sommes arrêtés à l'auberge. Je croyais qu'avant votre mariage vous aviez toujours habité chez votre père.

– Vous auriez dû voir que j'étais un peu plus distinguée qu'une simple campagnarde. Il n'y avait pas grand-chose à faire à la maison, et cela m'impatientait.

– Vous allez avoir beaucoup d'occupation, maintenant, ma chère.

– Que voulez-vous dire ?

– Eh bien… et la petite layette ?

– Oh !

– Dites, quand l'enfant viendra-t-il ?

– Ne vous en préoccupez pas. Je m'étais trompée.

Il s'assit sur le lit et la regarda.

– Est-ce possible ?

– On peut croire à tort…

– Mais… Comment, sans certitude, avez-vous pu précipiter les choses, me presser, moi, qui n'avais ni meubles, ni argent ?… Oh ! Dieu !

– Mon cher, ce qui est fait est fait.

– Je n'ai plus rien à dire.

Il avait parlé simplement. Le silence retomba entre eux.

Quand Jude s'éveilla le lendemain matin, il lui sembla voir le monde avec des yeux différents.

Il songeait, vaguement et obscurément, qu'il y avait quelque chose de défectueux dans le système social qui annule les plus beaux rêves de travail intellectuel, et interdit à un homme de s'élever et de contribuer par son effort au progrès général de sa génération, parce qu'il a été surpris par un instinct nouveau et passager qui n'a rien de vicieux dans son essence et pourrait tout au plus être considéré comme une faiblesse. Il examinait sa responsabilité, le préjudice causé à Arabella, se demandant si cela justifiait le piège dans lequel il était tombé avec elle pour le reste de leur vie. Il devait peut-être se réjouir que le prétexte immédiat de ce mariage n'eût été qu'un prétexte. Mais le mariage subsistait.

X

Le temps arriva où il fallait tuer le porc que Jude et sa femme avaient nourri dans leur étable pendant tout l'automne. Le boucher promit de venir à la pointe du jour.

La nuit avait paru étrangement silencieuse. Bien avant l'aurore, Jude, regardant par la fenêtre, s'aperçut que le sol était couvert de neige, une neige abondante pour la saison.

– Je crains bien que le tueur de porcs ne puisse venir, dit-il à Arabella.

– Oh ! il viendra. Mettez l'eau sur le feu pour que Challow puisse échauder la bête.

Jude obéit, un peu ému à l'idée qu'il préparait la mort d'un animal qui vivait encore et qu'on entendait grogner au fond du jardin. À six heures et demie, l'eau bouillait et le boucher n'arrivait pas.

Ils attendirent et le jour devint plus clair, de la triste clarté des aurores neigeuses. Arabella fit quelques pas sur la route et revint en disant :

– Il ne viendra pas. Il a dû se saouler cette nuit.

– Eh bien ! il faut laisser sortir le porc. L'eau aura bouilli pour rien, voilà tout… La neige doit être épaisse dans la vallée.

– Il n'y a plus de pâtée. Il a mangé hier tout ce qui restait.

– Et depuis hier ?

– Rien.

– Quoi ? Il a jeûné ?

– Il faut qu'il ait jeûné au moins un jour pour que les boyaux puissent servir à quelque chose. Faut-il être ignare pour ne pas savoir ça !

– Je comprends pourquoi il crie ainsi. Pauvre créature !

– Oh ! ne vous attendrissez pas. Si le boucher ne vient pas, je le tuerai moi-même. Je saurai bien comment m'y prendre. Challow a envoyé hier ses baquets et ses couteaux. Ça nous servira.

Jude se récria. Arabella finit par le convaincre en lui démontrant que le porc mourrait de faim.

– Vous ne le tuerez pas vous-même, dit Jude. Je m'en charge, puisqu'il le faut absolument.

Ils déblayèrent un coin du jardin et disposèrent les couteaux et le baquet. Sur l'arbre le plus proche, un rouge-gorge, effrayé par le sinistre aspect de cette scène, s'envola, quoique affamé. Il fallut ensuite faire sortir le porc de son étable où il poussait des cris de rage. Arabella lui noua une corde autour des pattes et les cris furieux devinrent des cris plaintifs, prolongés en une plainte sourde et désespérée.

– Sur mon âme, je me serais privé du profit de la bête, plutôt que d'avoir une pareille besogne à faire, dit Jude. Une créature que j'ai nourrie de mes propres mains.

– Pas de sensiblerie. Prenez le couteau le plus pointu, et surtout ne l'enfoncez pas trop profondément.

– Au contraire, je m'abrégerai cet odieux travail.

– Je ne veux pas, cria-t-elle. Nous perdons une vingtaine de shellings si la viande est rouge et sanglante. Il faut juste toucher la veine : pas plus. Je m'y connais. Un bon boucher doit faire saigner longtemps. Il faut que le porc mette huit à dix minutes à mourir.

– Il n'agonisera pas plus d'une demi-minute, si cela dépend de moi, et tant pis pour la viande ! dit Jude avec fermeté.

Et il enfonça le couteau dans la gorge du porc, comme il l'avait vu faire aux bouchers.

– Le diable vous emporte, cria-t-elle. Je vous avais dit...

– Taisez-vous, Arabella, et ayez pitié de cette pauvre bête.

Si inhumain que fût l'office de Jude, il l'avait rempli avec un souci de compassion. Le sang jaillissait en ruisseau rapide, et le cri de l'animal mourant s'affaiblissait. Ses yeux, fixés sur Arabella, exprimaient un obscur reproche, l'étonnement de la cruauté de l'homme qui nourrit l'animal pour l'immoler.

– Quelle horreur ! dit Jude.

– Les porcs sont faits pour être saignés.

Dans son émotion, Jude renversa le vase plein de sang qui se mêla hideusement à la neige. Soudain, au fond du jardin, une voix retentit :

– Très bien, jeunes gens ! Je n'aurais pas mieux fait moi-même.

C'était M. Challow en personne. La colère d'Arabella tomba sur lui. Pendant qu'ils se disputaient avant d'échauder le porc, Jude, écœuré, s'en alla sur la route d'Alfredston.

Il se rappela le temps où, revenant de son travail, il suivait ce même chemin pour y rencontrer Arabella. En passant près du ruisseau où, pour la première fois, il l'avait vue, il entendit des voix et reconnut une des amies d'Arabella, causant avec une jeune fille. Elles étaient si affairées qu'elles ne l'aperçurent pas.

– Je le lui avais bien dit : « Qui ne risque rien, n'a rien. » Sans ça, elle ne serait jamais devenue sa maîtresse.

– Je crois qu'elle savait avant...

Jude n'en entendit pas davantage. Il ne rentra pas chez lui et passa le reste de la journée chez sa vieille tante. Il était déjà tard quand il retourna près de sa femme. Bien qu'il fût peu disposé à causer, Arabella, fort bavarde, raconta mille niaiseries, et tout à coup se plaignit de manquer d'argent.

– Croyez-vous, dit-il, que la paie d'un apprenti suffise à entretenir une femme ?

– Pourquoi donc vous êtes-vous marié ?

– Arabella, vous avez trop d'impudence. Vous savez comment ce mariage s'est fait.

35

– Je vous jure que je croyais vous avoir dit la vérité. Le docteur Vilbert était du même avis. Vous avez eu de la chance que je me sois trompée.

– Je ne parle pas de cela ; je parle de ce qui est arrivé… avant. Vos amies vous avaient donné un mauvais conseil, car si vous ne l'aviez pas suivi, nous serions libres au lieu de porter une chaîne atroce pour tous deux. Cela est triste à dire, mais c'est vrai.

– Pourquoi parlez-vous de mes amies… et quel conseil ?…

– Peu importe.

– Je veux savoir.

– Fort bien.

Il répéta les propos qu'il avait surpris.

Elle ricana froidement.

– Toute femme a le droit de faire ce que j'ai fait. Le risque est pour elle seule.

– Vous vous trompez, Arabella. Quand la faiblesse d'un moment a des conséquences qui entravent toute la vie d'un honnête homme, la femme n'a pas le droit d'encourir une double responsabilité.

– Qu'aurais-je dû faire ?

– Me donner du temps… Mais pourquoi vous êtes-vous embarrassée de tout ce lard à faire fondre ce soir ? Laissez cela.

– Alors il faudra que je le fasse demain matin : il ne se conserverait pas.

– Très bien… Faites.

XI

Le lendemain matin, Arabella acheva l'ouvrage commencé la veille, et cette occupation lui rappela les paroles de Jude.

– Cette histoire a couru dans Marygreen, dit-elle, sans modérer l'expansion de son caractère intraitable. On dit que je vous ai agrippé… Belle prise, vraiment !

Et sa fureur s'échauffant à la vue des livres de Jude :

– Je n'ai pas besoin de tous ces livres qui m'encombrent, cria-t-elle en jetant les livres sur le parquet.

– Laissez mes livres, dit-il. Vous pourriez les mettre de côté sans les abîmer ainsi. C'est dégoûtant !

Les mains d'Arabella, toutes grasses d'avoir touché au lard, avaient laissé des marques sur les reliures. Elle continua de disperser les livres çà et là, jusqu'à ce que Jude lui saisit le bras pour l'arrêter. D'un mouvement involontaire, il frôla les cheveux d'Arabella qui se dénouèrent et tombèrent sur ses oreilles.

– Lâchez-moi, dit-elle.

– Promettez-moi de ne plus toucher aux livres.

Elle hésita et répéta :

– Lâchez-moi.

– Promettez.

Après un silence, elle répondit :

– Je promets.

Jude la laissa aller et elle se précipita vers la porte, déchirant son corsage et secouant ses cheveux. C'était un beau matin de dimanche clair et froid, et la brise du nord apportait l'écho des cloches. Des gens, vêtus de leurs plus beaux habits, passaient sur la route et s'arrêtaient pour regarder cette femme dépoitraillée, échevelée, les manches relevées jusqu'au coude et les mains gluantes de lard. Un des passants cria avec un air de terreur moqueuse :

– Bon Dieu ! ayez pitié de nous.

– Voyez comment il m'a traitée, cria-t-elle. Il me force à travailler le dimanche matin, quand je devrais être à l'église ; il m'arrache les cheveux et le corsage…

Jude, exaspéré, essaya de la faire rentrer par force. Tout à coup sa colère tomba. Il avait senti qu'un abîme le séparait de cette femme. Le bonheur de leurs vies était détruit à jamais, détruit par l'erreur fondamentale de leur mariage, contrat permanent basé sur un sentiment éphémère qui n'avait aucun rapport avec les affinités indispensables pour la vie commune.

– Allez-vous me maltraiter comme votre père a maltraité votre mère, et la sœur de votre père son mari ? cria-t-elle. Ah ! vous êtes une jolie collection de maris et de femmes !

Jude, surpris, la regarda. Mais elle ne voulut rien dire de plus et continua à s'agiter jusqu'à ce qu'elle fût fatiguée. Il sortit, erra quelque temps, et se rendit chez sa tante à Marygreen.

– Tante, dit-il, à brûle-pourpoint, en s'asseyant devant le feu, est-il vrai que mon père ait maltraité ma mère et ma tante son mari ?

Elle leva vers lui ses yeux affaiblis.

– Qui vous a parlé de cela ?

– Je l'ai entendu dire. Je dois tout savoir.

– Je parierais que votre femme – la folle ! – vous a raconté l'histoire. Elle aurait dû se taire… Après tout, je n'ai pas grand-chose à vous apprendre. Votre père et votre mère ne pouvaient pas vivre ensemble. Ils se séparèrent. C'est sur le chemin d'Alfredston, près de la Maison-Noire, qu'ils eurent leur dernière discussion. Vous n'étiez alors qu'un bébé. Votre mère se noya peu après la rupture et votre père partit avec vous pour le sud du Wessex ; il ne revint jamais ici.

Jude se rappelait que son père ne lui avait jamais parlé de sa femme, ni de son séjour dans le Wessex septentrional.

– Ce fut la même histoire pour votre tante. Elle quitta son mari et se fixa à Londres avec sa petite fille. Les Fawley ne sont pas faits pour le mariage. Nous ne pouvons nous résoudre à faire par force ce que nous ferions de bonne volonté, si nous étions libres. C'est dans le sang. Voilà pourquoi vous auriez dû m'écouter et ne pas vous marier.

Jude, à travers le crépuscule, s'en alla par la campagne. L'idée du suicide le hantait. Le froid n'était pas très dur et les plus grandes étoiles brillaient dans le firmament. Le jeune homme parvint jusqu'au ruisseau gelé et mit son pied sur la glace. Il y eut un craquement. Jude continua d'avancer. Le craquement se répéta ; mais la glace trop épaisse, ne se rompit pas sous l'effort. Jude remonta sur la berge et rêva.

La mort ne voulait pas de lui. Qu'allait-il faire ? À tout prix, il fallait qu'il pût oublier…Il gagna la colline, entra dans l'auberge où il reconnut l'image de Samson et Dalila, le banc, la table, la salle qu'il avait vus avec Arabella, au début de ses amours. Il se fit servir à boire et demeura là une heure ou deux.

Il entra chez lui, avec le sentiment très net de sa déchéance, riant furieusement à l'idée de la réception que lui préparait Arabella. La maison était plongée dans les ténèbres. Jude chercha longtemps avant d'allumer une lumière et il aperçut une vieille enveloppe épinglée à la cheminée.

Il s'approcha et lut ces mots, écrits par sa femme :

« Je suis allée rejoindre mes amis. Je ne reviendrai pas. »

Tout le jour suivant, Jude attendit Arabella. Elle ne reparut pas. Il reçut seulement une lettre d'elle. Elle déclarait qu'elle ne pouvait plus vivre avec lui, qu'elle suivait ses parents qui allaient émigrer en Australie « où une femme de son espèce aurait plus de chance que dans cet absurde pays du Wessex ».

Quelques semaines plus tard, Jude se trouvait sur la colline où il aimait à rêver quand il était enfant. Tous ses meubles étaient vendus. Arabella était loin. Et il semblait à Jude que son triste mariage n'était qu'un songe, qu'il redevenait le petit Jude, fasciné par la science et par Christminster.

Au bord de la route, il y avait une borne milliaire. Jude se souvint qu'aux premiers temps de son apprentissage, il avait gravé sur cette pierre, avec ses outils, une inscription qui symbolisait ses espoirs. Il pouvait la discerner encore :

LÀ-BAS
J.F.

Une main, à l'index allongé, désignait la direction de Christminster.

Une étincelle de l'ancienne flamme se ralluma, à cette vue, dans le cœur de Jude. À travers les bons et les mauvais hasards, il finirait par toucher au but, malgré les astres contraires, et il choisirait pour devise ces mots de Spinoza, qu'il avait entendu naguère prononcer : *Bene agere et lœtari.*

À l'horizon tremblait un halo lumineux, visible aux seuls yeux de la foi. C'était assez pour décider Jude. Il irait à Christminster dès que son apprentissage serait terminé.

Il retourna chez lui plus calme et dit ses prières.

Deuxième partie

À Christminster

I

Trois ans après la rupture de l'intimité conjugale avec Arabella, Jude suivait la route qui mène à Christminster.

Il avait achevé son apprentissage et l'heure semblait proche où son rêve pourrait se réaliser.

À cette époque de sa vie, Jude était un jeune homme au type énergique, méditatif, plus grave que robuste. Brun, avec des yeux noirs harmonieusement assortis à sa chevelure, dont la grande masse sombre, traversée de reflets bleuâtres, était souvent poudrée d'une fine poussière de pierre, il portait une barbe brune et frisée, plus épaisse qu'elle n'est habituellement chez les jeunes gens de cet âge.

La profession de Jude embrassait la taille de la pierre monumentale, la restauration des églises gothiques et la sculpture en général. Il n'avait pas pu se spécialiser, comme il l'eût fait à Londres où sans doute il fût devenu sculpteur ornemaniste, peut-être praticien.

Il avait laissé au village voisin la carriole qu'il avait louée à Alfredston. Par choix plus que par nécessité, il devait faire à pied le reste de la route, ayant toujours imaginé qu'il entrerait ainsi à Christminster.

Il parvint enfin en vue de la cité.

Toute en pierres grises et en toits brunâtres, elle s'élevait à la frontière du Wessex. La paix du couchant planait sur elle, et çà et là une girouette, sur les clochers et les dômes, allumait un point brillant qui tranchait avec l'ensemble de sobres et discrètes couleurs.

Descendant le sentier, entre les saules, Jude s'avança dans le crépuscule, regardant les lumières de la ville dont la splendeur céleste et les glorieux reflets avaient charmé ses rêves d'enfant. Et ces yeux jaunes fixés sur lui semblaient l'avoir attendu depuis tant d'années que sa venue tardive les laissait indifférents…

Jude traversa les faubourgs qui ne ressemblent en rien au Christminster véritable. Il s'enquit d'un logement, s'installa, prit un peu de thé et sortit aussitôt.

C'était une nuit sans lune, pleine de vent et de murmures. Jude se dirigeait à l'aide d'une carte qu'il avait achetée et qu'il ouvrait sous une petite lampe portative. Il aperçut bientôt un bâtiment gothique où il pénétra et qu'il put explorer dans les ténèbres. C'était un collège, et, tout près, il y avait un autre collège, et un autre encore. Quand on ferma les portes, le jeune homme erra autour de ces murs, le long des ruelles presque désertes, fasciné par la riche floraison des sculptures anciennes qui s'épanouissait sur les portiques. Comment la pensée moderne pouvait-elle habiter ces lieux ? Jude allait comme un fantôme, évoquant les grandes ombres dont il peuplait la cité : les poètes, les savants, les philosophes... La voix d'un policeman le fit tressaillir. Il regagna sa chambre, son lit et s'endormit en rêvant aux hommes de génie dont il avait admiré les idées et les actions.

Quelques années auparavant, Jude avait remarqué sur la cheminée de sa tante, entre deux candélabres, une photographie représentant une jeune fille coiffée d'un large chapeau qui formait une auréole à son visage enfantin. Sa tante lui avait dit que l'original du portrait était sa propre cousine, Sue Bridehead, qui habitait Christminster. Les Bridehead et les Fawley étant brouillés, miss Drusilla ne savait rien de la jeune fille.

Jude avait prié sa tante de lui donner cette photographie. Miss Fawley avait refusé, et le souvenir de Sue, le désir de la connaître s'étaient unis dans l'esprit de Jude au désir de retrouver M. Phillotson.

Pendant les premiers jours qu'il passa à Christminster, Jude dut s'occuper d'assurer sa vie matérielle. Il sentait que la cité, hantée par les grands hommes, le Christminster idéal aperçu la première nuit, ne ressemblait pas absolument à la cité réelle, au Christminster qu'il voyait enfin au grand jour. Les beaux monuments avaient subi d'innombrables insultes, dans leurs luttes contre les siècles, les saisons et les hommes. Jude pensa qu'il lui serait d'autant plus facile de trouver le travail qu'il désirait. Il se rendit chez un sculpteur sur pierres, demanda le contremaître. Dans le chantier et les ateliers pleins de pierres dégrossies et travaillées, il eut un instant la sensation que ce lieu était le centre d'un effort aussi noble que les études spéciales des collèges. Mais ce ne fut qu'un éclair. La violence de l'ancien espoir triompha. Jude ne voulut accepter aucun travail tel que ses projets en fussent contrariés.

Quand il fut tranquille de ce côté, Jude se remit à songer à sa cousine. Il écrivit à la tante de lui envoyer le petit portrait. Elle y consentit, non sans recommander à Jude de ne pas chercher à connaître la jeune fille. Le jeune homme ne promit rien, baisa la photographie, la plaça sur sa cheminée d'où elle semblait présider à ses repas, l'encourager et l'unir aux émotions de la cité vivante.

Quant à l'ancien maître d'école, il était probablement un grave pasteur. Jude remit à quelque temps le soin de le rechercher. Il se complaisait dans sa solitude. Ne connaissant âme qui vive, il avait élu pour amis les statues de saints et de prophètes, les bustes, les personnages des fresques, les gargouilles à tête de corbeau. Le « sentiment de Christminster » entrait en lui davantage. Un mur seulement le séparait des jeunes gens, ses contemporains, qui n'avaient d'autre devoir que de lire, d'écrire, d'étudier... Un mur seulement, mais quel mur !

Jude était jeune et fort. Il résolut d'employer ses nuits à l'étude. Comme son mariage avait épuisé toutes ses économies, il était obligé de vivre pauvrement. Il acheta des plumes, du papier, les livres indispensables, une lampe, et tendit un rideau qui partagea sa chambre en deux parties, de telle façon que nul ne pût soupçonner ni épier ses veilles. Par les nuits froides, il s'asseyait sous sa lampe, emmitouflé dans un pardessus, les mains gantées.

... Il ne tarda pas à recevoir une nouvelle lettre de sa tante. Elle lui répétait qu'il ne devait chercher à connaître ni Sue ni ses autres parents. La jeune fille était une espèce d'artiste, employée dans une boutique d'objets religieux et sans doute « abandonnée aux momeries, papiste peut-être. » Miss Fawley n'y pouvait songer sans horreur.

Malgré l'avis de sa tante, Jude se complut à examiner les boutiques religieuses et, certain jour, il crut reconnaître derrière un comptoir l'original du portrait. Il entra sous le prétexte d'un achat insignifiant, et observa le milieu où il se trouvait.

Le magasin semblait tenu par des femmes uniquement. Il y avait des livres de piété, des anges de plâtre, des images de saints, des crucifix, etc. Jude regarda la jeune fille qui se tenait au comptoir. Elle était si jolie, qu'il n'osa croire à leur parenté. Mais comme elle parlait à deux vieilles femmes, il reconnut certains caractères de sa propre voix dans cette voix plus suave et plus douce. La jeune fille montrait aux clientes une lame de zinc qui portait ce mot tracé en lettres gothiques :

Alléluia

Jude se souvint que le père de Suzanne avait travaillé longtemps comme ciseleur d'ornements ecclésiastiques. La bande de zinc était sans doute destinée à parer quelque autel, Sue ayant appris le métier de son père.

– Doux et saint travail d'une chrétienne, pensa-t-il.

Il sortit, n'osant enfreindre la défense que sa tante lui avait faite. Il craignait aussi que Suzanne n'eût hérité des antipathies familiales. La distinction de la jeune fille l'intimidait. Il résolut de ne se faire connaître à elle qu'un peu plus tard, après qu'il aurait découvert M. Phillotson. Mais il ne put s'empêcher de rêver à cette créature idéale qui prenait dans son imagination un charme fantastique.

Deux ou trois semaines plus tard, Jude travaillait avec quelques hommes à décharger un bloc de pierre sculptée près du collège Crozier, quand Sue Bridehead passa, frôlant son coude.

Il eut le temps de la regarder. Elle le regarda aussi avec des yeux limpides, énigmatiques, où se mêlait l'acuité du regard à la tendresse, au mystère de l'expression. Et quand elle se fut éloignée, il continua de la revoir dans sa pensée, petite, légère, élégante. En elle, il n'y avait rien de sculptural. Tout était émotion nerveuse, mobilité, grâce vivante qu'un peintre eût hésité peut-être à désigner par le nom de beauté. Jude sentit affluer vers elle tous les rêves et les désirs accumulés dans son cœur, et comprit qu'il était incapable de résister à la tentation de la connaître davantage.

Il se disait que ce serait mal à lui d'aimer d'amour cette jeune fille : d'abord, parce qu'il était marié, ensuite, parce qu'ils étaient cousins ; enfin, parce que dans leur famille l'amour et le mariage se compliquaient de tristesses tragiques, dont les chances pour eux seraient doublées par les liens du sang. Il se détermina à considérer Suzanne comme une étoile bienveillante, une compagne dans sa foi anglicane, une tendre amie.

II

Le dimanche suivant, Jude se rendit à l'office du matin, dans l'église cathédrale, pour y rencontrer Suzanne et l'approcher timidement. Elle ne parut pas ; Jude revint l'après-midi. Il savait qu'elle devait passer sur le côté est du bâtiment, le long d'un grand rectangle de verdure. Quelques minutes avant le service, il la reconnut et il la suivit jusqu'à l'intérieur de l'église, plus heureux que jamais de rester inaperçu.

Voir Suzanne, sans être connu d'elle, c'était tout ce qu'il souhaitait pour le moment.

C'était un funèbre après-midi, lourd d'orage ; une de ces journées où la religion semble une nécessité aux gens les moins sentimentaux et non plus un luxe réservé aux âmes oisives en quête d'émotions. Sous le confus reflet des vitraux, Jude regardait Suzanne, assise parmi les fidèles, pendant que l'orgue commençait le pathétique chant grégorien :

Comment le jeune homme purifiera-t-il ses voies ?

Ce chant répondait à l'intime souci de Jude. Et cette même harmonie, qui le transportait, flottait autour de la femme, qui lui avait inspiré une si singulière tendresse. Il attendit qu'elle eut quitté sa chaise pour gagner la porte derrière elle, et il n'osa la suivre… Le temps de se révéler à elle n'était pas encore venu.

Peu après, Sue Bridehead, la jolie fille aux pas légers, aux yeux limpides, se promenait, un livre à la main, aux environs de Christminster. C'était pour elle un jour de congé, et elle passait entre les vertes prairies, absorbée par sa lecture, et jetant parfois un regard sur les tours et les dômes de la cité.

Dans le même sentier qu'elle suivait, elle aperçut un voyageur au teint mat, aux cheveux noirs, assis sur l'herbe, à côté d'un large plateau chargé de statuettes de plâtre – Vénus, Diane, Apollon, Bacchus et Mars. Le soleil frappait vivement ces formes blanches qui se détachaient sur un fond de verdure. Le marchand se leva en voyant Suzanne et cria : « Statuettes à vendre ! » avec un accent étranger. Puis, s'étant poliment découvert, il offrit à la promeneuse des bustes de rois et de reines, un musicien, des Amours ailés.

Elle secoua la tête.

– Combien ceci ? demanda-t-elle, en montrant les deux grandes figures de la collection, un Apollon et une Vénus.

– Dix shillings.

– Je ne puis y mettre ce prix-là, répondit Sue.

Elle offrait beaucoup moins, et, à sa grande surprise, le marchand accepta.

Quand l'Italien fut parti, la jeune fille se demanda ce qu'elle allait faire de ses achats. Depuis qu'ils étaient en sa possession, leur taille semblait plus exagérée et leur nudité plus complète. Elle essaya de les dissimuler sous sa jaquette, mais une autre idée lui vint, et cueillant de grandes feuilles de bardanes, elle fit aux deux divinités un ample vêtement de verdure. « N'est-ce pas plus beau que ces éternelles friperies ecclésiastiques ? » songea-t-elle. Mais, nerveuse, elle tremblait un peu et se repentait déjà de son audace.

Elle rentra dans la vieille ville chrétienne, par une rue obscure qui débouchait tout près du magasin où elle était employée et logée. Elle monta dans sa chambre, enveloppa Vénus et Apollon dans un papier brun et les déposa dans un coin, sur le parquet.

La maîtresse du logis, miss Fontover, était une fille de clergyman, toujours vêtue comme une abbesse et portant au cou une croix et un chapelet. Étant venue chercher Suzanne pour le thé, elle regarda les figures enveloppées et s'étonna.

– Qu'avez-vous donc acheté, miss Bridehead ?

– Des ornements pour ma chambre.

– C'est ce que je pensais, dit miss Fontover, jetant un coup d'œil vers les images de saints et autres articles, trop défraîchis pour la vente et dont elle avait décoré la chambre de Sue Bridehead.

– Qu'est-ce donc ?... Des statues ?... Deux statues ? Et qui représentent... des saints, n'est-ce pas ?...

– Oui...

– Lesquels ?

– Saint Pierre et… sainte Madeleine.

À l'heure du coucher, Suzanne, enfin certain de n'être plus dérangée, dépaqueta les plâtres et les plaça sur un coffre entre deux flambeaux. Puis, étendue sur son lit, elle commença à lire un livre dans sa petite bibliothèque particulière. C'était un volume de Gibbon que la jeune fille ouvrit au chapitre qui raconte le règne de Julien l'Apostat. Par moments, les yeux de Sue s'arrêtaient sur les moulages qui contrastaient d'une manière étrange avec les objets et les tableaux voisins. Comme inspirée par ce spectacle, elle prit un autre livre, un volume de vers, et chercha un poème familier…

Tu as conquis, pâle Galiléen :
Ton souffle a décoloré le monde !

Puis Sue éteignit les lumières et s'endormit.

Elle était à l'âge où le sommeil est profond ; pourtant elle s'éveilla plusieurs fois ; la clarté diffuse qui filtrait par la fenêtre lui montra les blanches divinités, entourées de saints et de martyrs, et le cadre gothique dont on discernait vaguement la croix latine. Les heures sonnaient à l'église, et mesuraient la veille d'une autre personne, assise devant ses livres, dans un lieu tout proche de la même cité ; car, pendant la nuit du samedi, Jude travaillait plus tard que de coutume. Au moment même où Sue lisait le livre de Gibbon, le policeman qui se promenait sous les fenêtres de Jude aurait pu l'entendre murmurer avec ravissement :

« All hemin eis Theos ho Pater, ex ou ta panta, kai hemeis eis auton.

Kai eis kurios Iesous Christos, di ou ta panta kai hemeis di autou ! »

III

Suzanne était encore pour Jude une simple idéalité. Pourtant le jeune homme n'était pas sans remords en songeant à se rapprocher d'elle. Il était marié, et il redoutait que son affection pour Suzanne ne prit, dans l'intimité, un caractère trop tendre. Peut-être, à bien connaître la jeune fille, se guérirait-il de la passion involontaire qu'il éprouvait. Mais une voix secrète lui disait qu'il souhaitait seulement connaître sa cousine et non pas être guéri.

Il jugeait lui-même que cette situation devenait immorale et qu'il ne pouvait pas aimer Sue, étant contraint par la loi à aimer sa femme Arabella, et jamais aucune autre tant qu'il vivrait. Mais il avait beau prier, il sentait qu'il est impossible d'échapper à la tentation, quand on porte au fond de l'âme le désir d'être tenté septante-sept fois. « Après tout, se disait-il, il n'y a, dans ce sentiment, rien d'érotique. J'ai seulement besoin d'une sympathie intellectuelle. » Il ne s'avouait pas que les vertus et les talents de Suzanne n'étaient pas les seuls éléments de son affection.

Un après-midi, une jeune fille entra avec quelque hésitation dans l'atelier de sculpture, et demanda si M. Jude Fawley était présent. On lui répondit que M. Fawley était sorti pour toute la journée, et cette nouvelle parut lui causer un vif désappointement.

Quand Jude rentra, on lui fit part de cette visite, et, d'après la description de la jeune fille, il s'exclama :

– C'est ma cousine Sue !

Chez lui, il trouva un billet de Suzanne, un de ces billets si simples en eux-mêmes, lettres innocentes de l'homme à la femme ou de la femme à l'homme, qui préparent le drame futur, et s'éclairent plus tard à sa lumière, tragiquement. Suzanne se révélait bonne et franche. Elle exprimait son désir de connaître son cousin Jude dont elle avait appris par hasard la présence à Christminster. Ils n'auraient malheureusement pas le temps de se lier beaucoup, car elle allait bientôt quitter la ville.

Il fut glacé en lisant ces derniers mots. Il se hâta d'écrire à Suzanne, lui donnant rendez-vous, pour le soir même, sur la Croix du pavé qui marque la place où furent immolés des martyrs. À peine eut-il envoyé sa lettre, qu'il regretta son procédé, peu respectueux, lui sembla-t-il. Mais il ne pouvait s'en dédire, et il alla attendre sa cousine au lieu désigné.

La rue large était déserte et silencieuse, bien qu'il ne fût pas très tard. Il vit une forme s'avancer jusqu'à la Croix du pavé, et, comme il s'empressait, Sue lui dit :

– Continuez votre route. Nous nous rencontrerons plus loin.

La voix, argentine et bien posée, tremblait un peu. Jude attendit, pour approcher, le bon plaisir de la jeune fille. Ils parvinrent à la place où les charrettes stationnaient pendant le jour.

– Je suis désolé de vous avoir fait faire tant de chemin, dit Jude, avec le trouble d'un amant. Mais je voulais vous épargner votre temps et…

– Peu importe, répondit-elle avec une amicale liberté. L'endroit que vous aviez choisi ne me plaisait pas. Il est sombre et inhospitalier… Mais n'est-ce pas étrange de nous aborder ainsi, quand nous ne nous connaissons pas ?

Elle examinait Jude curieusement, et il n'osait la regarder.

– Vous paraissez me connaître plus que je ne vous connais ? dit-elle.

– Oui, je vous ai vue déjà.

– Et, sachant qui j'étais, vous ne m'avez jamais parlé ? Maintenant, je vais partir.

– Je le regrette beaucoup, car je n'ai point de relations dans cette ville, sauf un vieil ami que je veux rechercher. Peut-être le connaissez-vous ? M. Phillotson. Il doit être pasteur.

– Je connais un M. Phillotson, mais ce ne doit pas être le même. Il est maître d'école au village de Lumsdon.

– Non, ce n'est pas le même. Maître d'école ? C'est impossible… Quel est son nom de baptême ? N'est-ce pas Richard ?

– Oui. Je lui ai envoyé des livres, quoique je ne l'aie jamais vu.

– Mais il ne peut être instituteur !

Jude était déconcerté. Comment pouvait-il espérer réussir dans une entreprise où le grand Phillotson avait échoué ? Il fût tombé dans le désespoir sans la douce présence de Suzanne, mais il comprit que l'échec de Phillotson émousserait tout son courage quand la jeune fille ne serait plus là.

– Voulez-vous que nous allions jusqu'à Lumsdon pour demander de ses nouvelles ? dit-il brusquement. Il n'est pas bien tard.

Elle accepta, et ils tournèrent la colline à travers un joli paysage boisé. Quand ils arrivèrent à la maison d'école, ils demandèrent à un passant si M. Phillotson était chez lui. Sur une réponse affirmative, ils frappèrent à la porte, et le bruit attira Phillotson, qui vint ouvrir, un flambeau à la main.

Cette apparition, après tant d'années, détruisit l'auréole dont Jude avait entouré complaisamment la figure de son héros. En même temps, une pitié sympathique naissait en lui, pour cet homme déçu et maltraité par le sort. Le jeune homme se nomma et rappela au maître d'école qu'il avait bien voulu lui témoigner de l'amitié autrefois.

– Je ne vous reconnais pas, dit l'instituteur d'un air pensif. Vous étiez un de mes élèves ? Il m'en a tant passé par les mains que je les ai tous oubliés, sauf ceux que j'avais récemment.

– J'étais à Marygreen, dit Jude, regrettant presque d'être venu.

– J'y suis resté si peu de temps !… Et cette jeune fille, est-ce aussi une ancienne élève ?

– Non, c'est ma cousine… N'avez-vous aucun souvenir de m'avoir envoyé des livres, des grammaires que je vous demandais ?

– Je me rappelle ce détail, vaguement.

– Le matin de votre départ, à Marygreen, pendant votre déménagement, vous m'avez raconté votre rêve de prendre vos grades universitaires, pour entrer dans l'Église.

– C'était en effet mon intention, mais je ne me souviens pas d'avoir parlé de cela à qui que ce fût.

– Je n'ai jamais oublié vos paroles.

– Entrez, vous et votre cousine, dit Phillotson.

Ils entrèrent dans le salon, où la lumière d'une lampe, rabattue par un abat-jour de papier, tombait sur trois ou quatre livres. Phillotson enleva l'abat-jour et la lampe éclaira le petit visage nerveux de Sue, les traits graves de son cousin, la figure soucieuse et méditative du maître d'école.

La vieille amitié, peu à peu, renoua ses liens, et chacun raconta sa propre histoire. Phillotson dit qu'il songeait quelquefois encore à la carrière ecclésiastique, mais que sa position actuelle ne lui déplaisait pas, quoique l'aide d'un maître-adjoint lui devint nécessaire.

Jude et Suzanne reprirent ensemble la route de Christminster.

Bien que leur conversation ne sortit pas des sujets généraux, Jude fut surpris de s'apercevoir que sa cousine était, pour lui, une révélation de la femme. Elle était si vibrante que tous ses actes semblaient inspirés par le sentiment. Il s'aperçut aussi, avec angoisse, qu'il la chérissait plus encore qu'avant de la connaître. Ce n'était pas l'ombre de la nuit, c'était la pensée du départ de Suzanne qui assombrissait toutes choses autour de lui.

– Quand devez-vous quitter Christminster ? dit-il. Et pourquoi vous en allez-vous ?

– Je me suis brouillée avec miss Fontover, la propriétaire du magasin où je suis employée.

– À quel propos ?

Elle a brisé des statuettes qui m'appartenaient.

– Exprès ?

– Exprès. Elle est entrée dans ma chambre, et, trouvant que ces objets n'étaient point de son goût, elle les a jetés par terre et brisés sous ses pieds.

– Des images catholiques, sans doute ?

– Non… Mes statuettes lui déplaisaient pour d'autres raisons. J'ai donc résolu de la quitter. Je veux chercher une occupation qui me laisse plus indépendante.

– Pourquoi n'essaieriez-vous pas d'entrer dans l'enseignement ?

– Je n'y ai jamais pensé.

– Laissez-moi demander à M. Phillotson s'il consentirait à vous prendre dans son école. Vous irez d'abord à l'École normale, et quand vous aurez vos diplômes, vous gagnerez plus que dans aucun art industriel.

– Eh bien, j'essayerai. Bonsoir, cher Jude. Je suis charmée que nous ayons fini par nous connaître.

Retenir Suzanne près de Christminster était devenu un désir si vif chez Jude qu'il ne songea plus aux conséquences possibles de leur intimité. Le lendemain soir, il retourna à Lumsdon, et, à force d'ingénieux arguments, il décida Phillotson à prendre sa cousine comme maîtresse-adjointe avant même que celle-ci eût commencé son stage à l'École normale.

IV

Il y avait déjà plusieurs semaines que Suzanne était devenue maîtresse-adjointe chez M. Phillotson. Il était satisfait de ses services, plus satisfait même qu'il ne l'avait espéré. La jeune fille logeait chez une veuve, appelée Mme Hawes, et presque tous les soirs l'instituteur venait lui donner des leçons particulières pour compléter son éducation.

Un incident vint rompre la monotonie de cette existence que Phillotson commençait à trouver délicieuse. Il dut conduire ses élèves à Christminster pour leur faire voir un modèle en relief de l'ancienne Jérusalem, exposé dans l'intérêt de l'éducation, à un prix très minime. Par un après-midi de soleil et de poussière, Sue et Phillotson dirigèrent les enfants vers la ville, et entrèrent avec eux dans la salle d'exposition, alors à peu près vide.

Le modèle de l'antique cité juive était placé au milieu de cette salle, et le propriétaire indiquait aux jeunes visiteurs les endroits que la Bible a rendus célèbres : le mont Moriah, la vallée de Josaphat, le Calvaire.

Suzanne s'était retirée au fond de la pièce avec Phillotson.

– J'imagine, dit-elle, que nous avons assez entendu parler de Jérusalem, d'autant plus que nous ne sommes pas Juifs. Qu'était-ce que cette ville, et ce peuple, auprès des autres cités, Athènes, Rome, Alexandrie ?

– Mais, ma chère enfant, considérez ce que cela représente pour nous.

Elle se tut, et ils aperçurent un jeune homme en jaquette de flanelle blanche, absorbé par la contemplation de la vallée de Josaphat.

– Voyez votre cousin Jude, dit Phillotson. Il ne paraît pas être fatigué de Jérusalem.

Elle appela :

– Jude, est-ce vous, ici ?

Il sortit de sa rêverie, et, avec la rougeur d'un amoureux :

– Sue !... Ces enfants sont donc vos élèves ? Je pensais bien vous rencontrer, mais ce spectacle m'a si profondément intéressé que je ne me suis plus rappelé où j'étais.

– Votre cousine est une femme supérieure, dit Phillotson en plaisantant. Elle a terriblement critiqué tout cela.

– Non, monsieur Phillotson, je ne suis pas une femme supérieure. Il n'y en a que trop aujourd'hui, de ces femmes-là... Défendez-moi, Jude. Je ne me suis pas bien exprimée.

– Je devine votre sentiment, dit Jude, qui ne devinait rien du tout.

– C'est bien. Vous me comprenez, vous.

Elle jeta un regard de reproche à l'instituteur et prit la main de Jude, sans se douter du trouble qu'elle apportait dans ces deux cœurs.

Jude promit à Phillotson de venir prendre le thé chez lui un vendredi soir, le seul moment où le maître d'école fût tout à fait libre, et il vit partir le groupe des écoliers avec une amère mélancolie, se promettant de ne pas négliger l'occasion que Phillotson lui avait offerte.

C'était l'époque où Sa Majesté M. l'inspecteur des écoles faisait sa tournée aux environs de Christminster. Deux jours après la visite au panorama de Jérusalem, cet important personnage arriva à Lumsdon, et, pendant la classe du matin, la porte s'ouvrit doucement pour laisser passer le « roi des épouvantements ».

M. Phillotson ne fut guère surpris. Il connaissait depuis trop longtemps ce manège pour n'être pas toujours prêt. Mais les élèves de Sue se trouvaient à l'extrémité de la salle et la jeune fille tournait le dos à la porte. Sue continua donc la leçon commencée sans s'apercevoir de la présence de l'inspecteur ; mais, quand elle se détourna, elle resta toute saisie. La surprise fut si forte qu'elle poussa un cri de frayeur. Phillotson, avec un étrange instinct de sollicitude, s'élança juste à temps pour la soutenir. Elle reprit bientôt sa fermeté d'esprit et fut la première à rire de sa timidité. Mais, quand l'inspecteur fut parti, il y eut une réaction, et Sue devint si pâle que Phillotson l'emmena dans une pièce voisine et lui fit prendre un cordial. Elle ne tarda pas à se remettre et sentit qu'il lui serrait la main.

– Vous auriez dû me prévenir, dit-elle, un peu fâchée. L'inspecteur fera un mauvais rapport sur moi et je perdrai ma place pour toujours.

– Ne craignez rien, chère petite fille. Vous êtes la meilleure institutrice que j'aie jamais eue.

Il la regardait avec tant de douceur, qu'elle en fut émue et regretta sa colère. Aussitôt remise, elle rentra dans son logis.

Jude cependant attendait le vendredi avec une mortelle impatience. Quand le soir bienheureux fut arrivé, il partit, marchant sous les arbres sombres qui semblaient répandre autour de lui d'illogiques, de tristes pressentiments. Il savait maintenant combien il aimait Suzanne, et il savait aussi qu'il ne serait jamais pour elle rien de plus que ce qu'il était : un ami.

Comme il allait pénétrer dans le village, il vit deux personnes sortir du presbytère. Trop éloigné pour les bien distinguer, il reconnut néanmoins Sue et Phillotson, qui venaient sans doute de rendre une visite au vicaire. Le couple s'engagea dans un sentier désert, et, à travers la brume du soir, Jude vit Phillotson placer son bras autour de la taille de Suzanne qui le repoussa doucement. Il renouvela son étreinte, et elle ne s'y refusa plus, quoiqu'elle regardât autour d'elle d'un air craintif. Elle ne vit pas Jude qui se laissa tomber derrière la haie comme un homme frappé d'un coup mortel. Il resta caché là jusqu'à ce que Suzanne et Phillotson fussent rentrés, elle dans sa maison, lui dans son école.

V

La tante de Jude, vieille et aigrie, était malade, et, le dimanche suivant, le jeune homme vint la voir à Marygreen. Il avait victorieusement lutté contre son désir d'aller à Lumsdon, d'y rencontrer sa cousine et de voir se renouveler la scène qui l'avait mis à la torture.

Miss Fawley étant incapable de quitter son lit, Jude passa la plus grande partie de la journée à disposer toutes choses dans la maison, pour le plus grand bien-être de la malade. La petite boulangerie avait été vendue à un voisin et une bonne femme venait rendre à la tante de Jude les soins que réclamait son état.

Jude ne put s'empêcher de parler de Sue, et miss Fawley et son amie entreprirent une longue conversation sur l'enfance de Suzanne et les incidents mémorables qui ressuscitèrent, aux yeux de Jude, la singulière petite fille nerveuse, raisonneuse, enthousiaste, qui se faisait obéir même des garçons. Ces visions rétrospectives augmentèrent la détresse de Jude et il s'en alla, plus triste que jamais.

Il avait sérieusement examiné sa situation. Bien qu'il travaillât une partie des nuits, la fatigue de sa tâche quotidienne paralysait parfois ses facultés. Il sentait le besoin d'un ami, d'un maître qui lui eût expliqué en quelques minutes les problèmes qu'il mettait un mois à résoudre seul. Il fallait considérer l'avenir de plus près qu'il ne l'avait fait, tandis qu'il vivait dans l'abstraction pure, et connaître ses véritables chances de succès.

Il résolut donc, après bien des hésitations, d'écrire aux directeurs des principaux collèges, en leur expliquant franchement son cas. Cinq lettres amèneraient au moins une ou deux réponses, souhaitées par Jude comme le salut.

Ces réponses, il les attendit chaque jour, se disant qu'il était absurde de les espérer, et espérant quand même. À cette époque, il reçut des nouvelles de Phillotson. L'instituteur quittait son école pour une autre école plus importante, dans le Wessex méridional. Cela signifiait-il que Phillotson voulait accroître ses revenus, de manière à suffire à l'existence de deux personnes ? L'idée d'un amour possible entre le maître d'école et Suzanne révoltait le pauvre garçon, et sur sa misère s'étendait l'ombre mélancolique de ses rêves d'ambition déçus. Il y eût renoncé en souriant, s'il avait eu Suzanne pour compagne ; sans elle, l'inévitable réaction du long effort auquel il s'était soumis devait le frapper désastreusement. Phillotson avait connu cette pénible sensation de l'échec ; mais depuis il avait reçu la consolation par la présence de Sue, et Jude ne pouvait pas être consolé.

C'est dans cette disposition d'esprit qu'un soir, en rentrant chez lui, Jude trouva une lettre qui portait le timbre du collège de Biblioll.

– *Une*, à la fin ! s'écria-t-il.

Il lut :

« Monsieur, j'ai lu votre lettre avec intérêt, et jugeant que vous devez être un artisan, – d'après ce que vous me dites de vous-même, – je crois que vous ferez bien de rester dans votre sphère et de vous perfectionner dans votre métier au lieu d'entreprendre quoi que ce soit. Vous aurez ainsi plus de chances de succès. Tel est l'avis que je vous donne.

T. TETUPHENAY. »

Cette lettre exaspéra Jude. M. Tetuphenay ne lui apprenait rien, mais le coup était dur après dix ans de travail acharné. Le jeune homme sortit, entra dans une auberge, but plusieurs verres et marcha sans avoir conscience de ce qu'il faisait jusqu'au milieu de la ville, à l'endroit appelé les Quatre-Chemins. Là, il regarda fixement les gens qui passaient, puis, revenant à lui, il lia conversation avec un policeman.

Celui-ci l'observa en riant et dit, d'un air de bonne humeur :

– Eh ! vous avez bu un coup, jeune homme.

– Non, j'ai à peine commencé, dit Jude cyniquement.

Malgré sa demi-ivresse, son cerveau gardait sa lucidité. Il se prit à songer à tous ceux qui s'étaient arrêtés dans ce même carrefour, qui avaient lutté comme lui, et dont personne ne se souvenait plus maintenant. Ceux-là appartenaient à l'histoire de la ville, plus que tous les vieux collèges, Jude sentait que la vie de la cité était un livre d'humanité infiniment plus vivant, plus varié, plus riche que la vie universitaire. Ces hommes et ces femmes, qui avaient lutté avant lui, avaient contribué à former le Christminster véritable, quoiqu'ils ne connussent rien du Christ ni des monastères. La flottante population des étudiants et des professeurs n'était pas Christminster.

Jude consulta sa montre, et, poursuivant son idée, marcha jusqu'à un concert public fréquenté par des commis, des ouvrières, des soldats, des gamins de onze ans qui fumaient des cigarettes, et des femmes légères de la classe la plus « respectable et la plus estimée des amateurs. Il entrait dans la vie réelle du véritable Christminster. Un orchestre jouait. Un homme, debout sur une estrade, chanta une chanson comique.

L'âme de Suzanne sembla flotter autour de Jude et le défendre contre les avances des filles qui cherchaient fortune. À dix heures, il partit et choisit un chemin qui passait devant les portes du collège dont le directeur lui avait écrit.

Les portes étaient fermées, et, poussé par un inexplicable instinct, Jude prit dans sa poche un morceau de craie et écrivit sur le mur :

« J'ai l'intelligence aussi bien que vous. Je ne vous suis pas inférieur ; or, qui ne connaît pas ces choses ? » (Job, XII, 3.)

VI

Le lendemain, Jude relut la lettre dont la sagesse l'avait exaspéré. Il tomba dans un état de dépression profonde. Privé de tout ce qui faisait la joie de son esprit et de son cœur, il se sentit incapable de travailler. Il perdait la seule âme fine et délicate qu'il eût rencontrée ; il la perdait à cause de son mariage, et, ne pouvant supporter cette pensée qui l'obsédait, il se rejeta, pour s'en distraire, dans la vie réelle du vrai Christminster. Il se réfugia dans une taverne et n'en sortit pas de tout le jour.

Le lieu où il se trouvait était fréquenté par des gens de toute espèce. Il y avait là un marchand de « quincaillerie religieuse », qui avait dû naguère entrer dans le clergé ; un commissaire-priseur au nez rouge ; deux sculpteurs sur pierre, appelés l'oncle Jim et l'oncle Joe ; quelques employés ; le commis d'un fabricant de surplis ; deux dames surnommées « Séjour-de-Délices » et « Tache-de-Rousseur » ; des écuyers de cirque ; un acteur en tournée, et deux jeunes étudiants sans souci et sans robes.

La conversation était générale. On critiquait la société de Christminster, les magistrats, les professeurs, et autres personnages dont on parlait avec une pitié dédaigneuse. Jude Fawley, avec l'aplomb que donne l'ivresse, mêla ses propos à ceux des gens qui l'entouraient.

– J'envoie au diable tous les prévôts, directeurs, docteurs, etc., et toute l'Université !... S'ils voulaient en courir la chance, je les battrais sur leur propre terrain.

– Écoutez, écoutez ! dirent les étudiants.

– Vous avez toujours été fou des livres, dit le « quincaillier d'église » Tinker Taylor.

– Oui, dit l'oncle Joe. Vous avez l'intention d'entrer dans l'Église ? Si vous êtes savant, faut nous donner un échantillon de votre savoir. Pouvez-vous réciter le *Credo* en latin ?

– Je le puis.

– Voyez cette vanité, cria l'une des dames.

– Fermez ça, Séjour-de-Délices ! dit l'un des étudiants. Silence !... Le monsieur du coin là-bas va réciter les articles du *Credo*, en langue latine, pour l'édification de la compagnie.

– Je ne dois pas, dit Jude.

– Essayez, dit le fabricant de surplis.

– Il ne pourra pas ! crièrent les sculpteurs.

– Si, il pourra, fit Tinker Taylor.

Jude vida son verre, et récita sans hésitation :

– *Credo in unum Deum, Patrem omnipotentem, factorem cœli et terræ, visibilium omnium et invisibilium.*

– Bravo ! excellent latin ! exclama un des étudiants, qui n'avait rien compris.

Le silence s'était fait dans la taverne ; la servante restait debout, immobile, et la voix de Jude résonnait en sonore écho jusqu'à la salle la plus éloignée où se tenait l'aubergiste.

– *Crucifixus etiam pro nobis : sub Pontio Pilato passus et sepultus est. Et resurrexit tertia die, secundum scripturas.*

– C'est le Symbole de Nicée, grogna l'un des étudiants, et nous demandions le Symbole des apôtres.

– Chacun sait, excepté vous, que le Symbole de Nicée est le seul historique.

– Laissez-le donc continuer, dit le commissaire-priseur.

Mais les idées de Jude se brouillaient. Il toucha son front et son visage eut une expression douloureuse.

– Donnez-lui à boire, dit Tinker Taylor.

Quelqu'un jeta trois sous sur la table. Un verre fut apporté ; Jude le prit sans le regarder, avala la liqueur, et, toute sa voix revenue, acheva la prière comme eût fait le supérieur d'une congrégation.

– *Et unam Catholicam et Apostolicam Ecclesiam. Confiteor unum baptisma in remissionem peccatorum. Et expecto Resurrectionem mortuorum. Et vitam venturi saeculi. Amen.*

– Très bien, dirent les auditeurs, au dernier mot, le premier et le seul que la plupart d'entre eux eussent compris.

Jude semblait chasser peu à peu les fumées de l'ivresse. Il éclata en imprécations, et, soudain, pris de dégoût, il s'élança dehors, fermant violemment la porte derrière lui.

Il fuyait, allant par les rues, sans savoir où, et, après une course d'une heure, il se trouva dans le village de Lumsdon. Il vit une lumière à la fenêtre de Sue, s'appuya au mur de la maison et heurtant du doigt la vitre, il appela :

– Sue !… Sue !…

La jeune fille avait reconnu sa voix. La lumière disparut de l'appartement ; puis la porte s'ouvrit et Suzanne apparut, un flambeau à la main.

– Est-ce vous, Jude ?… Oh ! mon cher, cher cousin, qu'y a-t-il ?

– Oh ! je suis… je n'ai pu m'empêcher de venir… dit-il en se prosternant sur le seuil. Je suis si coupable ! Sue, mon cœur se brise ; je ne puis supporter ma vie, telle qu'elle est. Je me suis enivré, j'ai blasphémé en disant des paroles saintes dans un mauvais lieu… Oh ! Suzanne, que je meure, peu m'importe ! mais ne me haïssez pas, ne me méprisez pas, comme les autres.

– Vous êtes malade, pauvre ami. Non, je ne vous mépriserai pas ; je ne pourrais pas vous mépriser. Entrez et reposez-vous, et voyons ensemble ce que je pourrai faire pour vous.

Elle prit la main de Jude, elle fit entrer dans la maison et le força à s'asseoir sur le meilleur fauteuil qu'elle put trouver. Il ne pouvait rien dire que répéter le nom de Sue, avec un accent de honte et de repentir.

Il refusa de manger ; elle lui conseilla de dormir, ajoutant qu'elle lui porterait à déjeuner le lendemain matin, et, lui ayant souhaité une bonne nuit, elle remonta les escaliers.

Jude tomba dans un lourd sommeil et ne s'éveilla qu'à l'aurore. D'abord il ne comprit rien à sa situation, mais peu à peu ses souvenirs s'éclairèrent... Suzanne connaissait ce qu'il y avait en lui de pire... Comment oserait-il reparaître devant ses yeux ? Elle allait descendre pour le déjeuner et Jude supporterait la honte de cette confrontation. Il ne put soutenir cette idée, et, prenant son chapeau, il se glissa sans bruit hors de la maison.

... En rentrant chez lui, à Christminster, il reçut une lettre de son patron qui lui signifiait son congé. Il n'avait pas d'argent sur lui, ses petites économies étant restées intactes à la banque où il les avait déposées. Le soir même, il couchait contre une meule aux environs d'Alfredston, et le lendemain, suivant la longue route blanche, il arrivait à Marygreen.

La tante ne le questionna guère. Il prit quelque repos, et se réveilla comme il se fût réveillé en enfer, avec la conscience de son double échec. Il mesura l'abîme où il était tombé et qu'il n'aurait jamais cru si profond.

Un vent funèbre gémissait à travers les arbres, et résonnait dans la cheminée comme les notes graves d'un arbre. Jude entendit la voix du curé qui causait avec sa tante. On parlait de lui. Il se leva et appela.

La porte s'ouvrit. Le curé entra. C'était un jeune homme.

– Je pense que vous êtes M. Highridge, dit Jude. Ma tante m'a souvent parlé de vous. Eh bien, me voie justement : je suis un homme qui va au mal, quoiqu'il ait eu autrefois les meilleures intentions. Maintenant, je suis un fou mélancolique, et je bois n'importe quoi.

Il raconta son histoire au ministre et ajouta, en manière de conclusion :

– Je reconnais ma folie. Pourtant je ne regrette pas l'effort que j'ai fait. Je recommencerais à travailler, si j'avais des chances de succès. Je n'ai aucune ambition sociale, mais j'aimerais à faire quelque chose d'utile, et je regrette amèrement d'avoir dû renoncer à l'Église.

Le curé, qui était nouveau venu dans le pays, fut vivement intéressé par la confession de Jude.

– Si vous avez réellement la vocation, dit-il, et votre conversation me le ferait croire, car vous semblez être un homme instruit et accoutumé à réfléchir – vous pouvez entrer dans l'Église comme licencié. Seulement, il faudra vaincre votre penchant à la boisson.

– Je le vaincrai aisément, si vous me rendez un espoir.

Troisième partie

À Melchester

I

C'était une nouvelle idée – concevoir la vie ecclésiastique et altruiste comme distincte de la vie intellectuelle et de ses élans. Un homme peut prêcher ses frères et leur faire du bien, sans avoir atteint aux plus hauts grades dans les écoles de Christminster, et même avec une instruction très ordinaire. L'ancien rêve qui avait conduit Jude à la vision de l'épiscopat, dominant tout, n'avait pas été l'effet d'un enthousiasme moral ou théologique, mais seulement une ambition profane qui se déguisait sous un surplis. Le paysan sensuel qui boit, mange et vit sans souci avec sa femme, était plus estimable que lui.

Mais entrer dans l'Église par un autre chemin que les écoles, renoncer aux grades élevés, n'être qu'un humble curé, usant sa vie dans un village obscur ou dans une petite ville, cela n'était pas sans générosité ni grandeur : cela, c'était la vraie religion, la pénitence d'un homme qui était accablé de remords.

La lumière favorable qui transfigurait ce nouvel espoir, par contraste avec l'espoir ancien, consola Jude, tandis qu'il restait misérable et seul. Son ambition intellectuelle avait pour ainsi dire reçu le coup de grâce, pendant les jours qui venaient de s'écouler, – cette ambition qui avait rempli douze années de sa vie ! Cependant, il ne fit rien pour hâter la réalisation de son désir, s'occupant à de menues besognes, taillant et gravant des pierres tombales pour les villages voisins, et se résignant à être considéré comme un homme déchu socialement par la demi-douzaine de fermiers et de paysans qui condescendaient à frayer avec lui.

L'intérêt humain qui inspirait la conduite de Jude – un intérêt humain étant indispensable aux existences les plus immatérielles et les plus sacrifiées – avait été créé par une lettre de Sue, portant un timbre nouveau. Évidemment, elle écrivait dans une crise d'anxiété, et parlait peu de ses affaires, racontant seulement qu'elle avait passé une espèce d'examen et qu'elle allait entrer à l'École normale de Melchester, pour se fortifier dans la vocation qu'elle avait choisie sous l'influence de Jude. Il y avait un collège théologique à Melchester. Melchester était une ville paisible et apaisante, entièrement ecclésiastique par l'aspect : un lieu où la mondanité et l'élégance intellectuelle n'avaient aucune place, où le sentiment altruiste que possédait Jude serait peut-être estimé à plus haut prix que les qualités brillantes qu'il ne possédait pas.

Comme il lui serait nécessaire de continuer quelque temps son travail pour étudier les éléments de théologie, négligés à Christminster au profit des études classiques ordinaires, pouvait-il mieux faire que de chercher un emploi à Melchester et d'y poursuivre ses études préparatoires ? Il considérait qu'il pourrait commencer son ministère vers l'âge de trente ans, un âge qui le séduisit parce que c'était l'âge de son divin modèle quand celui-ci commença à prêcher en Galilée. Jude aurait largement le temps de s'éprouver lui-même et d'acquérir le petit capital indispensable pour prendre ses inscriptions à la Faculté.

Noël était venu et passé. Sue était partie pour l'École normale de Melchester. C'était l'époque la plus défavorable au travail de Jude, et il écrivit à sa cousine qu'il différait son arrivée d'un mois ou deux, jusqu'au moment où les jours seraient plus longs. Elle acquiesça si aisément à ce projet que Jude regretta de l'avoir proposé ; car évidemment Suzanne ne se souciait guère de lui, bien qu'elle ne lui eût jamais reproché son étrange conduite, sa visite nocturne et sa disparition silencieuse. Elle ne lui parlait jamais de ses relations avec M. Phillotson.

Soudain, une lettre toute frémissante arriva. Sue était tout à fait solitaire et misérable, disait-elle. Elle haïssait l'endroit où elle était ; c'était pire que tout. Elle sentait profondément son abandon. Ne pouvait-il venir tout de suite ? Elle pourrait le voir de temps en temps, d'après le règlement de l'École, en s'autorisant de la parenté. C'était M. Phillotson qui l'avait engagée à aller là, et elle aurait souhaité ne l'avoir jamais écouté.

Les affaires de Phillotson ne paraissaient pas en bonne voie, et, plus que de raison, Jude en fut charmé. Il emballa ses effets et partit pour Melchester, le cœur plus léger qu'il ne l'avait senti depuis des mois.

Pour inaugurer sa vie nouvelle, il s'enquit d'un hôtel de tempérance et trouva un établissement de ce genre dans une rue proche de la gare. Après un léger repas, il sortit et se dirigea vers le pont de la ville sous une terne lumière d'hiver, tourna l'angle du clos. La journée était brumeuse, et, s'arrêtant sous les murs de la plus gracieuse architecture anglaise, il regarda autour de lui. Les bâtiments éloignés étaient visibles sur toute l'étendue de la rive, surmontés par les clochers qui s'élevaient, de moins en moins distincts, jusqu'à ce que leurs pointes se perdissent dans le brouillard ambiant.

Les becs de gaz s'allumèrent, et Jude se dirigea vers l'ouest. Il remarqua comme un indice de bon augure les nombreux blocs de pierre épars sur le sol, qui signifiaient que la cathédrale allait être restaurée ou considérablement agrandie. Il suivit le sentier de gravier brun, dans la direction du bâtiment d'école. C'était un ancien édifice du quinzième siècle, jadis un palais, maintenant une école normale, avec des fenêtres à meneaux et à linteaux, et une cour d'honneur séparée de la route par un mur. Jude ouvrit la porte et, pénétrant dans la maison, demanda à voir sa cousine ; il fut admis au parloir et, peu de minutes après, Suzanne vint.

Quoiqu'elle fût depuis peu de temps à Melchester, Jude la trouva changée. Les prudences défensives et les subtilités de convention avaient disparu à la fois. Elle n'était pas davantage la femme qui avait écrit la lettre dont Jude avait été si troublé, et qu'elle avait dû écrire sous l'influence d'une impulsion qu'elle avait regrettée ensuite – regret causé sans doute par la déchéance récente de Jude. Il était tout à fait bouleversé par l'émotion.

– Vous ne me considérez pas comme un naufragé qui a perdu tout sens moral, pour être allé chez vous dans l'état où j'étais et pour être parti si honteusement, Sue ?

– Oh ! je n'ai pas songé à vous juger. Vous m'en avez assez dit pour que je puisse deviner les causes de tout cela. J'espère que je n'aurai jamais lieu de douter de votre dignité, mon pauvre Jude. Et je suis charmée que vous soyez venu.

Elle portait une robe couleur de mûre garnie d'un petit col de dentelle, une robe unie qui s'adaptait à ses formes délicates avec une grâce nonchalante. Ses cheveux, qu'elle disposait naguère à la mode du jour, étaient lissés et serrés ; elle avait l'air d'une femme comprimée et assombrie par une sévère discipline ; mais à travers cette ombre brillait un rayon intérieur que la discipline n'avait pu atteindre.

Elle était venue avec un aimable empressement ; mais Jude sentit qu'elle ne se souciait guère du baiser qu'il brûlait de lui donner, non pas sous couleur de parenté. Il ne pouvait juger à aucun signe que Sue le regardât comme un amoureux, ou dût jamais le regarder comme tel, maintenant qu'elle le connaissait sous son aspect le plus défavorable, eût-il même le droit de se poser en prétendant ; et cela accroissait le désir toujours grandissant d'avouer à Sue son embarras matrimonial, désir qu'il avait éloigné dans son extrême terreur de perdre des relations qu'il bénissait.

Sue sortit dans la ville avec lui, et ils se promenèrent et causèrent de leurs affaires actuelles. Jude dit qu'il aimerait à lui offrir quelque chose ; elle avoua, avec un peu de honte, qu'elle avait mortellement faim. Les rations du collège étaient minces, et un dîner, un thé ou un souper était tout ce qu'elle désirait le plus au monde en ce moment. Jude la conduisit dans un restaurant et fit apporter ce qu'il y avait de mieux dans la maison, c'est-à-dire pas grand-chose. L'endroit cependant était d'une délicieuse opportunité pour le tête-à-tête, car il n'y avait personne dans la salle et ils pouvaient causer librement.

Elle raconta ce qu'était l'école en ce moment, sa vie austère, les caractères divers de ses compagnes d'études rassemblées de tous les points du diocèse ; comment elle se mettait au travail dès l'aube, à la lumière du gaz. Elle parlait avec l'accent amer d'une jeune femme qui n'est pas accoutumée à la contrainte. Il écouta ; mais elle ne parlait pas de ses relations avec Phillotson, qu'il eût particulièrement désiré connaître. De cela elle ne disait rien. Quand ils eurent mangé, Jude plaça spontanément sa main sur celles de Sue ; elle vit cela, et sourit, et prit familièrement cette main dans sa petite main si douce, divisant ses doigts et les examinant avec calme, comme elle eût manié les doigts d'un gant.

– Vos mains sont assez rudes, Jude, n'est-ce pas ? dit-elle.

– Oui. Les vôtres seraient pareilles si elles tenaient le ciseau et le maillet tout le jour.

– Je ne déteste pas cela, vous savez. Je pense qu'il est noble pour un homme d'avoir les mains durcies par le travail… Eh bien, je suis charmée, après tout, d'être entrée à l'École normale. Voyez combien je serai indépendante dans deux ans. J'arriverai assez loin, j'espère, et M. Phillotson usera de son influence pour me faire avoir une école importante.

Elle avait fini par effleurer ce sujet.

– J'ai un soupçon, une crainte, dit Jude… C'est qu'il ne s'intéresse à vous trop chaudement et peut-être qu'il espère vous épouser.

– Ne dites pas de niaiseries.

– Il vous a dit quelque chose à ce sujet, je présume.

– S'il l'a fait, qu'importe ? Un vieux comme lui !

– Oh ! Sue, il n'est pas si vieux ! Et je que je l'ai vu faire…

– Vous ne l'avez pas vu m'embrasser, c'est certain.

– Non, mais mettre son bras autour de votre taille.

– Ah ! je m'en souviens. Mais j'ignorais ce qu'il faisait.

– Vous n'êtes pas sincère, Sue, et ce n'est pas bien.

La lèvre toujours frémissante commença à trembler ; les paupières battirent, et le reproche de Jude décida Sue à parler.

– Je savais que vous seriez fâché si je vous parlais de ces choses, et c'est pourquoi je n'ai rien dit.

– Très bien, donc, ma chère, dit-il, d'un ton conciliant. Je n'ai aucun droit réel à vous questionner et je ne désire rien savoir.

– Je vous dirai tout, fit-elle avec cette perversité qui était dans son caractère. Voici ce que j'ai fait : j'ai promis que j'épouserais M. Phillotson quand je quitterai l'École avec mon diplôme, dans deux ans. Il a fait le projet de prendre une école mixte dans une grande ville, – lui enseignant les garçons, moi, les filles, – comme font souvent les instituteurs mariés, ce qui nous procurerait un bon revenu.

– Oh ! Sue !… Mais c'est très bien… Vous ne pouviez faire mieux.

Il la regarda et leurs yeux se rencontrèrent, ceux de Jude pleins d'un reproche qui contredisait ses paroles. Il retira sa main d'entre les mains de Sue, et détourna la tête vers la fenêtre. Suzanne le regardait, immobile.

– Je savais que vous seriez fâché, dit-elle, sans aucune émotion. Très bien, j'ai eu tort, je suppose. Je n'aurais pas dû vous permettre de me voir. Il vaut mieux que nous ne nous rencontrions plus. Nous correspondrons seulement à de longs intervalles et à propos d'affaires.

C'était précisément la seule chose qu'il ne pût supporter – comme elle le savait sans doute. Il fut déconcerté et répondit rapidement :

– Vos fiançailles ne changent rien pour moi. J'ai parfaitement le droit de vous voir quand cela sera nécessaire, et j'userai de ce droit.

– Eh bien, n'en parlons plus. Il est inutile de gâter notre soirée. Qu'importe ce que l'un de nous pourra faire dans deux ans ?

Elle était une véritable énigme pour Jude, et il abandonna ce sujet de conversation.

– Allons-nous nous reposer dans la cathédrale ? demanda-t-il, quand ils eurent achevé leur collation.

– Dans la cathédrale ? Oui, quoique j'eusse préféré me reposer dans la gare, répondit-elle avec un accent de taquinerie. C'est maintenant le centre de la vie de la cité. La cathédrale a eu son temps.

– Comme vous êtes moderne !

– Vous le seriez de même si vous aviez vécu dans le Moyen Âge autant que je l'ai fait pendant ces dernières années. La cathédrale était un lieu vénérable, il y a quatre ou cinq siècles, mais c'est démodé aujourd'hui… je ne suis pas moderne non plus. Je suis plus ancienne que le Moyen Âge… si vous saviez !

Jude semblait attristé.

– Là, ne parlons plus de ceci, s'écria-t-elle. Vous ignorez combien je suis mauvaise, à votre point de vue, car, autrement, vous ne vous soucieriez guère de moi, et que je sois engagée ou non. Maintenant, nous avons juste le temps de faire un tour de promenade, puis je rentrerai, car je serais mise à la porte pour la nuit.

Le lendemain, Jude chercha du travail, qu'il trouva moins aisément qu'à Christminster. Son premier ouvrage fut une série de sculptures pour le cimetière situé sur la colline. Plus tard, il fut, selon son vœu, employé à la restauration de la cathédrale, restauration fort considérable car il s'agissait de reconstruire tout l'intérieur du bâtiment. Ce travail pouvait occuper plusieurs années.

– Demain est un grand jour pour nous, vous savez. Où irons-nous ?

– Je serai libre de trois à neuf heures. Il faudra aller et revenir dans cet espace de temps. Pas de ruines, Jude, je n'y tiens pas.

– Bien. Nous irons au château de Wardour ; puis, si nous voulons, à Fonthill – tout cela dans le même après-midi.

– Wardour est une ruine gothique et je hais le gothique.

– Non. C'est tout différent : une construction classique, corinthienne, je crois, avec une collection de tableaux.

– Nous irons donc. J'aime la régularité de l'ordre corinthien.

Cette conversation avait lieu quelques semaines après l'arrivée de Jude, et, le lendemain matin, Jude et Suzanne se préparaient à partir. Le plaisir d'attendre à la porte du collège l'apparition de la jeune fille dans une toilette dont la simplicité monastique était plus forcée que volontaire, la course vers la gare, le cri de l'employé : « Donnez vos billets, » le grondement des trains – toutes ces choses formèrent les éléments d'une belle cristallisation. Personne ne remarquait Sue, à cause de la modestie de sa toilette, ce qui réjouit Jude à la pensée que lui seul connaissait les grâces dissimulées par ces vêtements. Quelques étoffes achetées dans un magasin, et sans aucun rapport avec la vie et la personne de Sue, eussent attiré l'attention de tout Melchester.

Le chef de train, croyant avoir affaire à des amoureux, les plaça dans un compartiment séparé.

– Voilà une bonne intention perdue ! dit-elle.

Jude ne répondit pas. Il pensait que cette réflexion était inutilement cruelle et pas entièrement justifiée.

Ils parcoururent le parc et le château et traversèrent la galerie de peinture, Jude s'arrêtant de préférence devant les tableaux de sainteté, œuvres d'André del Sarto, Guido Reni, Spagnoletto, Sassoferatto, Carlo Dolci et autres. Elle restait patiemment à côté de lui, le regardant d'un air de critique, quand, devant les vierges, les saints et les saintes familles, son regard devenait respectueux et rêveur. Quand il fut entièrement plongé dans cette contemplation, elle voulut aller l'attendre devant un Lely ou un Reynolds. Évidemment, elle considérait son cousin avec l'intérêt qu'inspire un homme qui cherche sa route dans un labyrinthe dont tous s'échappent un par un.

Quand ils sortirent, ils pouvaient encore disposer d'un temps considérable ; Jude proposa de gagner, après le goûter, la partie élevée du pays, vers le nord, et de prendre le train pour Melchester à une station éloignée de sept milles. Sue, que tentait toute aventure propre à lui faire sentir plus vivement sa liberté d'un jour, accepta aussitôt, et ils partirent laissant la gare derrière eux.

La campagne s'ouvrait large et haute. À mi-chemin, ils croisèrent une route qui allait de l'est à l'ouest, la vieille route de Londres au Finistère. Durant la seconde moitié du parcours, Sut parut si fatiguée que Jude s'en inquiéta. Ils marchèrent longtemps sans trouver la station, sans même voir aucune maison, puis ils rencontrèrent un parc à moutons, et plus loin, le berger qui dressait ses barrières. Il leur dit que la seule maison avoisinante était celle de sa mère, leur montrant un petit toit d'où s'élevait une légère fumée bleue, et leur recommandant de s'y arrêter pour prendre un peu de repos.

Ils entrèrent dans le logis, reçus par une vieille femme qui avait une seule dent, et qu'ils voulurent se rendre favorable, en lui témoignant la politesse qu'ont les étrangers qui tiennent de leur hôtesse leur unique chance de repos.

– Un gentil petit cottage, dit Jude.

– Oh ! je ne m'y connais guère en gentillesse. Je ferai mettre bientôt une couverture de chaume. Et le chaume coûte si cher, qu'on couvrira bientôt les maisons avec des assiettes, par économie.

Ils se reposèrent et le berger rentra.

– Vous pouvez rester ici aussi longtemps que vous voudrez, dit-il ; mais pensez-vous revenir à Melchester par le train du soir ? Ce serait tout à fait impossible, parce que vous ne connaissez pas le pays. J'irais bien vous accompagner, mais vous ne manqueriez pas moins le train.

Ils tressaillirent.

– Restez ici pour la nuit. N'est-ce pas, ma mère ? Les lits sont durs, mais il y en a de plus mauvais.

Il prit Jude à part et demanda :

– Êtes-vous mariés ?

– N... non... dit Jude.

– Oh ! je ne pense pas à mal... Eh bien, la dame couchera dans la chambre de ma mère, et vous et moi dans celle d'à côté. Je vous éveillerai assez tôt pour que vous puissiez prendre le train.

Ayant délibéré, Jude et Sue acceptèrent la proposition de leurs hôtes. Comme il l'avait promis, le berger les réveilla le lendemain matin. Le temps était brillant et clair et la promenade de quatre milles jusqu'à la gare ne fut pas sans agrément. Quand ils arrivèrent à Melchester et que Suzanne aperçut le vieux bâtiment dans lequel elle allait être emprisonnée, elle eut un petit effroi.

Ils sonnèrent la grande cloche et attendirent.

– Oh ! fit-elle soudain, en fouillant dans sa poche, j'ai apporté quelque chose pour vous. C'est une récente photographie de moi... La voulez-vous ?

– Si je la veux !

Il prit la photographie avec joie et le portier parut. Il avait, en ouvrant la porte, comme un regard de mauvais augure. Sue entra, se détournant pour regarder Jude et le saluant de la main.

III

Les soixante-dix élèves de l'École normale de Melchester étaient assises dans la grande salle d'études le soir de la promenade que nous avons racontée. Le bruit courait que Sue Bridehead n'était pas rentrée à l'heure de la fermeture.

– Elle est partie avec son jeune homme, dit une élève de seconde année. Miss Traceley l'a vue à la gare avec lui. Elle sera moins fière en revenant.

– Elle a dit que c'était son cousin, observa une jeune fille.

– Le prétexte a trop servi. Il ne prend plus.

Le fait est qu'une année auparavant une élève s'était laissé séduire, lamentablement, après avoir donné le prétexte du cousinage pour faciliter ses rendez-vous avec son amoureux. L'affaire avait causé un scandale, et, depuis, l'administration était devenue sévère pour les cousins.

À neuf heures, on fit l'appel, et miss Traceley, de sa voix sonore, prononça par trois fois le nom de Sue sans recevoir aucune réponse.

Une heure après, les élèves reposaient toutes dans leurs petites logettes. Une des maîtresses vint pour éteindre le gaz, et jeta un regard sur le coin de Sue qui demeurait vide, et sur la petite table à toilette ornée des colifichets chers aux jeunes filles, parmi lesquels on remarquait deux photographies dans des cadres de filigrane et de velours.

– Quels sont ces hommes ? Vous l'a-t-elle jamais dit ? interrogea la maîtresse. Vous savez qu'on ne permet que les photographies de parents ?

– L'un – cet homme d'un certain âge, dit une élève dans le lit voisin, c'est le maître d'école que Sue aidait dans son enseignement : M. Phillotson.

– Et l'autre ? Cet étudiant en toque et en robe, qui est-il ?

– Un ami. Elle n'a jamais dit son nom.

– Est-ce un de ces deux hommes qui est venu la voir ?

– Non.

– Vous êtes sûre que ce n'est pas l'étudiant ?

– Absolument. C'est un jeune homme à barbe noire.

Quand elles s'éveillèrent le lendemain matin, les élèves regardèrent vers le lit de Sue qui n'était point occupé. Après les premières leçons, comme elles remontaient au dortoir pour changer de toilette, la cloche de la porte d'entrée résonna fortement. La surveillante du dortoir sortit et revint pour dire que le principal défendait que personne parlât sans permission à Bridehead.

Sue entra. Elle paraissait rouge et fatiguée et gagna sa cellule en silence. Quand ses compagnes descendirent les escaliers, elle ne les suivit pas au réfectoire, et on apprit qu'elle avait été sévèrement réprimandée et condamnée à rester aux arrêts pendant une semaine, dans une chambre solitaire où elle devrait prendre ses repas et étudier ses leçons.

Les soixante-dix élèves accueillirent par un murmure cette sentence qu'elles trouvaient trop sévère. Une pétition fut envoyée au principal, sans résultat. Le même soir, quand la maîtresse de géographie voulut dicter un sujet de devoir, les jeunes filles de sa classe s'assirent, les bras croisés.

– Vous voulez dire que vous n'êtes pas en humeur de travailler ? dit enfin la maîtresse. Je puis vous dire qu'on a eu la certitude que le jeune homme avec lequel Bridehead est restée n'est pas son cousin, par la bonne raison qu'elle n'a pas de parents. Nous avons fait prendre des renseignements à Christminster.

– Nous désirons avoir la parole de Sue, dit la doyenne des élèves.

– Ce jeune homme a été renvoyé de l'atelier où il travaillait, à Christminster, pour ivresse et blasphème dans les auberges, et il est venu ici pour se rapprocher d'elle.

Les élèves restèrent stupéfiées, immobiles, et la maîtresse sortit pour rendre compte à ses supérieurs de ce qui s'était passé.

Vers le crépuscule, les élèves entendirent des exclamations dans la classe voisine – celle des élèves de première année – et l'une d'elles accourut dire que Sue Bridehead avait sauté par la fenêtre de la chambre où elle était prisonnière, s'était échappée sur la pelouse à la faveur de l'ombre et avait disparu. Comment elle était sortie du jardin, nul n'eût pu le dire, car le jardin était entouré par un ruisseau et la porte était close.

On se procura des lanternes et le ruisseau fut examiné. Enfin, sur la rive opposée, on distingua des traces de pas et l'on conclut que la trop excitable jeune fille s'était évadée à travers une eau assez profonde pour la mouiller jusqu'aux épaules. Comme Sue n'avait pas attiré d'ennuis à l'administration de l'école en se noyant, la directrice commença à parler d'elle avec mépris et se déclara enchantée de sa fuite.

Ce même soir, Jude était chez lui, dans son logement près de la porte de la forteresse. Il s'imagina entendre un choc léger contre sa fenêtre ; en écoutant bien, il l'entendit encore. Certainement, quelqu'un avait lancé du gravier. Jude se leva et doucement ouvrit les volets.

– Jude ! (L'appel venait d'en bas.)

– Sue !

– Oui, c'est moi. Puis-je entrer sans être vue ?

– Oh ! oui.

– Ne sortez donc pas. Fermez la fenêtre.

Jude attendit, sachant que Sue pourrait entrer aisément, la porte d'entrée étant fermée par un bouton que chacun pouvait tourner. Il palpitait à la pensée qu'elle venait à lui dans sa détresse, comme il était allé à elle dans sa propre détresse. Il entendit du bruit dans l'escalier, et, un moment après, elle apparut sous la lumière de sa lampe. Il lui prit les mains et la vit mouillée, comme une déesse marine, ses vêtements pendant autour d'elle, pareils aux robes qui drapent les figures sur les frises du Parthénon.

– J'ai si froid ! dit-elle en claquant des dents. Puis-je m'approcher de votre feu, Jude ?

– Qu'avez-vous fait, ma chérie ? demanda-t-il, alarmé, la tendre épithète s'échappant de sa bouche sans qu'il y prît garde.

– J'ai traversé la plus grande rivière du pays. Voilà ce que j'ai fait. On m'a enfermée parce que j'étais allée avec vous. Cela m'a paru si injuste que je n'ai pu le supporter. J'ai sauté par la fenêtre et je me suis sauvée à travers le ruisseau.

Elle avait commencé ces explications avec l'accent dédaigneux qui lui était habituel, mais, avant la fin, ses lèvres roses tremblèrent et elle put à peine s'empêcher de pleurer.

– Chère Sue, dit-il, vous allez quitter ces habits et je demanderai à la propriétaire de vous prêter les siens.

– Non, non ! Qu'elle ne sache rien, au nom du ciel ! Nous sommes si près de l'école qu'en viendrait me chercher.

– Eh bien, vous mettrez mes habits. Cela ne vous fait rien ?

– Non.

– Mes vêtements du dimanche, vous savez.

Il ouvrit un tiroir, prit ses meilleurs vêtements noirs et dit :

– Maintenant, combien de temps dois-je vous quitter ?

– Dix minutes.

Jude sortit dans la rue où il marcha de long en large. Une cloche sonnant la demie après sept heures, il rentra. Étendue dans l'unique fauteuil, il vit la forme délicate d'une femme travestie dans son propre costume du dimanche, si pathétique dans sa faiblesse sans défense, que son cœur en fut ému. Sur deux chaises, devant le feu, étaient étendus les vêtements mouillés.

Elle rougit quand il vint s'asseoir près d'elle, mais sa gêne ne dura qu'un moment.

– Je suppose, Jude, que vous trouvez étrange de me voir ainsi vêtue, et mes habits étendus là… Je voudrais ne pas me sentir si lasse et si malade…

– Si vous êtes malade, vous resterez ici. Chère, chère Sue, que puis-je vous donner ?

– Je ne sais pas. Je ne puis m'empêcher de frissonner. Je voudrais avoir plus chaud.

Jude jeta sur elle un grand pardessus et courut à l'auberge la plus proche d'où il rapporta une petite bouteille.

– Voici un peu d'excellent brandy, dit-il. Vous allez boire cela, chère, tout cela.

Il prit un verre sur la table à toilette, et mélangea la liqueur avec un peu d'eau. Elle hésita un peu, avala une gorgée et retomba dans le fauteuil. Elle commença à raconter en détail tout ce qui était arrivé depuis leur séparation ; mais, au milieu du récit, sa voix faiblit, sa tête s'inclina et elle se tut. Elle dormait profondément. Jude, dans la mortelle anxiété qu'elle ne risquât quelque grave maladie, fut charmé d'entendre son souffle régulier. Il s'approcha d'elle, doucement, et vit une chaude rougeur couvrir ses joues bleuâtres, tandis que sa main pendante se réchauffait par degrés. Alors, il s'assit, le dos au feu, regardant Sue, et voyant en elle plus qu'une divinité.

IV

La rêverie de Jude fut interrompue par un bruit de pas gravissant l'escalier.

Il prit les vêtements de Sue, et, les enlevant de la chaise où ils séchaient, il les cacha sous le lit et s'assit devant ses livres. Quelqu'un frappa et ouvrit la porte immédiatement. C'était la propriétaire.

Jude avait l'habitude de descendre dîner avec la famille pour éviter un trop grand dérangement. Mais, cette fois, il se fit apporter son dîner dans sa chambre, et le reçut lui-même, sur le seuil, des mains de la propriétaire. Quand elle fut descendue, il mit la théière au bord de la grille du foyer et étendit de nouveau les vêtements de Sue. Ils étaient loin d'être secs.

Elle dit tout à coup :

– Jude !

– Oui… Tout va bien… Comment vous sentez-vous ?

– Mieux. Tout à fait bien… Je crois que j'ai dormi. Quelle heure est-il ?

– Dix heures passées.

Le souper la réconforta. Le thé était-il trop vert, ou bien avait-il infusé trop longtemps ? mais elle sembla extraordinairement éveillée ensuite.

– Vous m'avez appelée une créature de civilisation, dit-elle, rompant un silence. Il est singulier que vous ayez pensé ainsi.

– Pourquoi ?

– Mais parce que c'est faux, faux à m'irriter. Je suis en quelque sorte la négation de cela même.

– Vous êtes très philosophique. « La négation » est un mot profond.

– Vraiment ? Je vous étonne par ma science ? dit-elle, avec une nuance de raillerie.

– Par votre science, non. Seulement, vous ne parlez pas tout à fait comme une fille qui… qui n'aurait aucune instruction.

– J'ai reçu de l'instruction. J'ignore le latin et le grec, quoique je sache la grammaire de ces deux langues ; mais je connais les classiques grecs et latins à travers les traductions, et aussi beaucoup d'autres livres. J'ai lu Lampride, Catulle, Martial, Juvénal, Lucien, Beaumont et Fletcher, Boccace, Scarron, Brantôme, Sterne, de Foe, Smollett, Fielding, Shakespeare, la Bible, etc…, et j'ai trouvé que tout l'intérêt de ces livres disparaît avec leur mystère.

– Vous avez lu plus que moi, dit-il avec un soupir. Comment êtes-vous arrivée à des lectures si hétéroclites ?

– Mais, dit-elle d'un air pensif, c'était par accident. Ma vie a été entièrement dominée par ce que l'on prétend être une particularité en moi. Je n'ai peur ni des hommes ni de leurs livres. Je me suis liée avec eux – avec un ou deux particulièrement – comme une personne de leur sexe. Je peux dire que je n'ai jamais senti près d'eux ce que toutes les femmes apprennent à sentir : la nécessité de se tenir en garde contre des attaques à notre vertu. Car la majorité des hommes – je ne parle pas des braies sensuelles – ne molesteront pas une femme, ni le jour, ni la nuit, ni chez elle, ni dehors, à moins qu'elle ne les y invite. Jusqu'à ce qu'elle ait dit par un regard : « Venez ! » l'homme sera toujours effrayé d'aller à elle, et si elle ne dit rien, même par l'expression de ses yeux, il ne viendra jamais. Cependant, ce que j'allais dire, c'est qu'à l'âge de dix-huit ans je me liai d'amitié avec un jeune étudiant de Christminster ; il m'enseigna beaucoup de choses et me prêta des livres que je n'aurais jamais pu me procurer autrement.

– Et votre amitié s'est rompue ?

– Oui. Il mourut, le pauvre garçon, deux ou trois ans après qu'il eut pris ses grades et quitté Christminster.

– Vous le voyiez souvent, je suppose ?

– Oui. Nous avions l'habitude de nous promener et de lire ensemble, comme deux hommes. Il me demanda de demeurer avec lui et j'y consentis par lettre. Mais quand je le retrouvai à Londres, je compris… que je n'avais pas compris le sens de sa proposition. Il voulait être un amoureux, en fait, mais je ne ressentais aucun amour pour lui, et, d'après la déclaration que je lui fis, je devais m'en revenir s'il n'acceptait pas mon plan… ce qu'il fit. Nous habitâmes côte à côte pendant cinq mois, et il devint rédacteur dans un grand journal quotidien, jusqu'à ce qu'il tombât malade et dût aller ailleurs. Il me dit que je lui avais brisé le cœur par mon attitude pendant notre longue intimité ; il n'aurait jamais cru cela d'une femme. Il me conseillait de ne pas jouer ce jeu trop souvent. Il revint bientôt pour mourir. Sa mort me donna un cruel remords – quoique j'aie des raisons d'espérer que la consomption en fut la véritable cause, et non pas moi uniquement. J'allai à Sandbourne pour les funérailles, et je fus seule à porter le deuil. Il me laissait un peu d'argent – parce que je lui avais brisé le cœur, j'imagine. Voilà comment sont les hommes – meilleurs que les femmes.

– Bon Dieu ! qu'avez-vous fait ?

– Ah ! maintenant, vous êtes irrité contre moi, dit-elle, avec une tragique note de contralto dans sa voix argentine. Je ne vous aurais pas raconté cette histoire si j'avais su...

– Non, je ne suis pas irrité. Dites-moi tout.

– Eh bien, je plaçai mal l'argent de ce pauvre garçon et je perdis tout. Je vécus quelque temps à Londres de mes propres ressources, puis je retournai à Christminster, mon père, établi comme ciseleur près de Long-Acre, n'ayant pas voulu me recevoir. Je trouvai un emploi dans la boutique où vous m'avez découverte... Je vous disais bien que vous ne saviez pas combien j'étais mauvaise.

La voix de Jude trembla en répondant :

– Malgré la façon dont vous avez vécu, je vous crois aussi innocente que peu soumise aux conventions.

– Je ne suis pas particulièrement innocente, vous pouvez le voir, maintenant que j'ai « enlevé la robe drapée par votre imagination sur cette blanche figure », dit-elle avec un rire apparent quoiqu'il devinât des larmes dans sa voix ; mais je n'ai eu de faiblesse pour aucun amant, si c'est là ce que vous craignez. Je suis restée comme j'étais.

– Je vous crois absolument. Mais beaucoup de femmes ne fussent pas restées comme elles étaient d'abord.

– Peut-être que non. Des femmes meilleures que moi ne le pourraient pas. On dit que je dois être froide, sans sexe, d'après ce que je raconte de moi-même. Mais c'est faux. Il y a eu des poètes passionnément érotiques, qui ont été chastes dans leur vie.

– Avez-vous parlé à M. Phillotson de cet ami de l'Université ?

– Oui. Il y a longtemps. Cela n'a jamais été un secret pour personne.

– Qu'en a-t-il dit ?

– Il ne m'a pas critiquée. Il m'a dit seulement que j'étais tout pour lui, quoi que j'eusse fait. Et les choses en sont là... Êtes-vous *réellement* fâché contre moi, cher Jude ? demanda-t-elle avec une voix si extraordinairement tendre qu'elle ne semblait pas venir de la même femme qui avait raconté son histoire si légèrement. Il n'y a personne au monde que je craigne d'offenser autant que vous.

– Je ne sais pas si je suis fâché ou non. Je sais que je tiens à vous, beaucoup.

– Je n'ai rencontré personne qui me fût plus cher que vous.

– Mais je ne vous suis pas plus cher que les autres… Oh ! je ne devrais pas dire cela. Ne me répondez pas.

Il y eut un autre long silence. Il sentait qu'elle l'avait traité cruellement sans savoir de quelle façon. Sa faiblesse la rendait plus forte que lui.

– J'ignore beaucoup de choses quoique j'aie durement travaillé, dit-il, passant à un autre sujet. Je suis absorbé par la théologie, vous le savez. Et vous ne devinez pas ce que je ferais à cette heure, si vous n'étiez pas ici ?… Je dirais mes prières du soir. Je suppose que cela vous déplairait…

– Oh ! oui, oui, répondit-elle. J'aimerais autant que vous ne les disiez pas, si cela ne vous faisait rien ; je vous paraîtrais si hypocrite…

– Je ne vous ai pas demandé de vous y associer, prévoyant votre refus. Vous ne devez pas oublier que je désire être ministre, et un bon ministre plus tard.

– Vous voulez entrer dans les ordres ?

– Oui.

– Vous n'avez pas renoncé à ce projet ? Je pensais qu'à présent vous aviez changé d'idée.

– Mais non. J'ai souhaité ardemment, d'abord, que vous arriviez à penser comme moi : vous étiez si imprégnée de Christminster… Et M. Phillotson…

– Je n'ai aucune espèce de respect pour Christminster, excepté à un certain point de vue, pour l'intellectualité que l'on y découvre, dit Sue Bridehead, sérieusement. L'ami dont je vous ai parlé m'a enlevé ce respect. C'était l'homme le plus irréligieux que j'aie connu, et le plus moral. Et l'intellectualité à Christminster est un vin nouveau dans de vieilles bouteilles. Le Moyen Âge doit disparaître de Christminster, ou bien Christminster même disparaîtra.

– Sue, vous ne me diriez pas de ces choses, si vous étiez vraiment mon amie.

– Je ne les dirai plus, cher Jude.

La note grave de l'émotion avait reparu, et Sue détourna son visage.

– Christminster n'est pas sans gloire, quoique je lui conserve quelque rancune de ne pas m'en avoir réservé une part.

Il parlait avec douceur et résistait au désir de piquer Sue jusqu'aux larmes.

– C'est un lieu d'ignorance, si l'on en excepte les gens du peuple, les artisans, les ivrognes et les pauvres, dit-elle, car, bien au contraire de Jude, elle continuait âprement la discussion. Ceux-là voient la vie, comme elle est ; ce qui est impossible aux gens de collège. Vous-même pouvez servir d'exemple. Vous êtes précisément un de ces hommes pour qui furent fondés les collèges de Christminster : vous avez la passion de l'étude, mais point d'argent, point d'amis, point d'heureux hasards qui puissent vous favoriser... Et vous êtes poussé hors de votre voie par des fils de millionnaires.

– Eh bien, je me passerai des avantages que leur donne leur situation. Mon ambition est plus haute.

– Et la mienne est plus vaste, plus vraie, insista-t-elle. En ce moment, l'intelligence et la religion, à Christminster, suivent deux voies opposées, et elles demeurent stationnaires, comme deux béliers qui se heurtent du front.

– Ce que voulut M. Phillotson...

– C'est une ville pleine de fétichistes et de visionnaires.

Il remarqua que, lorsqu'il essayait de parler du maître d'école, elle détournait la conversation en généralisations offensantes pour l'Université. Jude avait une curiosité extrême, une curiosité morbide de connaître sa vie en tant que protégée et fiancée de Phillotson. Mais, toujours, elle refusait de l'éclairer.

– Voilà justement ce que je suis, dit-il : un homme que la vie épouvante et qui voit des spectres partout... Maintenant, ferez-vous ce que je vous demande ? Je dois lire un chapitre et dire mes prières, comme je vous l'ai déclaré. Voulez-vous concentrer votre attention sur un livre à votre goût, me tourner le dos et me laisser agir selon mon habitude ?... Vous êtes sûre que vous ne devez pas vous joindre à moi ?

– Je veux vous regarder.

– Non. Ne me tourmentez pas, Sue.

– Très bien, je vous obéirai et je ne vous contrarierai pas, Jude, répondit-elle, avec l'accent d'un enfant qui promet d'être sage pour toujours – mais plus tard.

Elle se détourna comme il était convenu. Une petite Bible dont Jude ne se servait pas était à la portée de Sue, et pendant la méditation du jeune homme, elle se mit à la feuilleter.

– Jude, dit-elle vivement, quand, sa prière achevée, il se tourna vers elle, me permettez-vous de vous composer un *nouveau* Nouveau Testament, pareil à celui que j'avais composé pour moi, à Christminster ?

– Oui. Comment l'aviez-vous fait ?

– J'avais modifié le vieux volume en découpant les épîtres et les évangiles en brochures séparées, puis en les disposant dans l'ordre chronologique où ils furent écrits : les épîtres aux Romains en tête du livre, puis les premières épîtres, et les évangiles tout à fait à la fin. Après quoi, je fis relier le volume de nouveau. Mon ami de l'Université, M... – mais peu importe son nom, pauvre garçon ! mon ami disait que c'était une idée excellente. Je sais bien qu'en relisant le livre, je le trouvais vingt fois plus intéressant qu'autrefois et vingt fois plus compréhensible.

– Hum ! dit Jude qui eut la sensation d'un sacrilège.

– Et quelle énormité littéraire, ajouta Sue, en regardant les pages du cantique de Salomon. Je désigne ainsi le commentaire analytique placé au début de chaque chapitre pour expliquer le sens réel de cette rapsodie. Ne vous alarmez pas ; personne n'attribue ces en-têtes de chapitres à une céleste inspiration. Et même, beaucoup de théologiens les considèrent avec méfiance.

Jude semblait affligé.

– Vous êtes absolument voltairienne, murmura-t-il.

– En vérité ? Je veux dire seulement que personne n'a le droit de falsifier la Bible. Je hais cette mystification qui a pour effet de replâtrer, avec des abstractions ecclésiastiques, l'amour humain, naturel, extasié, qui remplit tout ce grand cantique de la passion.

Son langage s'était animé, et, comme elle s'excitait contre le blâme tacite de Jude, ses yeux devinrent humides :

– Ah ! que je voudrais avoir ici un ami pour me soutenir. Mais personne ne prend mon parti.

– Mais, chère Sue, ma bien chère Sue, je ne suis pas contre vous, dit-il, en lui prenant la main, surpris qu'elle mêlât un intérêt personnel à la discussion abstraite.

– Si, vous l'êtes, vous l'êtes ! cria-t-elle, détournant son visage pour qu'il ne vit pas ses yeux débordants. Vous êtes avec les gens de l'École normale – vous semblez y être, du moins. J'insiste sur ceci, qu'expliquer le verset : *Où est allé ton bien-aimé, ô toi la plus belle des femmes* ? par cette note : *L'Église confesse sa foi,* c'est ridicule au suprême degré.

– Eh bien, soit. Vous faites de tout une affaire personnelle. Je suis... je suis seulement trop disposé en ce moment à trouver dans ces mots un sens profane. Vous savez que vous êtes pour moi la plus belle des femmes, convenez-en.

– Vous n'allez pas dire à présent des choses pareilles, répondit Sue, avec une voix très douce dans sa sévérité. Leurs yeux se rencontrèrent ; ils se frappèrent dans les mains comme deux camarades après une querelle de cabaret, et ils sentirent, lui, le ridicule d'une dispute sur un sujet hypothétique, elle, la niaiserie de pleurer à propos de ce qui était écrit dans un livre aussi vieux que la Bible.

Ils restèrent assis côte à côte jusqu'à ce que Sue tombât endormie, et qu'il se penchât aussi sur sa chaise. De temps en temps, il se ranimait, retournait les vêtements et arrangeait le feu. Vers six heures, il se réveilla complètement, alluma une lumière et s'aperçut que les habits étaient secs. Le siège où reposait Sue étant plus confortable que celui de Jude, la jeune fille dormait encore, enveloppée du grand manteau, chaude comme un beignet et enfantine comme Ganymède. Il plaça ses vêtements à sa portée, lui toucha l'épaule, puis, descendant dans la cour, il fit ses ablutions à la clarté des étoiles.

V

Quand il entra, Sue était vêtue comme à l'ordinaire.

– Puis-je maintenant sortir sans être vue ? demanda-t-elle. La ville est encore paisible.

– Mais vous n'avez pas déjeuné ?

– Oh ! je n'ai besoin de rien. Je crains d'avoir mal fait en quittant l'école. Les choses semblent différentes à la froide lumière du matin, n'est-ce pas ? Que dira M. Phillotson ? J'étais venue ici suivant son désir. Il est le seul homme, en ce monde, qui m'inspire de la crainte ou du respect. J'espère qu'il me pardonnera. Mais il me réprimandera terriblement ; je puis m'y attendre.

– J'irai à lui et je lui expliquerai… commença Jude.

– Non, vous ne ferez pas cela. Je me soucie bien de lui ! Il peut penser ce qu'il voudra… Je ferai à ma guise.

– Mais vous disiez justement…

– Eh bien ! Si je l'ai dit, je ferai ce qui me plaira. J'ai pensé à ce que je devais faire. J'irai chez la sœur d'une de mes camarades, qui m'a souvent priée d'aller la voir. Elle a une école près de Shaston, à dix-huit milles d'ici. Je resterai là-bas jusqu'à ce que le scandale soit dissipé, puis je retournerai à l'École normale.

Ils sortirent de la maison tranquillement et Jude accompagna Sue à la gare. Comme ils tournaient l'angle de la rue, une tête s'avança sans bruit, hors d'une fenêtre entrouverte, et disparut aussitôt. Sue paraissait affligée de son imprudence et regrettait sa rébellion. Elle déclara, au moment du départ, qu'elle avertirait Jude dès qu'elle serait admise de nouveau à l'École normale. Ils attendirent debout, sur la plateforme, assez tristes tous deux. Il était évident que Jude avait quelque chose à dire.

– Il faut que je vous dise quelque chose… deux choses, fit-il, en hâte, quand le train s'ébranla. L'une est réchauffante, l'autre est glaciale.

– Jude, dit-elle, je connais une de ces choses. Et c'est une chose défendue.

– Quoi ?

– Il vous est défendu de m'aimer d'amour. D'amitié, oui, mais pas autrement.

Autant le visage de Jude s'assombrit sous l'influence de sentiments complexes, autant celui de Sue parut vibrant de sympathie, quand elle envoya son adieu à travers la fenêtre du wagon. Puis le train partit, et elle disparut, agitant sa petite main du côté de Jude.

Le lendemain matin, il reçut une lettre qu'avec sa vivacité coutumière, Sue avait écrite dès son arrivée chez son amie. Elle parlait de son heureux voyage et de son installation confortable, et elle ajoutait :

« En réalité, cher Jude, je vous écris à propos de ce que je vous ai dit, au moment de mon départ. Vous avez été si bon et si indulgent, qu'à peine hors de votre vue, j'ai senti que j'avais parlé en femme cruelle et ingrate, et depuis je me suis fait de grands reproches. *Si vous voulez m'aimer, Jude, vous le pouvez.* Le reste m'importe peu, et je ne vous renouvellerai jamais la défense de m'aimer d'amour.

Je n'en dois pas écrire davantage. Pardonnerez-vous sa cruauté à votre amie trop irréfléchie ? La rendrez-vous bien malheureuse en répondant que vous ne lui pardonnez pas ?

SUE. »

Quelle fut la réponse de Jude ; ce qu'il eût fait s'il avait été libre, de manière à rendre inutile le séjour de Sue chez une personne de son sexe, c'est ce qu'il serait superflu de raconter. Il sentait qu'il aurait eu toutes les chances de victoire, si un conflit s'était élevé entre Phillotson et lui, pour la possession de Suzanne.

Après un laps de quelques jours, il espéra une seconde lettre. N'ayant rien reçu, dans l'excès de sa sollicitude, il envoya un autre billet, proposant à Sue d'aller la voir un dimanche, la distance qui les séparait n'atteignant même pas dix-huit milles.

Il attendit une réponse jusqu'au surlendemain, après l'envoi de sa lettre. Rien ne vint. Le troisième matin parut ; le facteur ne s'arrêta pas chez Jude. C'était un samedi. Dans la fièvre de son anxiété, Jude écrivit trois lignes, annonçant sa visite pour le jour suivant, car il pressentait qu'il était arrivé quelque chose.

Naturellement, sa première pensée fut que la jeune fille était malade des suites de son immersion ; mais l'idée lui vint que, dans ce cas, elle aurait fait écrire par une tierce personne. Les conjectures de Jude se terminèrent par son arrivée à l'école de village, près de Shaston, par un brillant matin de dimanche, entre onze heures et midi, au moment où les rues étaient vides et les gens du lieu rassemblés dans l'église d'où l'on pouvait entendre leurs voix chantant à l'unisson.

Une petite fille ouvrit la porte :

– Miss Bridehead est en haut, dit-elle. Vous plaît-il de monter la voir ?

– Est-elle malade ? demanda Jude, hâtivement.

– Un peu, pas beaucoup.

Jude entra et monta l'escalier. Sur le palier, une voix l'avertit du chemin qu'il devait suivre : la voix de Sue qui l'appela par son nom. Il obéit et trouva Sue couchée sur un petit lit dans une chambre de douze pieds carrés.

– Oh ! Sue, s'écria-t-il, en s'asseyant près d'elle et en lui prenant les mains, qu'y a-t-il ? Vous ne pouviez pas écrire ?

– Non... ce n'est pas la raison, répondit-elle. J'ai attrapé un refroidissement, mais j'aurais pu écrire. Seulement, je ne voulais pas.

– Pourquoi ? Vous m'avez effrayé.

– C'est que j'étais effrayée aussi. Mais j'avais résolu de ne pas vous écrire davantage. On m'a renvoyée de l'École – voilà pourquoi je ne pouvais écrire et vous annoncer non le fait de mon renvoi, mais le prétexte.

– Eh bien ?

– Non seulement on me renvoie, mais on me donne un conseil.

– Lequel ?

Elle ne répondit pas directement.

– J'aimerais mieux ne jamais vous le répéter, Jude ; c'est si trivial et si désolant !

– Cela nous concerne ?

– Oui.

– Dites-le-moi ?

– Eh bien, quelqu'un a tenu des propos sans fondement sur nous, et l'on ajoute que vous et moi devons nous marier le plus tôt possible pour sauvegarder ma réputation... Voilà. Je vous ai tout dit, et je le regrette.

– Ô pauvre Sue !

– Je n'ai jamais songé à vous avec ces arrière-pensées. Il m'est arrivé d'avoir à votre égard les sentiments qu'on me suppose, mais jamais avant ces évènements. J'ai dû reconnaître que notre parenté était purement nominale, puisque nous nous rencontrions comme des étrangers. Mais me marier avec vous, cher Jude, ah ! vraiment, si j'avais fait ce calcul, je ne serais pas venue à vous si souvent ! Et je ne vous ai jamais supposé aucune intention de mariage jusqu'à l'autre soir, quand j'ai commencé à m'imaginer que vous m'aimiez un peu. Peut-être n'aurais-je pas dû vivre si intimement avec vous. C'est ma faute. Tout est de ma faute, toujours.

Ce discours semblait quelque peu forcé et invraisemblable, et ils se regardaient l'un l'autre avec une mutuelle détresse.

– J'étais aveugle, d'abord ! continua-t-elle. Je ne comprenais pas vos sentiments. Oh ! que vous avez été cruel pour moi – vous l'avez été – en me regardant comme une amante, sans dire un mot, m'obligeant à le découvrir moi-même. On a remarqué votre attitude à mon égard, et, naturellement, on a pensé que nous avions mal agi. Je ne me fierai plus à vous, jamais.

– Oui, Sue, dit-il simplement, je suis à blâmer, plus que vous ne pensez. Je me rendais bien compte, jusqu'à notre dernière entrevue, que vous ne suspectiez pas la nature de mes sentiments. Sans doute, nos rencontres ne ressemblaient guère à des relations de parenté, et c'était une espèce de subterfuge que je faisais servir à mon profit. Mais ne pensez-vous pas que je mérite quelque indulgence pour avoir caché mes torts, mes grands torts, et mes sentiments, puisque je ne pouvais les modifier ?

Elle fixa sur lui un regard de doute, et elle détourna ses yeux comme si elle avait craint de pardonner.

À la vérité, un des motifs qui avait décidé Jude à venir, c'était la nécessité de raconter la fatale histoire de sa vie. Le récit était sur ses lèvres, mais, dans cette heure de détresse, elles ne purent s'ouvrir pour parler. Il préféra dresser entre eux les obstacles déjà connus.

– Naturellement, je sais que vous n'avez pour moi aucun sentiment... particulier, dit-il, presque rudement. Vous ne le devez pas, et vous avez raison. Vous appartenez à M. Phillotson... Je suppose qu'il est venu vous voir ?

– Oui, dit-elle brièvement, en changeant de visage. Pourtant, je ne lui avais pas demandé de venir. Vous êtes charmé, évidemment, qu'il soit venu. Mais cela m'était indifférent qu'il ne revint jamais.

– Tout s'arrangera, chère Sue, dit-il. Les directeurs de l'École normale ne sont pas le monde entier. Vous entrerez dans quelque autre école, sans doute.

– Je consulterai M. Phillotson, fit-elle d'un ton décidé.

L'aimable hôtesse de Sue étant revenue de l'église, la conversation perdit toute intimité. Jude partit dans l'après-midi, malheureux à désespérer. Mais il avait vu Sue ; il s'était assis près d'elle. Il devait se contenter de ces relations amicales, pour tout le reste de sa vie. Cette leçon de renoncement était la plus utile qu'il pût recevoir, et celle qui convenait le mieux à un futur prêtre.

Le lendemain, quand il se réveilla, il se sentit irrité contre Sue, et il conclut qu'elle était déraisonnable, pour ne pas dire capricieuse. Or, un billet arriva, qu'elle avait dû écrire immédiatement après leur séparation, et qui achevait d'éclairer Jude sur ce caractéristique besoin de compensation, particulier à Sue, et qu'il commençait à discerner.

« Pardonnez ma vivacité d'hier. J'étais cruelle pour vous. Je le sais et je me sens parfaitement malheureuse de ma cruauté... Que vous étiez bon de ne pas vous fâcher ! Jude, acceptez-moi encore comme amie, comme compagne, malgré mes défauts. J'essaierai de ne plus être méchante.

Je viens à Melchester, samedi, pour reprendre mes effets à l'E.N. Pourrais-je me promener une demi-heure avec vous, si vous y consentez ?

Votre repentante,

SUE. »

Jude pardonna sur-le-champ, et pria Sue de l'attendre, quand elle viendrait, à l'endroit où se faisaient les travaux de la cathédrale.

VI

Pendant ce temps, un homme d'âge mûr faisait un beau rêve ; et l'héroïne de ce rêve était précisément celle qui avait écrit la lettre qu'on vient de lire.

Le rêveur était Richard Phillotson ; il avait récemment quitté l'école mixte de Lumsdon, près Christminster, pour diriger une grande école de garçons dans sa ville natale de Shaston, située sur une hauteur, à soixante milles à vol d'oiseau, dans la direction du sud-ouest.

Le maître d'école paraissait d'une santé délicate ; ses traits rappelaient les types du temps passé et la netteté d'un menton rasé accentuait ce caractère suranné de son visage. Une certaine distinction lui avait été départie par la nature, et on devinait en lui un homme de devoir. Sa parole était assez pénible, mais d'un accent si sincère, que l'hésitation ne semblait pas un défaut. Il portait ses cheveux gris bouclés, en forme de couronne rayonnante autour du crâne. Quatre rides se creusaient sur son front, et il mettait des lunettes quand il lisait la nuit. C'était par un sacrifice à ses espoirs universitaires, plutôt que par un réel éloignement des femmes, qu'il avait vécu jusqu'ici tout à fait seul, sans chercher une compagne dans le mariage.

Il avait loyalement acquiescé au désir exprimé par Sue qui le priait de ne pas multiplier ses visites à l'École normale. Mais, à la fin, sa patience s'étant douloureusement exercée, il résolut de lui faire une visite imprévue, un après-midi de samedi. Là, la nouvelle du départ de Sue, – on pourrait dire plutôt de son expulsion, – l'avait frappé comme un éclair, sans préparation, sans adoucissement, à la minute même où, debout près de la porte, il espérait voir bientôt le visage de la jeune fille. En reprenant sa route, il pouvait à peine reconnaître le chemin qu'il suivait.

Sue, en effet, n'avait pas écrit à son prétendant une seule ligne sur un évènement qui datait déjà de quatorze jours. En réfléchissant un peu, il trouva que ce silence ne prouvait rien, et qu'il pouvait être expliqué par un sentiment de délicatesse bien naturel et nullement blâmable.

On avait informé Phillotson de la résidence actuelle de Sue, et n'étant pas, pour le moment, trop inquiet à son sujet, il fut pris d'une brûlante indignation contre le comité de l'École normale. Plein de son trouble, il pénétra dans la cathédrale adjacente, toute démantelée par les restaurations. Il s'assit sur un bloc de pierre, insoucieux de la poussière qui imprégnait son pantalon ; et, ses yeux distraits suivant les mouvements des ouvriers, il vint à penser que le coupable présumé, l'amant de Sue, Jude, devait être parmi eux.

C'était précisément le jour où Jude attendait Suzanne, d'après la promesse qu'elle lui avait faite, et il avait déjà aperçu le maître d'école dans la nef du bâtiment ; quand il le vit venir à lui pour lui parler, Jude n'éprouva pas le moindre embarras, l'embarras visible de Phillotson le mettant à l'aise.

Jude le rejoignit, et tous deux s'éloignèrent du groupe des ouvriers, se dirigeant vers l'endroit même où Phillotson s'était reposé. Jude couvrit le bloc d'une toile à sac, et dit à Phillotson qu'il était dangereux de s'asseoir sur la pierre nue.

– Oui, oui, dit Phillotson, distraitement, et il se rassit, les yeux fixés à terre, comme s'il essayait de se rappeler où il était ; je ne vous retiendrai pas longtemps. Je suis venu tout simplement, parce que j'ai entendu dire que vous aviez vu ma petite amie Sue, ces jours-ci. J'ai pensé à vous parler sur ce sujet. J'ai besoin de savoir…

– Je sais… répondit Jude brusquement ; vous voulez m'interroger sur sa fuite de l'École et son arrivée chez moi ?

– Oui.

– Bien.

Un instant, Jude sentit un pervers et démoniaque désir d'écraser son rival complètement. En commettant cette lâcheté, dont l'amour pour une même femme rend capables les hommes les plus honnêtes dans tous les autres actes de leur vie, Jude pouvait jeter Phillotson dans l'agonie de la défaite ; il n'avait qu'à lui dire que le scandale était réel, que Sue était irrémédiablement compromise avec lui. Mais l'effet ne suivit pas l'inspiration passagère d'un instinct tout animal, et Jude dit ceci :

– Je suis charmé de la bonté que vous avez eue en venant me parler franchement. Vous savez ce qu'on dit… que je dois l'épouser ?

– Quoi ?

– De toute mon âme, je voudrais que ce fût possible.

Phillotson frémit et son visage, naturellement pâle, prit, jusqu'en ses rides, un aspect cadavéreux :

– Je n'avais jamais pensé à des choses pareilles ! Dieu m'en garde !

– Non, non ! dit Jude consterné. Je croyais que vous auriez compris. Je veux dire que si j'étais en situation d'épouser Sue, ou quelque autre, et de m'établir, au lieu de vivre en garni çà et là, j'en serais très heureux.

En réalité, ce qu'il voulait dire, c'est qu'il aimait Sue, tout simplement.

– Mais depuis le début de cette malheureuse affaire, qu'est-il arrivé ? demanda Phillotson, avec la fermeté d'un homme qui préfère un coup terrible aux incertitudes d'une longue agonie.

Jude s'expliqua nettement, racontant joute la série des évènements, depuis la nuit chez le berger, l'arrivée de Sue dans sa maison, sous la pluie, le trouble que l'immersion avait causé dans sa santé, les discussions de la veillée, et le départ du lendemain matin.

– Maintenant, dit Phillotson, pour conclure, je vous prie de me donner votre parole, et je sais que je puis vous croire : les soupçons qui ont amené le renvoi de Sue sont absolument injustifiés ?

– Oui, dit Jude, avec solennité, absolument. Dieu me soit en aide !

Le maître d'école se leva. Tous deux sentaient que leur entretien ne pouvait pas fondre en conversation affectueuse sur leurs récentes aventures, à la manière des amis. Quand Jude eut promené Phillotson autour de l'église pour lui montrer quelques détails de la restauration qu'on exécutait, le maître d'école lui souhaita le bonjour et s'en alla.

Cette visite avait eu lieu vers onze heures du matin. Suzanne ne paraissait pas. Vers une heure, en revenant de déjeuner, Jude aperçut sa bien-aimée en face de lui, dans la rue qui conduit à la porte du Nord. Elle se promenait, comme si elle avait été fort peu inquiète de Jude. Il la rejoignit rapidement et lui fit observer qu'elle avait promis de venir à la cathédrale, comme il le lui avait demandé.

– Je suis allée prendre mes affaires à l'École, dit-elle.

– Vous n'avez pas vu M. Phillotson aujourd'hui ? hasarda-t-il.

– Non. Je ne suis pas venue pour me faire interroger sur lui, et si vous me faites une seule question encore, je n'y répondrai pas.

– C'est très bizarre que…

Il s'arrêta et la regarda.

– Comment ?

– Que vous ne soyez jamais aussi aimable par votre présence réelle que par vos lettres.

– Cela vous semble ainsi ? dit-elle, souriant avec une vive curiosité. Oui, c'est étrange. Mais je sens de même en ce qui vous concerne, Jude. Quand vous m'avez quittée, j'ai froid au cœur.

Comme elle connaissait les sentiments de Jude, il vit qu'ils s'engageaient sur un terrain dangereux. C'était, pensa-t-il, le moment de parler en honnête homme.

Mais il ne parla pas et elle continua :

– C'est ce qui m'a fait vous écrire et vous dire : « Peu m'importe que vous m'aimiez, si vous y tenez beaucoup ! »

La joie qu'il aurait dû ressentir, par ce que ces paroles contenaient ou semblaient contenir, fut annulée par sa résolution, et il resta rigide, jusqu'au moment où il commença :

– Je ne vous ai jamais dit…

– Si, vous l'avez dit, murmura-t-elle.

– Je veux dire que je ne vous ai jamais raconté mon histoire dans son entier.

– Mais je la devine. Je sais à peu près tout.

Jude la regarda. Était-il possible qu'elle connût, de ce matin même, son mariage avec Arabella, ce mariage qui, en peu de mois, avait été brisé plus complètement qu'il ne l'eût été par la mort ? Il vit qu'elle l'ignorait.

– Je ne puis vous parler dans la rue, dit-il d'une voix sombre. Il vaut mieux que vous ne veniez pas chez moi. Suivez-moi par ici.

L'endroit où il la conduisit était le bâtiment du marché ; c'était le seul lieu convenable qu'il eût trouvé, le marché étant terminé et les stalles étant vides. Là, il commença et acheva son court récit qui aboutissait simplement à révéler qu'il avait épousé une femme quelques années auparavant, et que cette femme vivait encore. Avant même d'avoir changé d'attitude, Sue jeta durement ces mots :

– Pourquoi ne me l'avez-vous pas dit plus tôt ?

– Je ne l'aurais pas pu. Cela me semblait trop cruel.

– Trop cruel pour vous, Jude ! Il valait donc mieux que ce fût cruel pour moi ?

– Non, chérie, s'écria Jude, passionnément.

Il essaya de prendre sa main, mais elle la retira. Leurs anciens rapports de confidents paraissaient soudain abolis, et aucun sentiment de prédilection ne contrebalançait plus l'antagonisme des sexes. Sue n'était plus l'amie, la camarade, l'inconsciente amoureuse, et elle regardait Jude avec un étrange silence.

– L'épisode de ma vie qui a déterminé ce mariage me fait honte, continua-t-il. Je ne peux pas vous l'expliquer en ce moment. J'aurais essayé de le faire, si vous aviez autrement accueilli mes aveux.

– Mais comment le pourrais-je ? – et elle éclata en reproches. – Je vous avais dit, ou écrit, que vous pouviez m'aimer, ou quelque chose comme cela, tout juste par charité... et tout le temps. Oh ! il est tout à fait désolant que les choses aillent si mal ! dit-elle, frappant du pied, avec un frémissement nerveux.

– Vous m'accusez, Sue ? Je n'ai jamais pensé que vous vinssiez à moi, jusqu'à ces derniers jours ; aussi, je n'y attachais pas d'importance. M'aimez-vous, Sue ?... Vous comprenez ce que je veux dire ? Je ne veux pas du tout de votre « par charité. »

Dans les circonstances actuelles, Sue préféra ne pas répondre à cette question.

– Je suppose qu'elle – votre femme – est... une très jolie femme, quoique méchante ? demanda-t-elle vivement.

– Assez jolie, me semble-t-il, à travers le temps.

– Plus jolie que moi, sans doute ?

– Vous n'avez aucun rapport avec elle. Il y a des années que je ne l'ai revue... Mais elle reviendra sûrement. On revient toujours.

– C'est étrange que vous restiez ainsi séparé d'elle, dit Sue, – ses lèvres tremblantes, sa gorge serrée démentant son ironie. – Vous, un homme si religieux ! Comment les demi-dieux de votre Panthéon – je veux dire ces personnages légendaires que vous appelez les saints, – pourront-ils intercéder pour vous après cela ? Si j'avais fait ce que vous faites, c'eût été bien différent et bien moins singulier, puisque je ne considère pas le mariage comme un sacrement. Vos théories sont moins hardies que vos actes.

– Sue, vous êtes terriblement caustique quand vous le voulez, un parfait Voltaire ! Mais vous avez le droit de me traiter comme il vous plaira.

Quand elle le vit si bouleversé, elle s'adoucit, et, le regardant à travers ses larmes attendries, elle dit, avec l'irrésistible accent d'une femme dont le cœur est blessé :

– Ah ! vous auriez dû parler, avant de me laisser croire que vous souhaitiez m'aimer ! Je n'avais rien soupçonné jusqu'au jour de notre adieu à la gare, excepté...

Sue était aussi misérable que Jude, dans ses efforts infructueux pour maîtriser son émotion.

– Ne pleurez pas, chère, supplia-t-il.

– Je ne pleure pas parce que je vous aime... C'est votre manque de confiance qui me fait pleurer.

Ils étaient tout à fait à l'abri dans le square du marché, et Jude ne put s'empêcher de mettre son bras autour de la taille de Sue. Pour l'instant, il ne désirait pas autre chose que la voir se reprendre et se calmer.

– Non, non, dit-elle en le repoussant durement et en essuyant ses yeux. Cela ne se peut. Ce serait trop hypocrite de prétendre que vous prenez cette liberté à titre de cousin, et vous n'avez aucun titre.

Ils firent une douzaine de pas et elle redevint plus calme.

– Je ne vous garde pas de rancune pour ce que vous ne pouviez éviter, dit-elle en souriant. Ce serait folie ! Mais je vous blâme un peu d'avoir parlé si tard. Après tout, qu'importe ? Nous aurions dû nous séparer, vous le voyez bien, même si vous aviez été libre.

– Non, Sue. Cela est le seul obstacle.

– Vous pensez que je vous aurais aimé et épousé, sauf cet obstacle, dit Sue avec une douceur sérieuse, qui ne révélait pas toute sa pensée ; mais nous sommes cousins, et il est mauvais de se marier entre parents... Puis, je suis fiancée à un autre. Il faut, pour le monde, continuer nos relations amicales. Les gens ont une idée très bornée des relations entre homme et femme, et ils l'ont prouvé en me renvoyant de l'École. Leur philosophie reconnaît seulement les relations fondées sur le désir animal. Le vaste champ des fortes affections, où le désir joue un rôle secondaire, leur demeure inconnu. C'est le domaine de... qui donc ?... de Vénus Uranie.

Il pouvait enfin parler plus librement :

– Plusieurs raisons m'empêchaient de vous faire des confidences téméraires. Vous en savez une. Une autre, c'est que l'on m'a persuadé de ne point me marier, parce que j'appartiens à une étrange famille, d'une race particulière, la pire qui soit pour le mariage.

– Ah ! qui donc vous disait cela ?

– Ma grand-tante. Elle répétait que le mariage portait malheur aux Fawley.

– C'est bizarre. Mon père disait la même chose.

La même pensée leur vint, assez pénible, même comme simple hypothèse : un mariage entre eux, fût-il possible, leur union aurait terriblement doublé leurs chances de malheur.

– Oh ! cela ne signifie rien, dit-elle avec une légèreté nerveuse. Notre famille a subi les tristes conséquences de plusieurs alliances mal assorties. Voilà tout.

Ils tentèrent donc de se persuader à eux-mêmes que tout ce qui était arrivé n'avait aucune importance ; qu'ils pouvaient encore être cousins, amis et affectueux camarades, et passer ensemble des heures douces et bienfaisantes, dussent-ils se rencontrer plus rarement. Ils se séparèrent de bonne amitié. Pourtant, il y avait une nuance de curiosité dans le dernier regard de Jude : il sentait que Sue n'avait pas dit toute sa pensée.

VII

Un ou deux jours après, Jude reçut des nouvelles de Sue qui passèrent sur lui comme un desséchant orage.

Avant de lire sa lettre, il pressentit qu'elle contenait des choses graves, à la seule vue de la signature, Sue ayant écrit son nom en entier, ce qu'elle n'avait jamais fait, durant toute leur correspondance :

« Mon cher Jude, ce que j'ai à vous dire ne vous surprendra pas, quoique vous puissiez vous étonner du train accéléré qu'ont pris les choses (je parle comme les compagnies de chemin de fer). M. Phillotson et moi nous nous marierons très prochainement, dans trois ou quatre semaines. Nous avions résolu, comme vous le savez, d'attendre que j'eusse terminé mon stage à l'École normale et obtenu mon diplôme, pour aider M. Phillotson dans son enseignement, si c'était nécessaire. Mais il m'a généreusement déclaré qu'il n'y avait aucune raison d'attendre, puisque je ne suis plus à l'École normale. J'apprécie toute la bonté de M. Phillotson, d'autant plus que j'ai causé moi-même la fausse situation où je suis, en me faisant renvoyer de l'École.
Souhaitez-moi de la joie. Je vous dis – souvenez-vous-en – que c'est votre devoir et qu'il ne faut pas refuser.

Votre cousine affectionnée,

Suzanne-Florence-Mary Bridehead. »

Jude chancela sous ces révélations. Il ne put déjeuner et prit seulement un peu de thé, pour adoucir sa gorge aride.

– Ô Suzanne-Florence-Mary, pensait-il en travaillant, vous ne savez pas ce que signifie le mariage.

Il décida de jouer au Spartiate ; il voulait faire pour le mieux et se résigner, mais il ne put écrire avant quelques jours les souhaits qu'on lui demandait. Dans l'intervalle, il reçut un autre billet de son impatiente petite amie :

« Jude, voulez-vous me conduire à l'autel ? Je ne connais personne qui puisse le faire aussi convenablement que vous ; vous êtes le seul parent marié que je possède ici ; et je vous préférerais même à mon père, si mon père consentait à venir – ce qu'il ne fera pas. J'espère que cela ne vous chagrinera point. J'ai regardé le service du mariage dans un livre de prières et cela me semble très humiliant qu'une personne soit chargée de me remettre à mon mari. D'après le texte même de la cérémonie, mon époux me choisit volontairement, de plein gré. Mais quelqu'un me donne à lui, comme on donnerait une ânesse ou une chèvre, ou quelque autre animal domestique. Bénie soit votre vision exaltée de la femme, ô homme d'Église ! Mais j'oublie ; je n'ai plus le privilège de vous taquiner. À vous toujours !

Suzanne-Florence-Mary Bridehead. »

Jude verrouilla héroïquement sa pensée. Il répondit :

« Ma chère Sue, tout naturellement, je vous souhaite de vivre en joie, et, tout naturellement aussi, j'accepte de vous conduire à l'autel. Voici ce que je vous propose : puisque vous n'avez pas de domicile à vous, ne vous mariez pas dans la maison de votre amie, mais dans la mienne. Ce sera plus convenable, à mon avis, d'autant plus que je suis, comme vous dites, votre plus proche parent.

Je ne comprends pas pourquoi vous signez vos lettres d'une manière nouvelle et terriblement cérémonieuse. Certainement vous avez encore quelque chose contre moi.

Toujours votre affectionné,

Jude. »

Ce qui l'avait froissé plus encore que la signature, c'était un détail qu'il passait sous silence, l'expression : « un parent marié. » Si Sue avait écrit ces mots par moquerie, il sentait qu'il les lui pardonnerait difficilement. Si elle les avait écrits avec un sentiment de tristesse, ah ! c'était bien différent.

La proposition de Jude, offrant sa maison à Sue, ne parut donner aucune alarme à Phillotson, car celui-ci envoya un billet de remerciements très cordial. Il acceptait. Sue aussi remercia Jude.

Elle vécut donc dans la même maison que lui, mais non pas au même étage, et ils se virent peu, sauf parfois aux heures du souper. L'attitude de Sue était celle d'un enfant effarouché. Jude ne connut point ce qu'elle éprouvait. Ils causaient machinalement, Phillotson venait fréquemment, le plus souvent en l'absence de Jude.

Le matin des noces, Jude s'accorda un congé. Les deux cousins déjeunèrent ensemble pour la première et la dernière fois, depuis l'arrivée de Sue. Puis ils sortirent et se promenèrent ensemble, mus par la même pensée.

N'était-ce pas la dernière liberté permise à leur camaraderie familière ? Par une ironie du sort, et avec ce curieux penchant à tenter la Providence dans les jours critiques, Sue prit le bras de Jude pour traverser les rues fangeuses – ce qu'elle n'avait jamais fait auparavant. – Ils se trouvèrent bientôt en face d'un bâtiment perpendiculaire en pierre grise, au toit très incliné : l'église Saint-Thomas.

– C'est l'église, dit Jude.

– L'église où je dois être mariée ?

– Oui.

– Vraiment ? exclama-t-elle avec curiosité. Que j'aimerais à entrer là et à voir la place où je m'agenouillerai bientôt pour le mariage !

De nouveau Jude pensa :

– Elle ne se fait aucune idée de ce que comporte le mariage.

Ils errèrent inaperçus dans la nef, vers la grille de l'autel où ils s'arrêtèrent un instant en silence, puis ils revinrent sur leurs pas et retraversèrent la nef, Sue appuyée au bras de Jude, comme de nouveaux époux. Cet incident trop suggestif, provoqué par Sue, abattit l'esprit de Jude.

– J'aime à faire des choses comme cela, dit-elle, avec la voix délicate d'une épicurienne en émotions, indiscutablement sincère.

– Je connais votre goût, dit Jude.

– Ces choses-là sont intéressantes, parce que personne ne les a jamais faites avant nous. Je marcherai ainsi dans l'église avec mon mari, dans deux heures, n'est-ce pas ?

– C'est probable.

– Est-ce que c'était la même chose à votre mariage ?

– Bon Dieu ! Sue, ne soyez pas si cruellement impitoyable.

– Oh ! vous êtes lâche ! dit-elle, pleine de repentir et les yeux mouillés. Et j'avais promis de ne jamais vous contrarier ! Je n'aurais pas dû, peut-être, vous demander de me conduire ici… Oh ! non, je ne l'aurais pas dû. Je le comprends maintenant. Ma curiosité des nouvelles sensations me met toujours dans l'embarras. Pardonnez-moi. Vous me pardonnez, Jude ?

Il y avait bien du remords dans cette prière et les yeux de Jude étaient plus humides que ceux de Sue, quand il lui serra la main pour dire : « Oui. ».

… Quoique l'église fût toute proche, Phillotson avait fait venir un cabriolet du Lion-Rouge et six ou sept femmes et enfants se rassemblèrent sur la porte pour voir les mariés monter en voiture. Quand ils furent installés, Jude tira de sa poche un tout petit cadeau de noces, deux ou trois mètres de tulle blanc qu'il jeta sur la jeune fille par-dessus son chapeau, l'enveloppant comme d'un voile.

– Cela paraît bizarre sur un chapeau, dit-elle. J'ai envie d'ôter ma coiffure ?

– Oh ! non, gardez-la, dit Phillotson.

Elle obéit. Quand ils furent entrés et qu'ils eurent pris leurs places, Jude trouva que la visite précédente avait certainement émoussé la douleur aiguë de sa situation ; mais, avant la seconde moitié du service, il regretta d'avoir accepté l'office de conduire Sue à l'autel. Comment avait-elle pu lui imposer un rôle cruel pour tous deux ?...

Le repas fut très simple, et, vers deux heures, les mariés partirent. En traversant le trottoir pour gagner la voiture, Sue regarda en arrière, et une lueur d'effroi passa dans ses yeux. Avait-elle commis cette folie inouïe de se jeter dans l'inconnu pour la gloriole d'affirmer son indépendance ou de prendre sa revanche sur l'homme qui lui avait caché son secret ? Peut-être Sue était-elle aventureuse avec les hommes, parce qu'elle ignorait, enfantinement, ce côté de leur nature dont la révélation mûrit le cœur des femmes et les vieillit.

Quand elle toucha le marchepied de la voiture, elle retourna en arrière, disant qu'elle avait oublié quelque chose. Jude et la propriétaire offrirent de l'aller chercher.

– Non, dit-elle, en s'enfuyant. C'est mon mouchoir ; je sais où je l'ai laissé.

Jude la suivit. Elle avait trouvé le mouchoir et le tenait à la main. Elle fixa sur les yeux de Jude ses yeux pleins de larmes ; ses lèvres se séparèrent soudain, comme si elle avait eu quelque chose à dire. Mais elle passa outre, et le mot qu'elle avait failli dire ne fut jamais prononcé.

VIII

Jude ne pouvait supporter plus longtemps la lumière des réverbères de Melchester. Le soleil n'était pour lui qu'un terne barbouillage sur un ciel de zinc bleuâtre. C'est alors qu'il reçut des nouvelles de sa vieille tante, dangereusement malade à Marygreen, et ces nouvelles coïncidèrent avec une lettre de son ancien patron de Christminster ; celui-ci lui offrait un travail avantageux, s'il voulait revenir. Ces lettres firent une diversion. Jude décida d'aller d'abord chez tante Drusilla, puis ensuite à Christminster afin d'examiner les offres de l'entrepreneur.

Il trouva sa tante plus malade que la lettre de la veuve Edlin ne l'avait fait supposer. Elle pouvait traîner encore des semaines ou des mois, mais cela était peu probable. Jude écrivit à Sue pour lui apprendre l'état de Miss Fawley et il lui conseilla de venir voir la seule parente âgée qu'elle possédât. Il lui donnait rendez-vous sur la route d'Alfredston, le lundi suivant, lors de son retour, si elle voulait bien l'attendre dans le train qui croisait à cette station le train de Christminster.

Le lendemain matin, Jude partit pour Christminster. Il alla à son ancien logement, dans le faubourg de Beersheba, près l'église de Saint-Silas. La vieille propriétaire qui lui ouvrit la porte parut charmée de le revoir, lui prépara un petit repas et l'avertit que l'entrepreneur avait demandé son adresse. Jude se rendit au chantier où il avait travaillé. Mais il prit en dégoût ces vieux hangars, et sentit qu'il lui serait impossible de demeurer encore sur le théâtre de ses rêves évanouis. Il soupira après l'heure où il pourrait prendre le train d'Alfredston et y rencontrer Sue, probablement. Aux Quatre-Chemins, il trouva Tinker Taylor, l'ex-ecclésiastique, devenu fabricant d'objets religieux, et celui-ci lui proposa de chercher un bar et de boire ensemble. Ils suivirent les rues pour arriver à un de ces endroits qui sont les grands centres palpitants de la vie de Christminster, et Jude revit l'auberge où, naguère, il avait accepté le défi de réciter le *Credo* en latin. C'était maintenant une taverne populaire, dont la vaste entrée invitait les passants à pénétrer dans un bar entièrement transformé depuis le départ de Jude et décoré dans un style moderne.

Tinker Taylor vida son verre et s'en alla. Jude buvait plus lentement et restait silencieux et absorbé dans un coin presque désert. La salle était divisée en compartiments, séparés par de grandes glaces encadrées d'acajou. Dans le comptoir, deux servantes se penchaient sur les manches blancs des pompes à bière et la série des petits robinets argentés, qui s'égouttaient dans une cuvette d'étain.

Se sentant fatigué et n'ayant rien à faire jusqu'à l'heure du train, Jude se laissa tomber sur un sofa. Derrière les servantes, s'élevaient des miroirs biseautés, avec des étagères de verres courant tout le long et supportant les précieux liquides dont Jude ignorait le nom, bouteilles de topaze, de saphir, de rubis et d'améthyste. L'arrivée de quelques clients familiers ranima la gaieté ; l'on entendit le compte de la monnaie bredouillé machinalement et le tintement des pièces sur la table.

Jude ne voyait pas la servante préposée à ce compartiment, mais il apercevait sans cesse son reflet dans la glace. Il l'avait remarquée, distraitement, quand elle se tourna un instant pour arranger ses cheveux devant la glace, avec le plus grand soin. Il fut stupéfié en reconnaissant le visage d'Arabella.

« Abby » portait une robe noire, des manches de toile blanche et un grand col blanc. Sa figure, plus grasse qu'autrefois, paraissait plus colorée par le contraste d'un bouquet de narcisses posé sur son sein gauche.

Le compartiment qu'elle desservait redevint bientôt vide, et Jude, après une courte réflexion, y entra et se plaça en avant du comptoir. Arabella ne le reconnut pas de suite, mais leurs regards se rencontrèrent. Elle tressaillit ; une gaieté impudente brilla dans ses yeux, et elle parla :

– Eh bien ! J'ai de la chance ! Je pensais que vous étiez enterré depuis longtemps.

– Oh !

– Je n'avais plus jamais entendu parler de vous ; sans ça, je ne crois pas que je serais venue ici... Mais, tant pis ! De quoi vais-je vous régaler aujourd'hui ? Allez, il n'y a rien de trop bon ici pour fêter une vieille connaissance.

– Merci, Arabella, dit Jude sans sourire ; ce que j'ai me suffit.

Le fait est que la présence imprévue d'Arabella avait anéanti tout d'un coup son goût momentané pour les liqueurs fortes, aussi complètement que s'il était revenu à sa petite enfance.

– C'est dommage, puisque, maintenant, ça ne vous coûterait rien.

– Il y a longtemps que vous êtes ici ?

– Six semaines. Je suis revenue de Sidney depuis trois mois. J'ai toujours aimé ce service, vous savez.

– Je m'étonne que vous soyez venue ici.

– Mais, comme je vous l'ai dit, je croyais que vous étiez arrivé à la gloire. Étant à Londres, j'ai lu l'annonce de cette place dans un journal. Personne ne pouvait me reconnaître ici, car je n'étais jamais venue à Christminster depuis mon enfance.

– Pourquoi avez-vous quitté l'Australie ?

– J'avais mes raisons... Vous n'êtes donc pas encore un gros bonnet ?

– Non.

– Pas même un Révérend ?

– Je suis ce que j'étais.

– Vraiment ?... Cela se voit.

Elle le regardait avec un air de critique, en posant paresseusement ses doigts sur le manche de la pompe à air. Il remarqua que ces doigts étaient plus fins et plus blancs qu'autrefois lorsque Arabella vivait avec lui ; celui qui tenait le robinet portait une bague ornée d'une pierre qui semblait être un saphir. – C'était bien un saphir, fort admiré par les jeunes gens qui fréquentaient le bar.

– Ainsi, vous passez pour mariée ? continua-t-il.

– Oui. J'ai pensé que ce serait de mauvais goût de me faire passer pour veuve, comme je l'aurais voulu.

– C'est vrai. Je suis assez connu ici.

– Ceci m'est égal. J'ai d'autres raisons.

– Lesquelles ?

– Je n'ai pas besoin d'en parler, répondit-elle évasivement... Mais nous ne pouvons causer ici. Voulez-vous attendre jusqu'à neuf heures ? Dites oui, et vous n'aurez pas tort. Je puis quitter mon service deux heures plus tôt qu'à l'habitude, si j'en demande l'autorisation. Je ne suis pas logée ici pour le moment.

– Très bien. Je vous ferai demander.

Il posa sur la table son verre à moitié plein et sortit.

Il marcha çà et là dans la rue. Un grand émoi troublait la claire sentimentalité de son mélancolique amour. Quoique la parole d'Arabella fût absolument indigne de foi, il pensait qu'il y avait un peu de vérité dans ses assurances, quand elle affirmait ne point vouloir le troubler et l'avoir réellement supposé mort. Cependant, il n'y avait plus qu'une chose à faire : c'était de jouer franc jeu, la loi étant la loi, et la femme qui lui était aussi opposée que l'est à l'ouest étant, aux yeux de l'Église, une seule et même personne avec lui.

Devant rencontrer Arabella, il lui était impossible de se trouver au rendez-vous d'Alfredston, comme il l'avait promis à Sue. Chaque fois qu'il y pensait, il était traversé d'angoisse, mais il ne pouvait faire autrement. Arabella était peut-être envoyée par la Providence pour punir Jude de son amour défendu.

Lorsqu'il revint, peu de consommateurs restaient dans le bar. Il fit signe à Arabella et lui dit qu'elle le trouverait près de la porte quand elle partirait.

– Mais j'ai quelque chose à prendre, dit-elle avec une vive gaieté. Précisément mon ancienne coiffure de nuit. Sortez donc et attendez une minute. Il vaut mieux que nous ne soyons pas vus ensemble.

Elle remplit deux petits verres de brandy, et bien qu'elle fût, d'après son attitude, sous l'influence de l'alcool déjà bu, ou respiré depuis plusieurs heures, elle vida son verre prestement. Jude but aussi et sortit de la maison.

Elle arriva bientôt, vêtue d'une épaisse jaquette et d'un chapeau à plumes noires.

– Je demeure tout près d'ici, dit-elle en prenant le bras de Jude, et je puis rentrer quand je veux avec mon passe-partout. Qu'avez-vous à me proposer ?

– Rien de particulier, répondit-il, profondément las et amer, sa pensée revenant sans cesse vers Alfredston et le train qu'il n'avait pas pris. J'aurais dû repartir, vraiment ; ma tante est à l'agonie, je le crains.

– Eh bien, j'irai avec vous demain matin. Je peux bien m'accorder un jour de congé.

Rien n'était plus invraisemblable que la présence d'Arabella, qui n'avait pas plus de sympathie qu'une tigresse pour les parents de son mari, et sa rencontre avec Sue, au lit de mort de la tante. Il dit pourtant :

– Évidemment, si vous voulez venir, vous le pouvez.

– Bien, nous verrons ça… Maintenant, jusqu'à ce que nous ayons fait un accord, nous ne devons pas rester ensemble ici. On vous connaît ; on commence à me connaître, bien que personne n'imagine que j'aie rien à faire avec vous. Nous sommes près de la gare ; si nous prenions le train de neuf heures quarante pour Aldbrickam ? Nous arriverons là-bas dans une demi-heure ; personne ne nous reconnaîtra pour une nuit, et nous serons libres de faire comme il nous plaira.

– Comme vous voudrez.

– Attendez donc que je prenne deux ou trois objets. Voici mon logis. Quelquefois je couche à la brasserie, et l'on ne s'étonnera pas de mon absence.

Elle revint rapidement. Ils allèrent au chemin de fer et firent le court voyage d'Aldbrickam, où ils descendirent pour un dernier souper dans une auberge de troisième ordre, près de la gare.

IX

Le lendemain, entre neuf heures et neuf heures et demie, ils revenaient à Christminster, par ce train, seuls dans un compartiment de troisième classe. Quand ils sortirent de la gare, Arabella trouva qu'il lui restait encore une demi-heure disponible avant de se rendre au bar. Ils se promenèrent en silence, hors de la ville, dans la direction d'Alfredston. Jude regarda au loin vers la grande route.

– Ah ! pauvre être faible que je suis ! soupira-t-il enfin.

– Quoi ? dit Arabella.

– C'est la même route par laquelle je vins naguère à Christminster, plein de rêves et de projets.

– Très bien ; mais quelle que soit cette route, je pense, moi, que je dois être au bar à onze heures. Je ne peux pas demander un congé pour aller voir votre tante. Il vaut peut-être mieux nous quitter ici. J'aimerais mieux ne pas traverser la grande rue avec vous, puisque nous n'avons rien conclu du tout.

– Bien. Mais quand nous nous sommes levés, ce matin, vous désiriez me dire quelque chose avant de nous quitter.

– Oui, j'ai deux choses à vous dire – une en particulier. Mais vous me promettez le secret. Je vous dirai tout si vous me faites cette promesse. C'est ce que j'avais commencé à vous raconter cette nuit, au sujet du gentleman qui tenait l'hôtel à Sydney. Vous n'en direz rien ?

– Oui, oui, je promets, dit Jude avec impatience. Bien sûr, je n'ai pas l'intention de trahir vos secrets.

– Chaque fois que je rencontrais ce monsieur, il avait l'habitude de me dire qu'il était conquis par mes yeux, et il me pressait de l'épouser. Je ne pensais pas revenir jamais en Angleterre, n'ayant plus de maison à moi, depuis que j'avais quitté mon père… Je finis par consentir.

– À l'épouser ?

– Oui.

– Régulièrement – légalement – à l'église ?

– Oui. Je demeurai avec lui jusqu'à mon départ. C'était stupide, je le sais, mais je l'ai fait. Là, maintenant, je vous ai tout dit.

– Pourquoi diable ne m'avez-vous pas dit cela, la nuit dernière ?...

– En effet, je n'avais pas dit... Ne désirez-vous pas vous réconcilier avec moi ?

– Je n'ai rien de plus à dire, fit Jude sévèrement. Je n'ai rien de plus à dire sur ce... crime que vous avez confessé.

– Crime ?... Bah !... Des tas de gens en font autant. Eh bien, si vous le prenez ainsi, je m'en retournerai là-bas, avec *lui*. Il est très épris de moi et nous vivions assez honorablement, aussi respectés que n'importe quels époux dans la colonie. Comment aurais-je su où vous étiez ?

– Cela ne me servirait de rien de vous blâmer. J'aurais beaucoup à dire, mais ce serait peut-être déplacé. Qu'avez-vous à me demander ?

– Rien. J'avais encore une chose à vous dire, mais j'imagine que nous nous sommes assez vos pour le moment.

Ils se séparèrent. Jude la vit disparaître dans la direction de l'hôtel et il rentra dans la gare. Il avait encore trois quarts d'heure avant de prendre le train d'Alfredston : machinalement, il erra par la ville, jusqu'aux Quatre-Chemins, s'arrêtant là où il s'était si souvent arrêté naguère, et examinant la grande rue qui s'étendait en face de lui, avec des collèges et des collèges, perspective pittoresque qu'égalent seulement certains points de vue dans les villes du continent, telle la rue des Palais à Gênes. Les lignes des monuments étaient nettes comme un dessin d'architecture, dans l'atmosphère matinale ; mais Jude ne voyait rien, n'admirait rien. Tout disparaissait dans le souvenir indescriptible de la compagnie d'Arabella, à minuit, dans le sentiment de dégradation laissé par cette intimité renouvelée, dans la vision de son aspect, quand elle reposait endormie vers l'aurore. Il y avait comme un anathème dans le regard de Jude, dans son visage immobile. S'il avait éprouvé un ressentiment contre elle, il eût été moins malheureux ; mais il la plaignait en la méprisant. Il revint sur ses pas. En arrivant à la gare, il tressaillit d'entendre une voix prononcer son nom, ému par ce nom moins que par la voix. À sa grande surprise, il vit Sue elle-même devant lui, comme une vision ; il vit son regard prophétique, plein de rêves anxieux, sa petite bouche nerveuse, ses yeux fixes, exprimant la curiosité et le reproche.

– Ô Jude... je suis heureuse... de vous rencontrer ainsi... dit-elle d'une voix précipitée et inégale qui était presque un sanglot.

Puis elle rougit, devinant la pensée de Jude : n'était-ce pas la première fois qu'ils se revoyaient depuis son mariage ?

– Je suis arrivée à la gare d'Alfredston, la nuit dernière, comme vous me l'aviez demandé, et je n'y ai trouvé personne. Mais je suis allée seule à Marygreen, et l'on m'a dit que la tante était un peu mieux. Je suis restée près d'elle, et, ne vous voyant pas venir cette nuit, j'ai eu peur pour vous – songeant que, peut-être, vous retrouvant dans la vieille cité, vous aviez pensé que j'étais… mariée, et non plus où vous aviez l'habitude de me voir… Et que vous aviez essayé de noyer votre tristesse… comme au temps de vos déceptions d'étudiant… et que vous aviez oublié votre promesse de ne jamais recommencer… Et je pensais tout cela, parce que vous n'étiez point au rendez-vous.

– Et vous êtes accourue pour me poursuivre et me délivrer, comme un bon ange !… Je me suis rappelé ma promesse, chérie. Je ne la violerai jamais, j'en suis sûr. Peut-être n'ai-je rien fait de mieux, mais je ne me suis pas enivré… Je suis dégoûté rien qu'en y pensant.

– Je suis contente que votre absence ait eu d'autres causes. Mais, dit-elle avec un léger accent de bouderie, pourquoi n'êtes-vous pas revenu me trouver la nuit dernière ?

– Je ne suis pas venu… je suis désolé de le dire… mais j'avais un rendez-vous à neuf heures, trop tard pour prendre le train qui devait croiser le vôtre, ou aller directement à la maison… Voulez-vous revenir avec moi ? ajouta-t-il. Voilà justement un train. Je suis content de savoir comment va ma tante… Ainsi, vous êtes réellement venue à cause de moi ? Et après être venue une première fois, pauvre petite.

– Oui. La veillée avait surexcité mes nerfs, et au lieu d'aller me coucher, quand le jour a paru, je suis partie. Et maintenant, vous n'allez pas m'effrayer encore en me faisant la morale à propos de rien.

Jude n'était pas bien sûr que sa morale « à propos de rien » eût effrayé la jeune femme. Il abandonna sa main, jusqu'à ce qu'ils entrassent dans un wagon – le même, semblait-il, où il avait voyagé avec l'autre. Ils s'assirent côte à côte, Sue entre Jude et la fenêtre. Il regardait son profil délicat et les rondeurs de son corsage, petites et moulées comme des pommes et bien différentes des ampleurs d'Arabella. Elle sentait qu'il l'observait, mais elle ne se détournait pas, fixant ses yeux au loin, comme si elle redoutait de provoquer, en regardant Jude, quelque troublante discussion.

– Sue, vous êtes mariée, maintenant, comme moi… Et nous avons été si affairés d'abord, que nous n'avons pas encore parlé de cela.

– Cela n'est pas nécessaire…

– Peut-être non… mais je désire…

– Jude… Ne m'en parlez pas… Je vous prie de ne pas m'en parler… Cela m'attriste plutôt. Où avez-vous passé la nuit dernière ?

Elle avait posé cette question innocemment, pour changer la conversation. Il comprit et répondit simplement :

– Dans une auberge.

Ils causèrent avec embarras jusqu'à Alfredston. Là, ils devaient encore voyager pendant cinq milles à travers la campagne. Jude n'avait jamais fait cette route avec Sue, quoiqu'il l'eût faite avec une autre. Il était accompagné d'une lumière brillante qui chassait pour un temps les sombres souvenirs du passé.

Sue parlait ; mais Jude remarquait qu'elle parlait presque toujours comme à elle-même. À la fin, il demanda si la santé de Phillotson était bonne.

– Oh ! oui, dit-elle. Il m'aurait accompagnée, mais il ne peut quitter l'école. Il est si bon et si bienveillant qu'il l'eût bien laissée un jour. – même contre ses principes, car il réprouve fortement ces vacances de hasard, – mais je l'en ai dissuadé. Tante Drusilla, je le sais, est fort excentrique. La visite d'un étranger eût été fastidieuse pour tous deux. Depuis, elle a presque perdu connaissance, et je me félicite de n'avoir pas amené mon mari.

Jude avait marché d'un air revêche, pendant cet éloge de Phillotson.

– M. Phillotson est bon pour vous comme il doit l'être ? dit-il.

– Naturellement.

– Vous devez être une femme heureuse.

– Évidemment oui.

Jude connaissait chaque vibration de la voix de Sue : il fut convaincu qu'elle n'était pas heureuse, bien qu'elle fût mariée depuis un mois au plus.

– Eh bien, vous avez tous mes vœux, maintenant et toujours, madame Phillotson.

Elle eut un regard de reproche.

– Non, vous n'êtes pas Mme Phillotson, murmura Jude, vous êtes ma chère et libre Sue Bridehead ; seulement vous l'ignorez. Le mariage ne vous a pas encore annihilée et digérée dans son vaste estomac comme un atome qui a perdu son individualité.

Sue parut offensée, puis elle répondit :

– Le mariage ne vous a pas dévoré non plus, autant que je puis le voir.

– Mais si ! dit-il, hochant la tête tristement.

Quand ils atteignirent le cottage solitaire sous les sapins, entre Marygreen et la Maison-Noire, où Jude et sa femme avaient habité et s'étaient querellés, il se tourna pour regarder. Une famille crasseuse occupait à présent la maison. Il ne put s'empêcher de dire à Sue :

– C'est là que je demeurais avec ma femme. C'est là que je la conduisis en l'épousant.

Elle regarda le cottage.

– Cette maison était pour vous ce qu'est pour moi l'école de Shaston.

– Oui, mais j'étais malheureux ici, tandis que vous êtes heureuse chez vous.

Elle répondit par le silence, et ils marchèrent quelques pas, jusqu'à ce qu'elle jetât un regard vers Jude, pour voir comment il prenait la chose.

– À moins que je ne me sois exagéré votre bonheur. On ne sait jamais, dit-il doucement.

– Ne pensez pas cela, Jude, même un instant, même par taquinerie. Il est aussi bon pour moi qu'un homme peut l'être. Il me laisse une parfaite liberté, ce que ne font pas, généralement, les maris d'un certain âge... Si vous croyez que je ne suis pas heureuse parce qu'il est trop vieux pour moi, vous avez tort.

– Je ne pense rien contre lui, à cause de vous, chérie.

– Et vous ne direz pas de ces choses qui m'affligent, n'est-ce pas ?

– Non.

Il ne parla plus, mais il savait que pour une raison ou une autre, Sue sentait qu'elle avait mal fait d'épouser Phillotson.

Ils descendirent dans la vaste concavité de la plaine où s'étendait le village, dans le champ même où Jude, plusieurs années auparavant, avait reçu la correction du fermier. En montant au village, près de la maison, ils aperçurent Mrs Edlin debout à la porte ; elle leva les mains au ciel à leur vue.

– Elle est descendue, croyez-vous ! Elle est sortie du lit et ne veut pas y rentrer. Je ne sais pas ce que je vais faire.

Ils virent en effet la vieille femme, assise près du feu, enveloppée de couvertures et pareille au Lazare de Sébastiano. Elle dut remarquer leur étonnement, car elle dit d'une voix creuse :

– Ah ! je ne tiens pas à durer plus longtemps ! C'est plus que la chair et le sang n'en peuvent supporter, que d'obéir à une créature impitoyable qui n'en sait pas la moitié autant que vous... Ah ! tu seras dégoûtée du mariage tout comme lui, ajouta-t-elle en se tournant vers Sue. Tu aurais dû m'écouter, toi, nigaude !... Et choisir entre tous les hommes Phillotson, le maître d'école ! Pourquoi l'as-tu épousé ?

– Pourquoi les femmes se marient-elles, ma tante ?

– Ah ! vous voulez dire que vous étiez amoureuse de lui ?

– Je n'ai rien voulu dire de particulier.

– L'aimez-vous ?

– Ne m'interrogez pas, tante.

– Je revois l'homme, très bien. Un homme civil, honorable ; mais, bon Dieu, je ne veux pas choquer vos sentiments, mais il y a des hommes qu'aucune femme ne pourrait digérer. Il est de ceux-là, j'en jurerais.

Sue se leva précipitamment et sortit. Jude la suivit et la retrouva dans le jardin, tout en larmes.

– Ne pleurez pas, chérie, dit-il, navré. Elle n'a pas de mauvaises intentions, mais elle est bourrue et bizarre, maintenant.

– Oh ! ce n'est pas pour cela, dit Sue, essuyant ses yeux. Je me moque bien de sa dureté.

– Qu'y a-t-il donc ?

– Il y a que… ce qu'elle a dit… est vrai.

– Dieu !… Vous ne l'aimez donc pas ?

– Je ne veux pas dire cela, répondit-elle vivement. Mais peut-être je n'aurais pas dû me marier.

Dans l'après-midi, Sue se prépara à partir, et Jude loua un voisin pour la conduire à Alfredston.

Il passa la soirée et les jours suivants à réprimer toutes les manières possibles son désir de la revoir. Il lut des sermons sur la discipline et rechercha dans l'histoire de l'Église les passages relatifs aux ascètes du deuxième siècle. Avant son retour à Melchester, il reçut une lettre d'Arabella. À la vue de cette lettre, il sentit qu'il se condamnait lui-même davantage pour son éphémère retour vers Arabella que pour son attachement à Sue. Jude remarqua que la lettre portait le timbre de Londres et non de Christminster. Arabella l'avertissait que, peu de jours après leur séparation, elle avait reçu une lettre affectueuse de son mari d'Australie. Il était venu en Angleterre pour la retrouver, et il avait obtenu l'autorisation d'ouvrir une taverne à Lambeth. Il la priait de venir l'aider à gérer ses affaires qui étaient en excellente voie.

Comme son engagement à Christminster était temporaire, Arabella avait l'intention de rejoindre son mari. En disant adieu à Jude, elle lui souhaitait une bonne santé, espérant qu'il ne voudrait plus la troubler, elle, une faible femme, ou lui intenter un procès et la conduire à la ruine, maintenant qu'elle avait des chances de vivre convenablement.

Quatrième partie

À Shaston

Shaston, l'ancien Palladour britannique, était, est encore une ville de rêve. Là furent enterrés un roi et une reine, des abbesses et des prieurs, des évêques et des saints, des chevaliers et des gentilshommes. Les os du roi Edward le martyr, transportés à Shaston pour y être religieusement conservés, donnèrent à cette ville une renommée qui en fit un centre de pèlerinages venus de toutes les parties de l'Europe, et lui conserva un prestige étendu bien au-delà des rivages anglais. À cette belle création du grand Moyen Âge, la Dissolution, disent les historiens, sonna le glas de la mort. Une ruine générale suivit la destruction de l'énorme abbaye. Les ossements du martyr éprouvèrent un sort semblable à celui du monument sacré qui les avait contenus et il ne reste pas une pierre qui marque l'endroit où ils reposent.

Shaston occupe une situation unique au sommet d'un escarpement presque perpendiculaire. Impossible aux railways, l'accès de la cité n'est permis qu'aux piétons et aux très légers véhicules : encore ceux-ci doivent-ils passer par une sorte d'isthme, qui réunit la ville à un grand plateau calcaire du côté du nord-est. Jude, descendu à la gare voisine, vers quatre heures de l'après-midi, gravissait pour la première fois ce lieu singulier, éventé des brises. Après une pénible ascension, parvenu au sommet du pic, il dépassa les premières maisons de la ville aérienne et se dirigea vers l'école. Les enfants n'étaient pas encore sortis. Jude fit une courte promenade ; mais, quand il revint sur ses pas, il trouva que Sue était sortie de la ville derrière le dernier écolier et que M. Phillotson devait passer l'après-midi à Shottsford où il y avait un congrès d'instituteurs.

Jude entra dans la salle d'école, et s'assit, une fille, qui balayait le parquet, lui ayant annoncé que Mme Phillotson allait revenir dans quelques minutes. Tout près de lui était un piano – précisément ce vieux piano que Phillotson possédait à Marygreen. – Malgré l'ombre qui l'empêchait presque de distinguer les notes, Jude toucha timidement le clavier et modula les premières mesures d'une hymne qui l'avait particulièrement ému. Une forme remua derrière lui ; des doigts légers se posèrent sur sa main gauche. Jude crut reconnaître la petite main qui s'abaissait vers la sienne et il se retourna.

– Continuez, dit Sue. J'aime ce chant. Je l'ai appris avant de quitter Melchester. On avait coutume de le jouer à l'École normale.

– Je ne puis tapoter ainsi devant vous. Jouez à ma place.

– Bien. Cela m'est égal.

Elle s'assit et sa manière de jouer, qui n'avait rien de remarquable, parut divine à Jude. Comme lui, à sa propre surprise, Sue était émue par le chant qu'elle retrouvait. Quand elle eut fini de jouer, Jude étendit sa main vers les siennes, qu'elle avança aussitôt. Il les serra – comme il eût fait avant le mariage.

– C'est étrange, dit-elle d'une voix altérée, étrange que j'aie été troublée par cet air ; parce que…

– Quoi ?

– Ce n'est pas dans ma nature…

– Vous n'êtes pas facile à l'émotion ?

– Je n'ai pas voulu dire cela.

– Vous êtes pareille à moi par le cœur.

– Mais point par le cerveau.

Elle joua encore et se détourna soudain ; et, par un instinct involontaire, ils unirent leurs mains encore.

Elle eut un petit rire forcé.

– Quelle chose bizarre ! Je m'étonne que nous soyons tous deux ainsi.

– Je suppose que cela vient de notre ressemblance, comme je vous l'ai dit.

– Nous ne nous ressemblons pas par les idées. Peut-être un peu par les sentiments.

– Et les sentiments gouvernent les idées… Cela ne semble-t-il pas un blasphème de dire que l'auteur de cet hymne est un des hommes les plus vulgaires que j'ai jamais rencontrés ?

– Quoi ? Vous le connaissez ?

– J'ai eu la fantaisie de le voir.

– Oh ! maladroit !… Vous avez fait justement ce que j'aurais fait. Pourquoi ?

– Parce que nous ne nous ressemblons pas, dit-il sèchement.

– Vous allez prendre le thé, dit Sue. Nous habitons une autre partie du bâtiment d'école. Attendez un instant. Je ferai apporter ici tout ce qu'il faut.

Elle sortit et reparut, suivie par une servante qui portait le service à thé, et ils s'assirent, éclairés par la flamme de la cheminée à laquelle se mêlait le reflet bleuâtre de la lampe à esprit-de-vin, brûlant sous la bouilloire.

Sue interrogea Jude sur ses études théologiques. Il répondit qu'il les poursuivait avec acharnement. Curieuse, elle le regarda.

– Pourquoi me regardez-vous ainsi ? dit-il. Vous pouvez me convaincre d'ignorance ; vous avez appris tant de choses avec cet ami si cher qui est mort.

– Ne revenons pas sur ce sujet, fit-elle câlinement. Travaillerez-vous encore, la semaine prochaine, dans l'église où vous avez entendu le beau cantique ?

– Peut-être.

– Ce sera très gentil. Irai-je vous voir ? Je puis partir un après-midi par le train d'une heure et demie.

– Non. Ne venez pas.

– Pourquoi ?... Ne devons-nous pas être amis et agir en conséquence ?

– Non.

– Je ne comprends pas. Je croyais que vous seriez toujours bon pour moi ?

– Non, je ne le suis pas.

– Qu'ai-je donc fait ? Je croyais que nous deux...

Le tremblement de sa voix coupa ses paroles.

– Sue, je pense quelquefois que vous êtes une coquette, dit-il crûment.

Il y eut un silence, puis elle se leva. Jude, très surpris, vit, à la lueur de la lampe, que son visage était couvert de rougeur.

– Je ne puis continuer cette conversation, Jude ! dit-elle, et la tragique note grave reparut dans sa voix. Il fait trop sombre pour rester seuls ensemble, ici, après avoir joué ces cantiques morbides du Vendredi-Saint, qui ne nous donnent pas des émotions du même genre... Je suis précisément le contraire d'une coquette, comme vous m'avez nommée si cruellement. Ô Jude ! que c'était cruel de me parler ainsi ! Cependant, je ne pouvais pas vous dire la vérité. Je vous aurais choqué en vous révélant que je donne libre carrière à mes impulsions, et combien je suis convaincue que je n'aurais pas reçu le don de sympathie attractive si je devais l'exercer. Quelques femmes sont insatiables d'être aimées, et, souvent aussi insatiables d'aimer ; et, dans le dernier cas, elles peuvent s'apercevoir que leur amour ne va pas éternellement au compagnon d'alcôve à qui le prêtre a donné licence de le recevoir. Mais vous, Jude, vous êtes si droit que vous ne pouvez me comprendre... D'ailleurs, vous ne le devez pas... Je suis fâchée que mon mari ne soit pas à la maison.

– Vraiment ?

– Je sens que tout ce que j'ai dit est simplement affaire de convention.

Il avait à peine franchi le seuil du parloir qu'elle ouvrit la fenêtre donnant sur le chemin où il passait.

– Quand partirez-vous pour aller au train, Jude ? demanda-t-elle.

– La voiture qui doit m'y conduire passera dans trois quarts d'heure.

– Que ferez-vous jusque-là ?

– Je me promènerai. Peut-être irai-je m'asseoir dans la vieille église.

– Cela me semble dur de vous expédier ainsi. Vous avez bien assez vu d'églises, Dieu le sait, sans aller en chercher une dans l'obscurité. Restez ici.

– Où ?

– Où vous êtes. Je causerai avec vous mieux que quand nous sommes tout près l'un de l'autre... C'était si bien à vous de perdre une demi-journée de travail pour venir me voir... Vous êtes Joseph, le rêveur de rêves, cher Jude. Vous êtes un tragique Don Quichotte. Et quelquefois vous êtes saint Étienne qui, pendant qu'on l'emmurait, croyait voir les cieux ouverts. Ô mon pauvre ami et compagnon, vous souffrirez, pourtant !

Maintenant que le haut balconnet de la fenêtre était entre eux, Sue parlait avec une liberté qu'elle avait redoutée entre quatre murs.

– J'ai pensé, continua-t-elle, en laissant déborder ses sentiments, j'ai pensé que les moules sociaux où la civilisation nous enferme n'ont pas avec nos formes réelles une plus exacte relation que les figures conventionnelles des constellations avec la véritable carte stellaire. Je me nomme Mme Richard Phillotson, et je vis comme une paisible épouse avec mon partenaire du même nom. Mais je ne suis pas réellement Mme Richard Phillotson ; je suis une femme isolée, ballottée çà et là, en proie à des passions affolantes et à d'inexplicables antipathies... À présent, il faut que vous partiez, ou bien vous manquerez la voiture... Venez me voir encore. Vous devez revenir à la maison.

– Oui, dit Jude. Et quand ?

– La semaine prochaine. Adieu, adieu.

Jude lui dit adieu et disparut dans les ténèbres.

Il savait qu'il reviendrait encore comme elle l'y avait invité. Ces hommes des temps passés dont il avait lu l'histoire, ces saints que Sue, avec une gentille irrévérence, appelait des demi-dieux, eussent évité de telles rencontres, s'ils avaient douté de leurs forces. Mais Jude ne pouvait y renoncer. Il pouvait jeûner et prier jusqu'au moment de l'entrevue, mais l'humain était plus fort en lui que le divin.

II

Cependant, si Dieu ne dispose pas, la femme dispose.

Le lendemain matin, Jude reçut une lettre :

« Ne venez pas la semaine prochaine. Dans votre propre intérêt, ne venez pas. Nous étions trop libres, sous l'influence de cette hymne morbide et du crépuscule. Pensez le moins possible à ***.

Suzanne-Florence-Mary. »

Le désappointement fut âpre. Jude répondit :

« Je me soumets. Vous avez raison. C'est une leçon de renoncement que je dois recevoir, je suppose, comme étant de saison.

Jude. »

Il envoya ce billet la veille de Pâques et il lui parut que cette occurrence donnait un sens à leur décision. Mais d'autres forces et d'autres lois que les leurs étaient en jeu. Le matin du lundi de Pâques, il reçut un télégramme de la veuve Edlin :

« Votre tante est mourante. Venez vite. »

Trois heures plus tard, il traversait les dunes de Marygreen et apprenait la mort de tante Drusilla. Il écrivit à Sue, en termes brefs :

« Tante Drusilla est morte subitement. Les funérailles auront lieu vendredi, dans l'après-midi. »

Sue ne répondit pas et il crut que son silence signifiait qu'elle ne viendrait pas. Le vendredi matin, il alla l'attendre sur la route de la Maison-Noire. De loin, il aperçut une personne qui descendait d'une voiture légère, au bas d'une colline. Il reconnut Sue et la rejoignit.

– J'ai songé, commença-t-elle nerveusement, qu'il serait trop dur pour vous d'assister seul aux funérailles… et… au dernier moment, je suis venue.

– Chère fidèle Sue ! murmura-t-il.

La simple et triste cérémonie terminée, Jude et Sue, côte à côte, rentrèrent dans la maison familiale.

– Elle a toujours été ennemie du mariage, du commencement à la fin de sa vie, dit Sue : vous le saviez ?

– Oui. Particulièrement quand il s'agissait de notre famille.

– Nous sommes d'une triste famille, Jude, ne croyez-vous pas ?

– Tante Drusilla disait que nous faisions de mauvais maris et de mauvaises femmes. Assurément, nous faisons des époux malheureux. En tout cas, j'en suis un exemple.

Sue était silencieuse.

– Est-ce un tort, Jude, pour un mari ou une femme, d'avouer à un tiers qu'ils sont malheureux dans leur ménage ? Si l'on considère le mariage comme un sacrement, il est possible que ce soit un tort ; mais si le mariage est seulement un contrat sordide, basé sur des convenances matérielles d'habitation, d'état civil, d'impôt, d'héritage en terres ou en argent par les enfants, tout ce qui rend nécessaire que le père soit connu – ou semble l'être, – alors évidemment une personne peut dire, crier même sur les toits, ce qui la blesse et ce qui l'afflige.

– Je vous ai dit la même chose ou à peu près.

Elle continua :

– Ne pensez-vous pas qu'il y a beaucoup de couples où l'un déplaît à l'autre sans aucun grief défini ?

– Oui, je le suppose. Si l'un des époux aime ailleurs, par exemple.

– Mais même sans cela. Une femme aura-t-elle forcément une nature vicieuse parce qu'il lui sera pénible de vivre avec son mari, simplement – sa voix trembla et Jude redoubla d'attention – simplement parce que cette femme a contre son mari un sentiment particulier à elle, un grief physique, une répugnance... appelez cela comme vous voudrez... quoiqu'elle doive à ce mari du respect et de la gratitude ? Je vous soumets un cas, simplement. Doit-elle essayer de vaincre sa pudeur ?

Jude fixa sur elle un regard troublé. Il répondit :

– Ce serait justement un de ces cas où mon expérience contredit mes théories. Parlant comme un ami de l'ordre, – et j'espère être un ami de l'ordre, quoique je n'en sois pas très sûr, – je répondrai oui. Parlant d'après l'expérience, sans préjugés, je répondrai non... Sue, je crois que vous n'êtes pas heureuse.

– Si, je le suis... Comment une femme serait-elle malheureuse, quand elle est mariée depuis seulement huit semaines à l'homme qu'elle a choisi librement ?

– Choisi librement !

– Pourquoi répétez-vous cela ? Mais je dois revenir par le train de six heures. Vous resterez ici ?

– Quelques jours pour régler les affaires de ma tante. Vous accompagnerai-je au train ?... Mais attendez... Vous ne pouvez pas partir ce soir. Le train ne vous conduirait pas à Shaston. Vous resterez et vous repartirez demain. Mme Edlin a plusieurs chambres.

– Très bien, dit-elle d'un ton indécis. Je n'ai pas déterminé exactement l'heure de mon retour.

Jude alla avertir la voisine et revint peu après s'asseoir encore auprès de Sue.

– Votre situation est horrible, Sue, horrible ! dit-il tout à coup, les yeux fixés sur le parquet.

– Mais non... pourquoi ?

– Je ne puis vous expliquer quelle est ma part de ténèbres. Votre part de ténèbres, à vous, c'est votre mariage. Vous n'auriez pas dû l'épouser. Je le savais avant, mais je pensais que je ne devais pas intervenir. Je me trompais.

– Mais qui vous fait présumer tout cela, mon ami ?

– Je vois votre âme à travers vos traits, mon pauvre petit oiseau.

La main de Sue reposait sur la table. Jude mit la sienne sur cette petite main. Sue la retira.

– C'est absurde, s'écria-t-il, après tout ce que nous avons dit à ce sujet. Je suis plus strict et plus formaliste que vous, et votre méfiance à propos d'une action innocente prouve que vous êtes ridiculement illogique !

– Peut-être suis-je trop prude, dit-elle d'un ton de repentir... Là, vous pouvez prendre ma main comme vous le voudrez. C'est gentil de ma part ?

– Oui, très gentil.

– Mais je dois le lui dire.

– À qui ?

– À Richard.

– Naturellement, si vous jugez que ce soit nécessaire. Mais cela n'a aucune importance, et vous le tourmenterez sans raison.

– Mais, êtes-vous sûr que vous agissez en cousin ?

– Absolument sûr. Il n'y a plus en moi aucun sentiment d'amour.

– C'est nouveau. Et comment en êtes-vous arrivé là ?

– J'ai vu Arabella.

Elle tressaillit sous le choc, puis, curieusement :

– Quand l'avez-vous vue ?

– Quand j'étais à Christminster.

– Ainsi elle est revenue ; et vous ne me l'aviez jamais dit. Je suppose que vous vivez avec elle, maintenant.

– Évidemment, – comme vous-même vivez avec votre mari.

Elle regarda les pots de géraniums et de cactus qui ornaient la fenêtre. Ses yeux se mouillèrent.

– Qu'y a-t-il ? dit Jude avec plus de douceur.

– Comment seriez-vous si charmé de retourner avec elle, si... ce que vous prétendiez est encore vrai ?... Je veux dire si c'était vrai naguère... Car ça ne l'est évidemment plus, aujourd'hui. Comment Arabella a-t-elle pu, ainsi, reconquérir votre cœur ?

– Une Providence spéciale, j'imagine, a préparé tout cela.

– Ah ! ce n'est pas vrai ! dit-elle avec une charmante colère. Vous me taquinez, voilà tout, parce que vous pensez que je ne suis pas heureuse.

– Je l'ignore et je ne tiens pas à le savoir.

– Si j'étais malheureuse, la faute en serait à moi seule, à ma propre méchanceté... je n'ai pas le droit de ne pas l'aimer. Il a des égards pour moi ; sa conversation est très intéressante... Pensez-vous, Jude, qu'un homme doive épouser une femme d'âge assorti au sien, ou une femme plus jeune que lui de dix-huit ans, comme il a fait en m'épousant, moi ?

– Cela dépend de ce qu'ils ressentent chacun l'un pour l'autre.

– Je… je pense que je dois être aussi honnête avec vous que vous l'avez été avec moi. Peut-être avez-vous compris ce que je veux dire ? Quoique j'aime M. Phillotson, d'amitié, je ne peux pas l'aimer autrement et cela me torture de vivre avec lui, comme avec un mari. Là… maintenant, j'ai dit la vérité, et n'ai pu m'en défendre, bien que j'ai prétendu que j'étais heureuse. À présent, vous allez me mépriser, et pour jamais, je suppose.

Elle cacha son visage entre ses mains qui reposaient sur le tapis de la table et sanglota sans bruit, avec de légers sursauts qui faisaient frémir le guéridon fragile.

– Il y a seulement un mois ou deux que je suis mariée, continua-t-elle, toujours ployée sur la table, et parlant dans ses mains. Et l'on dit que ce qui éloigne une femme de son mari pendant les premiers temps de leur mariage, elle l'enfouit dans une confortable indifférence, au bout d'une demi-douzaine d'années. Mais c'est tout comme si l'on disait que l'amputation d'un membre n'est pas un mal, puisque, avec le temps, des gens s'habituent aisément à se servir d'un bras ou d'une jambe de bois.

Jude pouvait à peine parler, mais il dit :

– Je crois qu'il y a là quelque chose de mal, Sue. Oh ! je le crois.

– Mais ce n'est pas comme vous pensez. Il n'y a rien de mal que ma propre méchanceté ; j'imagine que vous appellerez ainsi… une répugnance de ma part pour une raison que je ne puis découvrir et qui ne serait pas admise comme telle par la majorité des gens… Ce qui me torture tellement, c'est la nécessité de me soumettre à tout ce que désire cet homme, cet homme si bon moralement, c'est l'abominable contrat qui m'engage à sentir d'une manière particulière dans une chose dont l'essence même est la spontanéité. Je souhaiterais qu'il me maltraitât, ou qu'il me fût infidèle, ou qu'il me fit ouvertement une injure telle que je pourrais l'invoquer pour justifier mes sentiments. Mais il ne me fait aucun tort ; il est seulement devenu un peu plus froid depuis qu'il a deviné ma manière de sentir. C'est pourquoi il n'est pas venu à l'enterrement. Oh ! je suis tout à fait misérable, je ne sais que faire. Ne venez pas près de moi, Jude, parce que vous ne le devez pas.

Mais il s'était élancé vers elle et il mettait son visage contre celui de Sue, ou plutôt contre son oreille, le visage étant inaccessible.

– Je veux seulement vous consoler… Tout le mal est venu de ce que j'étais marié avant de vous avoir connue, n'est-ce pas ? Vous seriez devenue ma femme, dites, Sue, sans cette raison ?

Au lieu de répondre, elle se leva vivement, disant qu'elle allait au cimetière pour reprendre ses esprits. Elle sortit de la maison. Jude ne la suivit pas. Vingt minutes plus tard, il la vit traverser la pelouse et se diriger vers la maison de Mme Edlin. Bientôt après, elle envoya une petite fille chercher sa valise et prévenir Jude qu'étant très lasse, elle ne pourrait le revoir dans la soirée.

... Vers deux heures du matin, Jude fut réveillé par un cri aigu qui lui était assez familier au temps où il habitait Marygreen. C'était le cri d'un lapin pris au piège. Jude qui, dans son enfance, épargnait les vers de terre, imagina l'agonie de l'animal aux pattes brisées. Au bout d'une demi-heure, le lapin répéta son cri. Jude ne put résister plus longtemps au désir d'abréger ses souffrances. Il s'habilla rapidement, descendit et traversa la pelouse au clair de lune, dans la direction d'où venait le cri. Il longeait la baie qui bordait le jardin de la veuve quand il s'arrêta. Le faible cliquetis du piège traîné par la bête, dans des convulsions de douleur, le guidait maintenant ; d'un coup frappé sur la nuque du lapin, il l'étendit mort.

Il s'en retournait, quand il vit une femme qui le regardait par une fenêtre ouverte au rez-de-chaussée du cottage voisin.

– Jude ! dit une voix timidement. – C'était la voix de Sue. – Jude, n'est-ce pas vous ?

– J'étais incapable de dormir ; j'ai donc entendu le lapin ; je n'ai pu m'empêcher de penser à ce qu'il devait souffrir, et j'ai senti que je devais descendre et l'achever... Mais je suis heureux de vous voir... On devrait interdire l'usage de ces pièges...

Jude s'était approché de la fenêtre basse, si basse qu'il pouvait voir Sue jusqu'à la ceinture.

– Ce bruit vous a réveillée ? demanda-t-il.

– Non, j'étais éveillée.

– Comment ?

– Oh ! vous savez, maintenant... Je devine ce que vous pensez, avec vos doctrines religieuses ; vous pensez qu'une femme mariée, troublée comme je le suis, commet un péché mortel en prenant un homme pour confident. Je regrette de m'être confiée à vous.

– Ne le regrettez pas, chérie, dit-il. J'ai pu juger les choses à ce point de vue ; mais mes doctrines et moi commençons à n'être plus d'accord.

– Je l'ai compris, et c'est pourquoi je regrette d'avoir troublé votre foi. Mais... je suis si heureuse de vous voir... et... Oh ! je ne pourrai plus vous voir, maintenant que le dernier lien entre nous, tante Drusilla, n'est plus.

Jude saisit sa main et la baisa.

– Peu m'importent désormais mes doctrines et ma religion. Je les abandonne. Laissez-moi me dévouer à vous-même si je vous aime, et si vous...

– Taisez-vous ! Je sais ce que vous voulez dire. Mais je ne puis tant accepter de vous. Là, pensez ce qu'il vous plaira, mais ne me pressez pas de questions.

– Je souhaite que vous soyez heureuse, quoi qu'il m'arrive.

– Je ne puis être heureuse... Tous ceux qui pénétreraient un peu mes sentiments les attribueraient à l'effet d'une humeur fantasque et dédaigneuse. Ils me condamneraient. La tragédie de l'amour dans la vie civilisée n'a aucun rapport avec aucune des tragédies naturelles de l'amour ; c'est une tragédie artificiellement fabriquée par des gens qui, dans l'état originel, eussent trouvé la paix en se séparant. Peut-être aurais-je eu tort de vous confier ma détresse, si j'avais eu quelqu'un à qui l'avouer. Mais je n'ai personne, et j'ai besoin d'un confident. Jude, avant de l'épouser, je n'avais jamais songé profondément au sens du mariage, bien que je le connusse théoriquement. C'était stupide de ma part et je n'ai pas d'excuse. J'avais l'âge de raison et je me croyais pleine d'expérience. Je me suis précipitée dans le mariage après cette affaire de l'école normale, avec la belle assurance d'une folle que j'étais. J'en suis certaine, il devrait être permis de défaire ce qu'on a fait par ignorance. J'ose affirmer que des quantités de femmes sont dans ce cas ; seulement elles se résignent, et moi, je me révolte... Quand des gens des âges à venir observeront les coutumes barbares et les superstitions du temps où nous avons le malheur de vivre, que diront-ils ?

– Vous êtes bien amère, Sue chérie... Que je voudrais...

– Partez, maintenant.

Par une impulsion irrésistible, elle se pencha sur l'appui de la fenêtre, et appuyant son visage sur les cheveux de Jude, toute pleurante, elle posa un imperceptible baiser sur la tête du jeune homme ; puis elle se retira vivement, de telle sorte qu'il ne put l'entourer de ses bras, comme il l'eût fait sans doute. Elle ferma la fenêtre, et il retourna au cottage.

Le lendemain soir, Jude alla au jardin et creusa un trou peu profond où il déposa les ouvrages de théologie et de morale qu'il possédait. Il alluma d'abord quelques feuillets détachés, mit les volumes en lambeaux aussi réduits que possible, et, les agitant avec une fourche à trois pointes, il les dispersa dans les flammes. Ils flambèrent, éclairent la façade antérieure de la maison, l'étable à porcs, et le visage même de Jude, jusqu'à ce qu'ils fussent consumés.

III

Après le thé du soir, Phillotson établissait ses comptes sur le registre de l'école. Sue, se disant fatiguée, s'était retirée de bonne heure. À minuit et quart, Phillotson monta dans sa chambre et ne trouva point Sue sur son lit. Il pensa qu'elle avait été retenue à la cuisine par quelque détail de ménage. Il l'attendit un moment, puis, un flambeau à la main, il sortit sur le palier et appela :

– Sue !

– Oui, dit une voix qui venait de la cuisine, assez éloignée.

– Que faites-vous là-bas, à minuit ? Vous vous fatiguez inutilement.

– Je n'ai pas sommeil ; je lis. Il y a ici un bon feu.

Il se coucha. S'éveillant un peu plus tard dans la nuit, il s'aperçut que Sue n'était pas auprès de lui. Il alluma une lumière, sortit de nouveau, et appela la jeune femme par son nom.

Elle répondit oui, faiblement. Sa voix semblait venir d'un grand cabinet sans fenêtres où l'on serrait les vêtements. Phillotson, alarmé, se dirigea de ce côté.

– Que faites-vous ici ? demanda-t-il.

– Je ne voulais pas vous déranger, et il était si tard !

– Mais il n'y a pas de lit, il n'y a pas d'air. Vous serez asphyxiée, si vous restez là cette nuit.

– Oh ! non, je ne crois pas. Ne vous inquiétez pas de moi.

– Mais...

Phillotson tourna le bouton de la porte, retenue intérieurement par une cordelette que son effort rompit.

Il n'y avait pas de lit dans le cabinet, mais Sue avait entassé des couvertures par terre et s'était fait un petit nid dans le coin le plus étroit de ce réduit. En voyant Phillotson, elle sauta debout, hors de son refuge, toute tremblante.

– Vous ne deviez pas ouvrir la porte, cria-t-elle, très surexcitée. C'est indigne de vous. Allez-vous-en, je vous en supplie.

Il dit :

– J'ai été bon pour vous. Je vous ai laissé toute liberté. Vos sentiments sont monstrueux.

– Oui, fit-elle en pleurant. Je le sais. C'est mal, c'est affreux. Je suis très désolée. Mais ce n'est pas absolument moi seule qui suis à blâmer.

– Qui donc ? Est-ce moi ?

– Non... Je ne sais. Le monde entier, je suppose... Les choses, en général, parce qu'elles sont horribles et cruelles...

– Je hais ces excentricités, Sue. Il n'y a ni ordre, ni régularité dans vos sentiments... Mais je ne veux pas aller plus loin... Seulement, je vous conseillerai de ne pas fermer rigoureusement la porte, sinon, je vous trouverai asphyxiée demain.

En se levant le lendemain matin, il alla regarder dans le cabinet, mais Sue était déjà descendue au rez-de-chaussée. On voyait encore le petit nid où elle s'était reposée, et des toiles d'araignées pendaient au-dessus.

« Combien doit être forte l'aversion d'une femme, pour triompher de la peur des araignées ! » se dit-il amèrement.

Il retrouva Sue assise devant la table du déjeuner.

– Richard, lui dit-elle aussitôt, consentiriez-vous à ce que je vive loin de vous ?

– Loin de moi ? Était-ce donc votre intention quand je vous ai épousée ? Pourquoi donc avez-vous accepté ce mariage ?

– Parce que je croyais ne pouvoir faire autrement. Souvenez-vous : longtemps auparavant, vous aviez eu ma promesse. Plus tard, je regrettai de vous l'avoir donnée et je cherchai un moyen honorable de me dégager. Et n'y pouvant réussir, je dédaignai et méprisai les conventions. Alors vous savez ce qu'on prétendit et comment je fus expulsée de l'École normale où vous m'aviez fait entrer avec tant de peine. Je pris peur et il me parut que je n'avais pas autre chose à faire qu'à laisser subsister l'engagement... Et vous aviez été si généreux en ne donnant pas crédit, un seul instant, à la rumeur publique.

– J'ai le devoir de vous dire que j'ai considéré cette hypothèse comme probable et que j'ai interrogé votre cousin à ce sujet.

– Ah ! fit-elle avec une surprise peinée.

– Je n'aurais pas douté de vous.

– Mais vous avez interrogé mon cousin.

– Je lui ai demandé sa parole.

Les yeux de Sue s'emplirent de larmes.

– Lui, n'eût pas posé de questions. Mais vous ne m'avez pas répondu. Voulez-vous me laisser partir ? Je sais que ma demande est anormale...

– Elle est anormale.

– Mais je la renouvelle. Les lois domestiques devraient être faites pour s'accorder avec les tempéraments qui seraient classifiés. Les gens dont le caractère est tout à fait particulier ont à souffrir des mêmes règles qui font le bonheur des autres... Voulez-vous me laisser partir ?

– Mais nous sommes mariés...

– Que pense-t-on habituellement des lois et des ordonnances, quand elles rendent malheureux celui qui est certain de n'avoir commis aucune faute ?

– Mais vous commettez une faute en ne m'aimant pas.

– J'ai de l'affection pour vous. Mais je n'avais pas réfléchi à ce que serait cette affection que j'imaginais beaucoup plus vive... Un homme et une femme qui ont des relations intimes, quand l'un des deux sent ce que je sens, commettent un adultère, quelles que soient les circonstances, un adultère légal. Là... Je l'ai dit... Me laisserez-vous partir, Richard ?

– Vous m'affligez, Suzanne, par une telle importunité.

– Pourquoi ne conviendrions-nous pas de nous affranchir l'un de l'autre ? Nous avons fait un pacte : nous pouvons sûrement le résilier, non légalement, mais moralement, d'autant mieux que nous n'avons à considérer aucun nouvel intérêt – l'intérêt des enfants, par exemple. Donc nous pourrions être amis et nous rencontrer sans nous tourmenter mutuellement. Ô Richard, soyez-moi un ami : ayez pitié ! Nous mourrons tous deux dans quelques années, et alors il n'importera guère que vous m'ayez délivrée de votre contrainte pour si peu de temps. Vous trouvez que je suis excentrique, ou super-sensitive, ou quelque chose d'absurde. Bien... mais pourquoi souffrirais-je d'être née ainsi, si cela ne fait de mal à personne ?

– Mais cela me fait du mal, à moi. Et vous avez promis de m'aimer.

– Oui, c'est cela. Je suis dans le faux. J'y suis toujours. C'est aussi coupable de s'engager à aimer toujours, ou à croire toujours, c'est aussi coupable et aussi niais que de faire vœu d'aimer toujours une boisson ou une nourriture particulière.

– Et vous prétendez, en me quittant, vivre pour vous-même ?

– Oui, si vous insistez, oui. Mais je prétends vivre avec Jude.

– Comme sa femme ?

– Comme je voudrai.

Phillotson frémit.

Sue continua :

– Celui ou celle qui laisse le monde, ou ce qui s'y rapporte, décider à sa place de son mode de vie, n'a plus besoin d'une autre faculté que de la faculté simiesque d'imitation. Ces paroles sont de Stuart Mill. Pourquoi ne les mettriez-vous pas en pratique ? J'y aspire toujours.

– Que m'importe Stuart Mill ? grommela-t-il. Je désire seulement mener une vie tranquille. Rappelez-vous mes paroles : j'ai pensé ce que je n'avais jamais imaginé avant notre mariage, – que vous aimiez, que vous aimez Jude Fawley.

– Vous pouvez le croire, puisque cette idée vous est déjà venue. Mais pensez-vous que si j'avais aimé Jude, je vous aurais demandé de me laisser partir et de vivre avec lui ?

Le son de la cloche sauva Phillotson de la nécessité de répondre sur-le-champ. Il envoya à Sue, par un enfant de sa classe, un billet où il avait écrit :

« Votre requête m'empêche de travailler. Je ne sais ce que je fais. Avez-vous parlé sérieusement ? »

Peu de temps après, un enfant de la classe de Sue rapporta un billet semblable, portant ces mots écrits au crayon :

« Je suis sincèrement peinée de vous dire que j'ai parlé sérieusement. »

Dix minutes plus tard, Phillotson envoya une autre missive :

« Dieu sait que je n'ai pas l'intention d'entraver aucun projet raisonnable. Toute ma pensée est de vous rendre contente et heureuse. Mais je ne puis admettre une idée aussi absurde que celle de votre départ pour vivre avec un amant. Vous perdriez le respect et la considération de tous. Et moi aussi. »

La réponse arriva :

« Je sais que vous me voulez du bien. Mais je ne tiens pas à être respectable. Produire le « développement humain dans sa plus riche diversité » – je cite Humboldt – me paraît plus important que la respectabilité. Sans doute, mes goûts sont bas – à votre point de vue – désespérément bas. Si vous ne me laissez point partir vers Jude, m'accorderez-vous de vivre séparée de vous, sous votre toit ? »

Phillotson ne répondit pas.

Elle écrivit encore :

« Je sais ce que vous pensez. Mais ne pouvez-vous avoir pitié de moi ? Je vous implore : je vous supplie d'être miséricordieux. Je ne vous ferais pas une telle prière si je n'y étais forcée par des choses que je ne puis supporter. Aucune, pauvre femme n'a jamais, plus que moi, désiré qu'Ève ne fût pas tombée et que des végétations innocentes eussent peuplé le Paradis. Mais je ne dois pas badiner. Soyez généreux pour moi, même si je n'ai pas été généreuse pour vous. Je m'en irai, je partirai pour l'étranger, n'importe où, et ne vous tourmenterai jamais. »

Il s'écoula près d'une heure avant que Phillotson renvoyât la réponse :

« Je ne veux pas vous affliger. Vous le savez si bien ! Donnez-moi un peu de temps. Je suis disposé à accueillir votre dernière requête. »

Une ligne d'elle :

« Merci de tout cœur, Richard. Je serai digne de votre bonté. »

Et Phillotson se sentit aussi solitaire qu'au temps où il ne la connaissait pas.

IV

Phillotson avait veillé tard, comme c'était assez souvent son habitude, pour réunir les matériaux d'un travail sur les antiquités romaines, qui avaient été sa marotte autrefois et qu'il avait négligées depuis longtemps. Il oublia le temps et le lieu ; et, quand il revint à lui et monta se reposer, il était deux heures du matin.

Sa préoccupation était telle, qu'au lieu de gagner l'autre partie de la maison où il dormait maintenant, il se dirigea machinalement vers la chambre qu'il occupait naguère avec sa femme. Cette chambre donnait sur

Old-Grove's Place, et Sue l'habitait seule depuis leur différend. Il entra, et, sans y penser, commença à se dévêtir.

Il y eut un cri dans le lit et un mouvement brusque. Avant que le maître d'école eût compris ce qui se passait, il vit Sue demi-éveillée, avec un tressaut et un regard fixe, se précipiter du côté opposé du lit où se trouvait la fenêtre. Elle ouvrit les volets, disparut dans l'ombre, et il l'entendit tomber.

Phillotson, terrifié, descendit l'escalier en courant. Il prit Sue dans ses bras, la déposa dans le salon, sur une chaise. Elle ne s'était pas cassé le cou. Elle regardait Phillotson avec des yeux qui semblaient ne pas le reconnaître ; et, bien que ces yeux ne fussent pas extraordinairement grands, ils semblaient tels.

– Dieu merci, vous ne vous êtes pas tuée.

Sa chute, en effet, n'avait pas été bien grave, à cause du peu d'élévation des anciennes maisons. Sauf une égratignure au coude et un coup dans le côté, Sue s'était fait peu de mal.

– Je dormais, je pense, commença-t-elle, son pâle visage détourné encore de Phillotson. Quelque chose m'a effrayée… un terrible rêve… J'ai cru vous voir…

La mémoire parut lui revenir et elle se tut.

Son manteau gisait près de la porte. Phillotson, tout à fait désemparé, le jeta sur elle.

– Vous porterai-je en haut ? demanda-t-il tristement, car le sens de cette scène le dégoûtait de tout et de lui-même.

– Non, Richard. Je vous remercie. Je ne me suis pas fait grand mal. Je puis marcher.

– Vous devriez fermer votre porte, dit-il machinalement, comme s'il parlait dans sa classe. Ainsi, personne ne pourra entrer, même par hasard.

– J'ai essayé. La porte ne ferme pas. Toutes les portes sont hors de service.

Elle gravit l'escalier lentement, la vacillante lueur de la bougie errant sur elle. Phillotson n'approcha pas, n'essaya pas de monter avant de l'avoir entendue rentrer dans sa chambre. Puis il ferma la porte d'entrée, et retourna s'asseoir au bas de l'escalier, serrant la rampe dans une de ses mains et pressant de l'autre son visage incliné. Il resta ainsi longtemps, longtemps, – et nul n'eût pu le voir sans pitié. Enfin, relevant la tête, il soupira, et ce soupir semblait signifier qu'il devait continuer à vivre, qu'il eût ou non une femme ; puis il prit le flambeau et gagna sa chambre solitaire, de l'autre côté du palier.

Le lendemain, Phillotson se rendit à Leddenton, petit bourg de trois ou quatre cents habitants. Il alla jusqu'à l'école de garçons et demanda le directeur, M. Gillingham.

Ils avaient été camarades d'école dans leur enfance, puis camarades d'études à l'École normale de Wintoncester.

– Je suis charmé de vous voir, Dick, dit Gillingham. Mais vous ne paraissez pas bien portant. Qu'y a-t-il ? Pourquoi n'êtes-vous pas venu me voir depuis votre mariage ?

– Je suis venu, George, pour vous expliquer les raisons d'une décision que je vais prendre, afin que vous, au moins, compreniez les motifs qui m'ont déterminé, si d'autres personnes les mettent en question, ce qu'elles feront certainement.

– Asseyez-vous... Vous ne voulez pas dire... Il n'y a rien de grave entre vous et Mme Phillotson ?

– Si... Mon malheur vient de ce que j'ai une femme, une femme que j'aime et qui non seulement ne m'aime pas, mais... mais... Je ne dois rien dire... Je connais son sentiment. Je préférerais qu'elle me détestât.

– Bah !

– Et ce qu'il y a de plus triste, c'est qu'elle est moins blâmable que moi. Elle était institutrice adjointe avec moi, comme vous le savez, et j'ai profité de son inexpérience, je l'ai détournée de sa voie et lui ai fait accepter un engagement avant qu'elle connût son propre désir. Plus tard, elle remarqua quelqu'un, mais tint aveuglément sa promesse.

– Tout en aimant un autre ?

– Oui, avec une sollicitude singulière et tendre, semble-t-il, quoique le sentiment exact que lui inspire cet homme soit une énigme pour moi – et pour lui aussi, je pense – et peut-être pour elle-même. Elle est une des plus étranges créatures que j'aie jamais rencontrées. Cependant, j'ai été frappé par deux faits : d'abord l'extraordinaire sympathie ou similitude de ces deux êtres. (Il est son cousin, ce qui explique en partie leur cas, et ils semblent une même personne dédoublée). Ensuite l'irrésistible aversion que j'inspire à Sue, comme mari, bien qu'elle ait pour moi de l'amitié, aversion beaucoup trop forte pour qu'elle continue plus longtemps. Elle a consciencieusement lutté contre cette répugnance, mais sans succès. Je ne puis supporter cela, je ne le puis. Je ne puis rétorquer ses arguments. Elle a lu dix fois plus que moi. Son esprit est clair et brillant comme le diamant ; le mien est terne comme du papier brun... Elle m'est trop supérieure... À la fin, elle m'a demandé calmement, fermement, de la laisser partir avec l'homme qu'elle aime. La crise arriva au paroxysme la nuit dernière, quand, me voyant entrer par erreur dans sa chambre, elle sauta par la fenêtre au risque de se rompre le cou. Elle prétendit qu'elle avait rêvé, mais c'était un prétexte pour m'apaiser. Quand une femme se jette par la fenêtre au risque de se rompre le cou, il n'y a pas de méprise ; et ceci étant mon cas, j'arrive à une conclusion : il est coupable de torturer aussi longtemps une créature, et je n'aurai pas l'inhumanité de prolonger son supplice, quoi qu'il puisse m'en coûter.

– Quoi ? Vous la laisserez fuir avec son amant ?

– Qu'elle fuie avec qui lui plaira ; ceci la regarde. Je la laisserai partir, avec lui, assurément, si c'est son désir. Je sais que je puis me tromper. Je sais que je ne puis ni logiquement, ni religieusement, justifier une telle concession, ou harmoniser ma conduite avec mes anciens principes. Je sais ce que feraient d'autres maris qui refuseraient la scandaleuse requête de leur femme, enfermeraient celle-ci et peut-être tueraient l'amant. Mais je suis simplement mon instinct, et que les principes s'arrangent comme ils pourront ! Si une personne s'était aveuglément engagée dans un marécage et qu'elle criât au secours, je serais tout disposé à la secourir, si c'était possible.

– Mais, voyez : il y a la question des voisins et de la société... Qu'arriverait-il si chacun...

– Oh ! je ne tiens pas à philosopher plus longtemps. Je vois seulement ce qui est sous mes yeux. Avez-vous jamais vu, à vos genoux, une femme que vous savez bonne, en elle-même, l'avez-vous vue vous suppliant de l'affranchir et réclamant votre indulgence ?

– Non, Dieu merci.

– Eh bien, vous ne pouvez donner un avis sérieux sur mon cas. Moi, j'ai été cet homme, qu'une femme a supplié, et cela suffit à marquer la différence pour ceux qui ont tant soit peu de noblesse ou de chevalerie.

– Mais fuir avec un cavalier...

– C'est une question qui la concerne seule. Ce n'est pas du tout la même chose que de vivre avec un mari en le trahissant. Et je comprends fort bien que le sentiment qui unit ces deux êtres n'est pas un sentiment ignoble, simplement animal. C'est même ce qu'il y a de pire pour moi, car je prévois que leur affection sera durable. Leur suprême désir est d'être ensemble, de partager les mêmes émotions, les mêmes idées, les mêmes rêves.

– Platonisme ?

– Mais non. Ce serait plutôt un amour shelleyen. Ils me rappellent Laon et Cynthia, et quelque peu Paul et Virginie. Plus je réfléchis, plus je me sens entraîné à prendre entièrement leur parti.

– Mais si tout le monde faisait ce que vous allez faire, ce serait une dissolution générale de la famille. Elle ne serait plus l'unité sociale.

– Mais je ne vois pas pourquoi la femme et les enfants sans l'homme ne constitueraient pas cette unité ?

– Le matriarcat !... Est-ce son avis, à elle aussi ?

– Oh ! non ; elle pense même que je suis allé plus loin qu'elle sur ce point – et tout cela depuis douze heures.

– Bon Dieu ! Que dira Shaston ?

– Je n'en sais rien… Maintenant, je pars. J'ai un long trajet à faire.

Le lendemain matin, pendant le déjeuner, Phillotson dit à Sue :

– Vous pouvez partir avec qui vous plaira. Je donne mon consentement absolu et sans condition.

Phillotson, une fois arrivé à cette conclusion, se convainquit de plus en plus que c'était indubitablement la meilleure.

Quelques jours passèrent, et le soir arriva où ils prirent ensemble leur dernier repas, un soir de vent et de nuages.

– Je pense, dit Phillotson, que puisque nous nous séparons, nous devons nous séparer tout à fait. Je ne vous adresserai donc aucune question ; je désire même ne pas connaître votre adresse… Maintenant, avez-vous besoin d'argent ?

– Oh ! Richard, je ne veux pas accepter votre argent pour vous quitter. Le peu que j'ai me suffit et Jude…

– Je voudrais vous entendre parler de lui le moins possible, si vous y consentez. Vous êtes libre, absolument. Prenez tout ce qui vous sera nécessaire. Vous partez par le train de six heures trente ?… Il est maintenant six heures et quart.

– Vous… Vous ne semblez pas très affecté de mon départ ?

– Oh ! non… peut-être non.

– Je vous aime pour ce que vous avez fait. C'est curieux que je me sois attachée à vous, dès que je vous ai considéré comme mon vieux maître et non comme mon mari.

Elle versa quelques larmes en faisant des réflexions sur ce sujet, puis l'omnibus de la gare vint la chercher. Phillotson vit hisser les bagages sur l'impériale ; il donna la main à Sue pour l'aider à monter, et fut obligé de simuler un baiser d'adieu qu'elle reçut avec répugnance. La bonne humeur qu'ils affectaient au moment de la séparation devait enlever tout soupçon au conducteur et lui faire croire qu'il s'agissait seulement d'un court voyage.

Quand Phillotson rentra chez lui, il monta au premier étage, ouvrit la fenêtre et regarda dans la direction que la voiture avait prise. Le bruit des roues mourut bientôt dans le lointain. Phillotson redescendit, les traits contractés de souffrance. Il prit son chapeau, sortit, et suivit la même route jusqu'à près d'un mille. Puis, retournant brusquement, il revint à la maison.

V

Au moment où le train s'arrêtait en gare de Melchester, une main se posa sur la porte du compartiment où Sue attendait. Elle reconnut Jude. Il monta promptement dans le wagon. Il tenait un paquet noir à la main et portait le costume sombre qu'il revêtait le dimanche et le soir après le travail. C'était, en vérité, un beau jeune homme, et son ardente tendresse pour Sue brillait dans ses yeux.

– Ô Jude !

Elle heurta ses mains l'une contre l'autre, et l'état de nervosité provoqua une crise de sanglots sans larmes.

– Je... Je suis si heureuse !... Descendons-nous ici ?

– Ici, non. C'est impossible. Nous sommes trop connus à Melchester, moi, du moins. J'ai pris deux billets pour Aldbrickam... C'est une ville assez importante où personne ne nous connaît.

– Et vous avez abandonné votre travail à la cathédrale ?... Ah ! je crains de vous porter malheur. J'ai détruit vos projets d'avenir dans l'Église, ruiné vos espérances de succès dans votre métier ; j'ai tout ruiné.

Elle recouvra l'équilibre de son humeur quand ils eurent voyagé pendant quelques milles.

– *Il* a été si bon en me laissant partir, dit-elle. J'ai trouvé sur ma table à toilette ce billet adressé à vous.

– Oui. Ce n'est pas un méchant homme, dit Jude en jetant un coup d'œil sur le billet. J'ai honte de le haïr parce qu'il vous a épousée.

– D'après la coutume capricieuse des femmes, j'aurais dû l'aimer tout à coup, parce qu'il m'a laissée partir d'une manière si généreuse et si imprévue, répondit Sue en souriant. Mais je suis si froide, ou si dénuée de gratitude, que même cette générosité ne m'a point inspiré d'amour ou de repentir, ni le désir de demeurer avec lui comme épouse. Cependant j'apprécie son grand esprit et je le respecte plus que jamais.

– Il eût fait davantage pour notre bonheur s'il eût été moins bon et si vous aviez fui contre sa volonté.

– Ce que je n'aurais jamais fait.

Jude fixa des yeux pensifs sur le visage de Sue. Puis soudain, il l'embrassa, et il allait l'embrasser encore...

– Non... un baiser seulement... je vous en supplie, Jude !

– C'est assez cruel, dit-il, mais il obéit.

– Il m'arrive une chose étrange, reprit-il après un silence. Arabella m'écrit pour me prier de divorcer afin qu'elle puisse, honnêtement et légalement, épouser l'homme qui est déjà son mari, en fait.

– Qu'avez-vous fait ?

– J'ai consenti.

– Donc, vous serez libre ?

– Oui, je serai libre.

– Où allons-nous ? demanda-t-elle, avec la discontinuité d'idées qu'il avait remarquée en elle, cette nuit-là.

– Je vous l'ai dit : à Aldbrickam.

– Nous y arriverons tard ?

– Oui. J'ai songé à cela et j'ai télégraphié pour retenir une chambre dans un hôtel de tempérance.

– Une seule chambre ?

– Oui… une seule.

Elle le regarda.

– Ô Jude !

Et penchant son front dans le coin du wagon :

– Je pensais bien que vous feriez cela… et que je vous causerais une déception. Mais je ne puis accepter.

Dans le silence qui suivit, les yeux stupéfiés de Jude se détournèrent.

– Bien, dit-il, bien.

Il gardait le silence, et, voyant sa déconfiture, Sue posa sa tête contre la joue du jeune homme, murmurant :

– Ne soyez pas fâché, mon cher ami.

– Oh ! il n'y a pas de mal, dit-il. Mais j'avais compris que… Est-ce un soudain changement d'esprit ?

– Vous n'avez pas le droit de me poser une telle question, et je ne répondrai pas, dit-elle en souriant.

– Ma chérie, je tiens à votre bonheur plus qu'à tout, bien que nous paraissions destinés à nous quereller souvent ; votre volonté sera ma loi. J'espère être mieux qu'un simple égoïste, faites comme il vous plaira.

Une réflexion assombrit son front. Il reprit avec perplexité :

– Mais peut-être votre refus vient-il de ce que vous ne m'aimez plus et non de ce que vous vous mettez à obéir aux conventions. D'autant plus que, d'après vos leçons, je hais la convention, et j'espère que c'est cela et non l'autre terrible alternative.

– Attribuez ceci à ma timidité, dit-elle, à la timidité naturelle d'une femme qui sent approcher la crise. Aussi bien que vous, je puis sentir que j'ai parfaitement le droit de vivre avec vous, dès ce moment. Je puis soutenir que, dans une société normale, personne n'aura le droit de conjecturer quel peut être le père de l'enfant d'une femme, pas plus qu'on ne s'occupe de la forme et de la façon de son linge de dessous. Mais peut-être parce que je dois ma liberté à la générosité de Phillotson, je veux être un peu rigide. Si vous étiez venu me chercher par une échelle de corde, s'il avait couru après nous avec des pistolets, tout m'aurait semblé différent et j'aurais autrement agi. Mais n'insistez pas, ne me critiquez pas, cher Jude. Admettez que je n'aie pas le courage de mes opinions. Je sais que je suis une pauvre malheureuse créature. Mon tempérament est moins passionné que le vôtre.

Il répondit simplement :

– J'ai pensé... ce que je devais naturellement penser. Mais si nous ne sommes pas amants, nous ne sommes pas. Phillotson est de cet avis, j'en suis sûr. Voyez ce qu'il m'écrit.

Il ouvrit la lettre que Sue lui avait remise.

« Je vous fais une seule condition : il faut que vous soyez tendre et bon pour elle. Je sais que vous l'aimez ; mais l'amour même peut être cruel quelquefois. Vous êtes faits l'un pour l'autre : c'est évident, palpable, pour quiconque est impartial. Vous étiez le fantôme en tiers entre nous, pendant notre courte vie conjugale. Je vous le répète : prenez soin de Sue. »

– C'est un brave homme, dit-elle en retenant ses larmes. Je n'ai jamais été si près de l'aimer qu'en le voyant s'occuper de mes préparatifs de voyage et même m'offrir son argent. Pourtant, je n'ai pu l'aimer. Si j'avais eu pour lui le moindre sentiment d'amour, je serais déjà revenue vers lui.

– Mais vous ne l'aimez pas ?

– C'est vrai... terriblement vrai... Je ne l'aime pas.

– Ni moi non plus, vous ne m'aimez pas. Je commence à le craindre. Ni personne, peut-être... Sue, quelquefois, quand je suis fâché contre vous, je pense que vous êtes incapable de véritable amour.

– Ce n'est pas bien, ce n'est pas loyal, dit-elle en s'écartant de lui le plus loin qu'elle pouvait et en regardant dans l'ombre d'un œil sévère. Mon affection pour vous ne ressemble peut-être pas à celle des autres femmes. C'est un délice pour moi d'être avec vous, un délice d'une délicatesse suprême, et je ne veux pas risquer de le détruire en essayant d'en augmenter l'intensité. J'ai toujours imaginé que pour l'homme et la femme, en général, il y avait un risque à courir. Mais, de vous à moi, j'ai résolu de me confier à vous, pour que vous mettiez mes désirs au-dessus de votre contentement. Ne discutons pas davantage, cher Jude.

Il était dix heures quand ils arrivèrent à Aldbrickam, la capitale du Wessex du nord. Sue refusant d'aller à l'hôtel de tempérance, à cause du texte du télégramme que Jude avait envoyé, le jeune homme s'informa d'un autre gîte. Un garçon s'offrit à porter leurs bagages et les conduisit tout près de là, dans la maison même où Jude était descendu avec Arabella, le soir de leur rencontre après des années de séparation.

Comme ils étaient entrés par une autre porte, Jude, très préoccupé, ne reconnut pas d'abord l'endroit où il se trouvait. Après avoir choisi leurs chambres respectives, ils descendirent pour souper. Pendant la courte absence de Jude, la servante interpella Sue.

– Je crois, madame, que je reconnais votre parent ou ami : il est venu ici déjà une fois, très tard, dans la nuit, avec sa femme – une dame qui ne vous ressemblait sous aucun rapport. Il est venu avec elle, juste comme avec vous maintenant.

– Croyez-vous ? dit Sue, avec un serrement de cœur. Vous devez vous tromper. Combien y a-t-il de cela ?

– Environ un mois ou deux... Une belle femme, à la figure pleine.

Quand Jude revint souper, Sue paraissait attristée et malheureuse.

– Jude, dit-elle d'un ton plaintif, quand ils se séparèrent sur le palier, je ne me plais pas ici. Je déteste cet endroit. Et je ne vous aime pas autant que je vous aimais !

– Comme vous semblez agitée, ma chérie ! Qu'est-ce qui vous a changée comme cela ?

– Vous êtes venu ici, récemment, avec Arabella.

– Mon Dieu... pourquoi ?...

Jude regarda autour de lui.

– Oui... c'est la même maison. Réellement, je ne le savais pas, Sue. Mais... Cela ne doit pas vous affecter, puisque nous sommes venus en amis : deux amis demeurant ensemble.

– Quand êtes-vous venu ici ? Répondez, répondez !...

– La veille du jour où je vous rencontrai à Christminster, quand nous revînmes à Marygreen ensemble. Je vous ai raconté que j'avais vu Arabella.

– Mais vous ne m'avez pas tout dit. Vous m'avez raconté que vous vous étiez rencontrés comme des étrangers, non comme mari et femme, à la face du ciel, et que vous vous étiez réconcilié avec elle.

– Nous ne nous sommes pas réconciliés, dit-il tristement. Je ne puis vous donner aucune explication, Sue.

– Vous m'avez menti, vous, mon dernier espoir. Et je ne vous pardonnerai jamais cela, jamais.

– Mais, d'après votre propre vœu, chère Sue, nous sommes des amis, non des amants. C'est très inconséquent de votre part...

– L'amitié peut être jalouse.

– Je ne vois pas les choses de cette façon. Vous ne me cédez en rien et je dois vous faire toutes les concessions. Après tout, vous étiez en bons termes avec votre mari, à cette époque.

– Non, Jude. Oh ! comment pouvez-vous penser cela ?

Elle était si mortifiée qu'il fut obligé de l'entraîner dans sa chambre et de fermer la porte pour que les voisins n'entendissent pas.

– Était-ce dans cette chambre ?... Oui... je le vois à votre mine... Je ne veux pas rester ici... Oh ! quelle trahison d'avoir repris Arabella ! Moi, je me suis jetée par la fenêtre.

– Mais, Sue, après tout, elle était ma femme légitime, sinon...

Glissant sur les genoux, Sue cacha son visage contre le lit et pleura.

– Jamais je n'ai vu un sentiment aussi déraisonnable... Vous êtes comme le chien du jardinier... dit Jude. Je ne dois pas vous approcher, ni aucune autre femme.

– Oh ! vous ne comprenez pas mon sentiment !... Pourquoi êtes-vous si matériel ?... Moi, je me suis jetée par la fenêtre.

– Jetée par la fenêtre ?

– Je ne peux pas vous expliquer.

Il était vrai qu'il ne pouvait pas la comprendre parfaitement. Mais il la devinait un peu et il l'en aima davantage.

– Je... je croyais que vous n'aimiez personne, que vous ne désiriez personne au monde, excepté moi, dans ce temps, et depuis ce temps ! continua Sue.

– C'est vrai, dit Jude, aussi malheureux qu'elle-même.

– Mais vous vous êtes intéressé à elle, ou...

– Non... ce n'était pas nécessaire... Vous ne me comprendrez pas... les femmes ne comprennent jamais... Pourquoi vous bouleverser ainsi à propos de rien ?...

Elle souleva sa tête qu'elle avait appuyée au couvre-pied et répondit d'un ton provocant :

– Si cela n'était pas arrivé, peut-être serais-je allée avec vous à l'hôtel de tempérance, comme vous me l'aviez proposé, car je commençais à penser que je devais vous appartenir.

– Mais cela n'a aucune importance, dit Jude en se tenant sur la réserve.

– Je pensais naturellement que, depuis votre séparation volontaire, il y a plusieurs années, Arabella n'avait jamais été en fait votre femme. Mon sentiment était qu'une rupture comme la vôtre, comme la mienne, termine le mariage.

– Je ne puis en dire davantage sans parler comme elle et c'est inutile, répondit Jude. Pourtant, je dois vous dire une chose qui mettra fin à ce malentendu : Arabella a épousé un autre homme ; elle l'a réellement épousé. J'ignorais ce détail lors de sa visite.

– Elle a épousé un autre homme. Mais c'est un crime, ou du moins la société affecte de considérer cette action comme un crime.

– Là, vous redevenez vous-même.

– Et vraiment vous ignoriez cela quand vous l'avez revue ? demanda Sue plus doucement.

Elle se leva.

– Je l'ignorais. Tout bien considéré, je ne crois pas que vous ayez le droit d'être offensée, ma chérie.

– Je ne le suis pas. Mais je n'irai pas à l'hôtel de tempérance.

Il se mit à rire.

– N'importe ! Étant près de vous, je suis relativement heureux. C'est assez de joie que le sort vous ait destinée à moi, triste épave de la vie, vous pur esprit, créature immatérielle, vous, cher et doux fantôme dont je suis le Tantale, femme à peine revêtue de chair, telle qu'en vous serrant dans mes bras, je crains de les refermer sur l'air et le vide. Pardonnez-moi d'être aussi grossier, comme vous dites.

Elle supplia, penchée vers lui :

– Dites-moi ces jolis vers de Shelley, dans l'*Epipsychidion*, comme s'ils s'adressaient à moi... Ne vous le rappelez-vous pas ?

– Je connais à peine quelques vers, répondit-il tristement.

– Vraiment ?

– « Il était un être que mon esprit rencontrait souvent quand s'élevaient très haut ses visions errantes – un séraphin du ciel, trop beau pour être humain, – voilé sous une radieuse forme de femme... »

– Oh ! c'est trop flatteur pour moi ; ne continuez pas. Mais dites que c'est mon image, dites-le.

– C'est vous, chérie, c'est absolument vous.

– Maintenant, je vous pardonne. Et vous allez m'embrasser une seule fois, ici, et pas trop longuement.

Elle posa délicatement le bout de son doigt sur sa joue. Jude obéit.

– Vous m'aimez beaucoup, n'est-ce pas, bien que je ne veuille pas... ce que vous savez ?

– Oui, douce ! dit-il avec un soupir.

Et il lui souhaita une bonne nuit.

Cinquième partie

À Aldbrickam et ailleurs

I

Le double divorce venait d'être prononcé. Jude proposa à Sue une promenade à travers champs.

– Nous irons bras dessus bras dessous, dit-il, comme les autres fiancés. Nous en avons le droit légal.

Ils habitaient, à Aldbrickam, une petite maison que Jude avait garnie avec le vieux mobilier de sa tante. Sue dirigeait le ménage. Ils vivaient exactement dans les mêmes relations qu'ils avaient établies l'année précédente, quand Sue avait quitté Shaston.

C'était un matin de février. Ils sortirent de la ville et s'engagèrent à travers la plaine, dans un sentier qui bordait les champs couverts de givre. Absorbés dans le sentiment de leur situation, ils avaient à peine conscience des objets qui les entouraient.

– Eh bien, ma chérie, la conclusion de tout cela est que nous pouvons nous marier, après un délai convenable.

– Oui, je suppose que nous le pouvons, dit Sue, sans enthousiasme.

– Et c'est ce que nous allons faire.

– Je ne dis pas non, cher Jude, car il me semble que c'est fait depuis longtemps. J'ai une crainte mortelle qu'un contrat de fer n'anéantisse votre tendresse pour moi, comme il arriva à nos infortunés parents.

– Alors que ferons-nous ? Je vous aime, Sue, vous le savez.

– Je le sais de reste. Mais j'aimerais mieux vivre avec vous, en amants, comme nous vivons, réunis seulement pendant le jour. C'est beaucoup plus doux, pour la femme du moins, quand elle est sûre de son compagnon. Et désormais, nous ne serons plus si pointilleux que naguère sur les apparences.

– L'expérience que nous avons faite du mariage n'est pas encourageante, dit-il, quelque peu assombri.

– Je pense que je commencerai à vous craindre, Jude, le jour où vous devrez me chérir avec l'estampille du gouvernement, le jour où j'aurai le droit d'être aimée d'après un acte civil... Oh ! quelle chose horrible et mesquine ! Bien que vous soyez libre, j'ai foi en vous, plus qu'en personne au monde.

– Non... non... Ne dites pas que je changerai.

– Sans nous donner comme exemple, nous et nos malheurs particuliers, n'est-il pas étranger à la nature de l'homme d'aimer une personne quand on a déclaré qu'il doit absolument l'aimer ? Il aurait plus de chances de l'aimer si l'obligation n'existait pas.

– Oui, mais en admettant que ceci soit vrai, vous n'êtes pas seule au monde à le voir, chère petite Sue. Des gens se marient parce qu'ils ne peuvent pas résister aux forces naturelles, quoique beaucoup d'entre eux sachent qu'ils paieraient peut-être le plaisir d'un mois par le tourment de toute leur vie. Sans doute, votre père et votre mère, mon père et ma mère le savaient bien, s'ils nous ressemblaient par l'habitude de l'observation. Mais ils se sont mariés tout comme nous, parce qu'ils avaient les passions ordinaires à tous les hommes. Mais vous, Sue, qui êtes une créature fantomatique, sans corps, une créature qui – vous m'avez donné le droit de le dire – n'a pas le moindre élément de passion animale, vous pouvez agir en raisonnant sur votre cas, tandis que nous ne le pouvons pas, nous pauvres malheureux, pétris dans une substance grossière.

– Bien ! soupira-t-elle, vous avez avoué que, probablement, cela finirait mal pour nous. Mais je ne suis pas la femme exceptionnelle que vous imaginez. Toutes les femmes n'aiment pas le mariage ; souvent elles y entrent pour la dignité qu'il est censé conférer et les avantages sociaux qu'il apporte quelquefois – une dignité et des avantages dont je n'ai aucun besoin.

Jude recommença sa vieille complainte, se plaignant qu'intimes comme ils étaient, il n'eût jamais rien d'elle, une honnête et candide déclaration d'amour ou d'indifférence.

– Je crains réellement, quelquefois, que vous ne puissiez pas aimer, dit-il avec une colère évidente ; vous êtes pleine de réticences. Je sais que les femmes donnent aux autres femmes le conseil de n'admettre jamais la pleine loyauté de l'homme. Mais la plus haute forme de l'affection est basée sur une parfaite sincérité réciproque. N'étant pas hommes, les femmes ne savent pas qu'un homme, regardant dans le passé toutes les femmes avec lesquelles il a eu de tendres relations, rapproche son cœur de l'amante qui a choisi la vérité pour éclairer sa conduite. Les meilleurs des hommes, même s'ils sont conquis par de vaines affections d'artifice et de méfiance, ne sont pas retenus par elles. Une Némésis attend la femme qui joue ce jeu de tromper trop souvent ; elle est châtiée par le profond mépris que ressentent, tôt ou tard, ses admirateurs, et qui l'accompagne jusqu'à la tombe où elle descend sans laisser de regrets.

Sue, qui regardait au loin, avait pris un air de femme coupable, et soudain, de sa voix tragique, elle répondit :

– Vous ne me plaisez pas autant qu'autrefois, Jude.

– Pourquoi ?

– Oh ! vous n'êtes pas aimable. Vous êtes trop sermonneur. Pourtant, je suppose que je suis assez mauvaise, assez indigne, pour mériter vos plus rigoureuses réprimandes.

– Non, vous n'êtes pas méchante ; vous êtes ma chérie, mais aussi insaisissable qu'une anguille quand on veut vous arracher une confession.

– Oh ! oui, je suis mauvaise et obstinée, tout ce que vous voudrez. Vous n'avez pas l'habitude de me contredire sur ce point. Les gens qui sont bons n'ont pas besoin, comme moi, d'être grondés sans cesse. Mais, maintenant que je n'ai personne que vous, et personne pour me défendre, je trouve très dur de ne pas suivre mon propre goût pour décider comment je vivrai avec vous et si je dois, oui ou non, me marier.

– Sue, ma compagne à moi, mon amante, je n'ai pas l'intention de vous forcer au mariage, ou à quoi que ce soit. Naturellement, je n'en ai pas l'intention. C'est trop méchant à vous d'être si irritable... À présent, ne parlons plus de cela, et continuons de faire ce que nous avons fait ; et, durant le reste de notre promenade, nous causerons seulement des prairies, des ruisseaux et des espérances des fermiers pour l'année qui vient.

Après cette scène, il ne fut plus question du mariage pendant plusieurs jours, quoique – vivant comme ils faisaient, séparés seulement par un palier – cette idée hantât constamment leurs esprits. Sue aidait Jude, matériellement ; il s'était récemment occupé, pour son propre compte, de la sculpture et de la gravure des inscriptions sur les monuments funéraires ; il gardait des pierres tombales dans un champ étroit situé derrière sa petite maison, et là, dans l'intervalle des devoirs domestiques, Sue traçait les lettres de grandeur déterminée, et les noircissait après que Jude les avait ciselées. C'était un travail plus humble que les premiers essais de Jude, comme sculpteur de cathédrales, et seuls les pauvres gens des environs lui fournissaient de l'ouvrage. Ils savaient qu'un ouvrier peu exigeant, « Jude Fawley, sculpteur de mausolées, » – comme il se désignait lui-même sur sa porte – pouvait exécuter les simples monuments qu'ils désiraient pour leurs morts ; mais Jude semblait plus indépendant qu'autrefois, et c'était la seule combinaison qui permit à Sue de lui être utile, car elle souhaitait particulièrement n'être pas une charge pour lui.

II

Un soir, vers la fin du mois, Sue qui, contrairement à son habitude, s'était montrée assez silencieuse, avertit Jude qu'une femme était venue le demander.

– Qui était-elle ?... Ne vous l'a-t-elle pas dit ?

– Non. Elle n'a pas voulu me donner son nom. Mais je sais qui c'était, je crois le savoir. C'était Arabella.

– Dieu nous garde ! Que viendrait faire Arabella ? Qu'est-ce qui vous fait croire que c'était elle ?

– Oh ! je puis à peine le dire. Mais je sais que c'était elle. J'en suis parfaitement certaine ; je l'ai senti à la lueur de ses yeux, quand elle me regardait. C'est une femme massive et grossière.

– Bien… Mais je ne dirais pas qu'Arabella soit absolument grossière, sauf dans ses discours, quoiqu'elle puisse l'être devenus en servant dans les bars. Elle était assez jolie quand je l'ai connue.

– Jolie ? mais oui, elle est jolie.

– Je sens un frisson sur votre petite bouche. Mais n'en parlons plus ; comme Arabella n'est rien pour moi, qu'elle est virtuellement mariée à un autre, pourquoi viendrait-elle nous troubler ?

– Êtes-vous sûr qu'elle est mariée ? En avez-vous vous eu des nouvelles précises ?

– Précises, non. Mais c'est pour cette raison qu'elle m'a demandé de la libérer. Elle et l'homme qu'elle a trouvé désiraient vivre convenablement, d'après ce que j'ai compris.

– Oh ! Jude, c'était, c'était Arabella, cria Sue, couvrant son visage de ses mains, et je suis si misérable ! Cela me paraît de si mauvais augure, quelle que soit la raison qui l'amène ici ! Il n'est pas possible que vous la voyiez, n'est-ce pas ?

– Je ne le pense pas, réellement. Il me serait pénible de lui parler maintenant, et à elle comme à moi. Quoi qu'il en soit, elle est partie. A-t-elle dit qu'elle reviendrait encore ?

– Non. Mais elle est partie à contrecœur.

Sue, que la moindre chose bouleversait, ne put rien manger au souper, et quand Jude eut achevé son repas, il se prépara à aller au lit. Il avait à peine éteint le feu, fermé les portes et monté l'escalier, qu'un coup retentit. Instantanément, Sue sortit de sa chambre où elle venait d'entrer.

– La voilà encore ! murmura-t-elle avec un accent épouvanté.

– Comment le savez-vous ?

– Elle a frappé ainsi la dernière fois.

Ils écoutèrent, et un coup retentit encore. Jude alla dans sa chambre à coucher et ouvrit la fenêtre. La rue obscure, habitée par des ouvriers qui se retiraient de bonne heure, était vide d'un bout à l'autre, et l'on n'y voyait qu'une forme de femme, allant et venant sous un bec de gaz à quelques mètres de là.

– Qui est là ? demanda Jude.

– Est-ce M. Fawley ? interrogea la femme d'une voix qui était, à n'en pas douter, celle d'Arabella.

Jude répondit affirmativement.

– C'est elle ? demanda Sue, qui se tenait près de la porte, les lèvres entrouvertes.

– Oui, chérie, dit Jude. Que désirez-vous, Arabella ? dit-il.

– Je vous demande pardon, Jude, de vous troubler ainsi, dit Arabella, humblement, mais je vous ai fait demander déjà ; j'ai particulièrement besoin de vous voir cette nuit, si je le puis. Je suis dans la peine et n'ai personne pour me secourir.

Il y eut un silence.

– Mais êtes-vous mariée ? dit Jude.

Arabella hésita.

– Non, Jude, je ne le suis pas. Il n'a pas voulu, après tout. Et je suis dans de grandes difficultés. J'espère trouver une autre place dans une brasserie, mais pour cela, il faut du temps et je suis réellement dans une grande détresse, à cause d'une soudaine responsabilité qui m'est arrivée d'Australie. Sans cela, je n'aurais pas voulu vous déranger, croyez-moi. J'ai besoin de vous parler à ce propos… Si vous pouviez venir et m'accompagner un bout de chemin jusqu'à l'auberge du Prince, où je dois loger cette nuit, je vous expliquerais tout. Vous pouvez bien faire cela, en considération du passé.

– Pauvre créature. Je dois lui faire la charité de l'entendre, quoi qu'elle ait à dire, je suppose, dit Jude, pris d'une grande perplexité. Comme elle doit revenir demain, cela ne fera pas beaucoup de différence.

– Mais vous pouvez aller la voir demain, Jude, dit une voix plaintive qui venait du seuil de la chambre. Oh ! c'est seulement pour vous tendre un piège, comme elle a fait autrefois, je le sais. N'y allez pas, n'y allez pas, mon chéri. C'est une femme aux passions si basses ! Je l'ai vu à sa tournure, je l'ai entendu dans sa voix.

– J'irai, dit Jude. N'essayez pas de me retenir, Sue. Dieu sait que je ne l'aime guère, maintenant, mais je ne dois pas être cruel pour elle.

Il se dirigea vers l'escalier.

– Mais elle n'est pas votre femme ! cria Sue, éperdument. Et moi…

– Vous ne l'êtes pas non plus, ma chère, en réalité, dit Jude.

– Oh ! vous allez à elle… Ne faites pas cela, Jude ! Restez à la maison. Je vous en prie, je vous en prie, restez à la maison, Jude, et n'allez pas vers elle, car, maintenant, elle n'est pas votre femme, pas plus que moi.

– Eh bien, si, elle l'est un peu plus que vous, si vous en venez là, dit-il, prenant son chapeau d'un air déterminé. Je vous ai suppliée d'être à moi ; j'ai attendu avec la patience de Job, et je ne vois pas que je sois arrivé à rien par mon abnégation. Je donnerai certainement quelque chose à cette femme et j'entendrai ce qu'elle est si anxieuse de me dire. Un homme ne peut pas moins faire.

Elle comprit, à son air, que toute opposition serait inutile. Elle ne parla plus, mais retournant dans sa chambre, humble comme une martyre, elle entendit Jude descendre l'escalier, tirer les verrous de la porte et la refermer derrière lui... Elle savait exactement à quelle distance était l'auberge qu'Arabella avait indiquée comme son logis. Il fallait à peu près sept minutes pour s'y rendre d'un pas ordinaire, sept minutes pour revenir. Si Jude n'était pas revenu dans quatorze minutes, c'est qu'il se serait attardé. Sue regarda l'horloge. Il était onze heures moins vingt-cinq. Que Jude fût entré avec Arabella, dans l'auberge, ouverte encore, qu'elle l'eût persuadé de boire avec elle – et Dieu seul savait quels désastres pouvaient alors tomber sur lui.

Il semblait que le délai fût près d'expirer, quand la porte s'ouvrit de nouveau, et Jude apparut.

Sue eut un cri extatique :

– Oh ! je savais bien que je pouvais me fier à vous ! Que vous êtes bon ! ... commença-t-elle.

Je n'ai pu la trouver nulle part dans la rue, et j'étais sorti en pantoufles. Elle a continué son chemin, pensant que j'avais le cœur assez dur pour refuser de l'écouter jusqu'au bout, pauvre femme ! Je suis revenu prendre mes souliers, car il commence à pleuvoir.

– Oh ! pourquoi vous donner tant de peine pour une femme qui s'est si mal conduite envers vous ? dit Sue, avec une explosion de désappointement jaloux.

– Mais, Sue, c'est une femme, et je l'ai aimée autrefois ; on ne peut pas se conduire comme une brute en de telles circonstances.

– Elle n'est plus votre femme depuis longtemps, exclama Sue, passionnément excitée. Vous ne devez pas aller la trouver. Vous n'en avez pas le droit. Vous ne pouvez pas la rejoindre, maintenant qu'elle n'est qu'une étrangère pour vous. Comment pouvez-vous oublier une chose pareille, mon cher, mon chéri !

– Si elle était ma femme, tandis qu'elle vivait en Australie avec un autre mari, elle est ma femme maintenant.

– Mais elle ne l'est pas. C'est justement ce que je soutiens. Il y a là une absurdité... Eh bien, vous reviendrez tout droit, après quelques minutes ; vous ferez en sorte de revenir, cher Jude. Elle est trop vile, trop grossière, pour que vous causiez longtemps avec elle. Elle l'a toujours été.

– Peut-être suis-je grossier aussi, ou malchanceux. J'ai en moi le germe de chaque infirmité humaine, je le crois véritablement. C'est pourquoi j'ai compris que j'avais un désir anormal en rêvant de devenir prêtre. Je crois m'être guéri moi-même du vice d'ivrognerie, mais je ne sais jamais sous quelle forme nouvelle un vice peut reparaître en moi. Je vous aime, Sue, quoique je vous aie attendue avec une patience inépuisable pour recevoir bien peu en retour. Je vous aime avec ce que j'ai en moi de meilleur et de plus noble, et votre affranchissement de toute matérialité m'a élevé l'âme et m'a rendu capable d'accomplir ce que je n'aurais jamais rêvé pouvoir faire, moi ni aucun homme, un an ou deux auparavant. C'est très bien de prêcher sur la maîtrise de soi et la vilenie de contraindre une femme. Mais je voudrais justement que ces quelques vertueux qui m'ont condamné autrefois, à propos d'Arabella et d'autres choses, se fussent trouvés dans ma situation de Tantale auprès de vous pendant ces dernières semaines – ils eussent pensé, je crois, que je m'étais imposé une certaine contrainte en cédant toujours à vos désirs moi qui vis ici avec vous, dans la même maison et sans une âme entre nous.

– Oui, vous avez été bon pour moi, Jude. Je reconnais que vous l'avez été, mon cher protecteur.

– Eh bien, Arabella m'appelle. Je dois sortir et lui parler, Sue, au moins.

– Je ne puis rien dire de plus. Oh ! si, vous le devez, vous le devez, dit-elle, éclatant en sanglots tels qu'elle semblait pleurer des larmes du cœur. Je n'ai personne que vous, Jude, et vous m'abandonnez. Je ne savais pas que vous étiez ainsi... Je ne puis supporter cela. Je ne puis... Si elle était à vous, ce serait bien différent.

– Ou si, vous, vous étiez à moi.

– Eh bien donc... si je le dois, je le dois... Puisque vous voyez les choses de cette façon, je consens. Je serai à vous. Seulement, je n'en avais pas l'intention. Et je n'ai pas besoin de me marier de nouveau... Mais oui, je consens, je consens. J'aurais dû savoir que vous finiriez par me conquérir, à force de temps, vivant ainsi avec moi.

Elle courut à travers la chambre et jeta ses bras autour du cou de Jude :

– Je ne suis pas une créature froide et sans sexe ; le suis-je pour vous tenir à une telle distance ? Je suis sûre que vous ne pensez pas cela. Attendez et voyez. Je vous appartiens, n'est-ce pas ? Je me rends.

– Et je disposerai tout pour notre mariage, demain, ou aussitôt que vous le désirerez ?

– Oui, Jude.

– Alors, je laisse partir Arabella, dit-il, en embrassant Sue avec douceur. Je sens que je me conduirais mal envers vous, en la voyant, et peut-être aussi envers elle. Elle n'est pas comme vous, ma chérie, et n'a jamais été ainsi ; la simple justice commande de l'avouer. Ne pleurez plus. Là... et là... et là...

Il l'embrassa sur une joue, puis sur l'autre, puis au milieu, et remit les verrous à la porte.

III

Après quinze jours ou trois semaines, les choses n'étaient pas plus avancées et aucune publication de bans n'avait frappé les oreilles de la population d'Aldbrickam.

Tandis que Jude et Sue atermoyaient ainsi, un matin, avant le déjeuner, arrivèrent un journal et une lettre d'Arabella. Le journal était un de ceux qui circulent seulement dans le sud de Londres, et la note marquée était l'annonce d'un mariage à l'église de Saint-John, Waterloo Road, entre les nommés « Cartlett-Donn », le couple uni étant Arabella et le cabaretier.

Mais l'attention de Jude était absorbée par la lettre qu'il lisait. Il dit d'une voix troublée :

– Écoutez cette lettre. Que dois-je dire ou faire ?

Les Trois Cornes, Lambeth.

« Cher Jude, – je n'ai pas l'habitude d'être assez cérémonieuse pour vous appeler M. Fawley, – je vous envoie un journal, document utile pour vous apprendre que je me suis remariée, mardi dernier, avec Cartlett. Ainsi cette histoire s'est terminée convenablement et correctement. Mais je vous écris surtout au sujet de l'affaire privée dont je désirais vous parler quand je revins à Aldbrickam.

Le fait est, Jude, bien que je ne vous en aie jamais informé plus tôt, – le fait est qu'il existe un garçon, né de notre mariage, huit mois après mon départ, quand j'étais à Sidney, vivant avec mon père et ma mère. Tout cela peut se prouver aisément. Comme je m'étais séparée avant de soupçonner l'évènement qui se préparait, et que les choses en étaient restées là et que notre querelle avait été très âpre, je ne jugeai pas nécessaire de vous écrire après la naissance de l'enfant. J'espérais acquérir une bonne situation si mes parents prenaient l'enfant, et depuis, il a toujours été avec eux. C'est pourquoi je n'en fis pas mention quand je vous rencontrai à Christminster, ni dans l'acte légal. Le petit a maintenant l'âge de raison et mon père et ma mère m'ont écrit dernièrement qu'ils avaient assez de peine à subsister là-bas et que, puisque j'étais confortablement établie, ils ne voyaient pas pourquoi ils s'encombreraient davantage d'un enfant dont les parents vivaient. Je l'aurais bien pris ici avec moi quelque temps, mais il est trop jeune pour m'être utile dans le service du bar, et ne pourrait m'aider avant des années et des années, et naturellement ce serait l'avis de Cartlett. Cependant, mes parents ont confié l'enfant à des amis qui revenaient dans leurs foyers, et je dois vous demander de le prendre quand il arrivera, car je ne sais que faire de lui. Il est légalement le vôtre ; j'en fais le serment solennel. Quoi que j'aie fait avant ou après, je vous suis restée fidèle depuis notre mariage jusqu'à notre séparation, et je reste votre

Arabella Cartlett. »

Sue semblait consternée.

– Qu'allez-vous faire, cher Jude ? demanda-t-elle faiblement.

Jude ne répondit pas, et Sue l'observa anxieusement, respirant d'un souffle pénible.

– Cela m'émeut cruellement, dit-il d'une voix sourde. Que cela soit vrai, je n'en puis douter... Il est certain que l'âge de l'enfant est exactement ce qu'il doit être... Je ne puis imaginer pourquoi Arabella ne m'en a point parlé quand je la rencontrai à Christminster et l'amenai ici dans la soirée... Ah ! je me souviens maintenant qu'elle me parla d'une chose qu'elle voulait me faire connaître, si jamais nous recommencions à vivre ensemble.

– Le pauvre enfant semble n'être recherché par personne, dit Sue, et ses yeux s'emplirent de larmes.

Jude, à ce moment, revint à lui.

– Quelle idée de la vie il doit avoir, qu'il soit ou non mon fils ! dit-il. Je dois dire que si j'étais plus riche, je ne m'arrêterais pas un instant à songer de qui il peut être. Je le prendrais et je l'emmènerais. Cette misérable question de la parenté, qu'est-ce après tout ? Et quand on y pense, qu'importe qu'un enfant soit ou ne soit pas vôtre par le sang ? Tous les enfants de notre temps appartiennent collectivement aux adultes de ce temps, et ont droit à la sollicitude générale. Cette excessive affection des parents pour leurs propres enfants, et leur indifférence envers les enfants des autres, a, comme l'orgueil de caste, le patriotisme, le souci du salut personnel, et autres vertus, un bas égoïsme à sa racine.

Sue se leva d'un bond et embrassa Jude avec une ferveur passionnée :

– Oui, c'est cela, mon chéri, nous prendrons l'enfant ici. Et s'il n'est pas de vous, tout n'en vaudra que mieux. J'espère qu'il n'est pas vôtre, quoique, peut-être, je ne doive pas penser ainsi... S'il ne l'est pas, j'aimerai beaucoup à l'avoir avec nous, comme enfant adoptif.

– Eh bien, vous ferez l'hypothèse qui vous plaira le mieux, ma curieuse petite compagne, dit-il.

– Je tâcherai d'être une mère pour lui. Nous avons le moyen de le nourrir d'une manière ou de l'autre. Je travaillerai avec plus d'acharnement... Je me demande quand il arrivera ?

– Dans quelques semaines, je suppose.

– Je désire... Quand aurons-nous le courage de nous marier, Jude ?

– Quand, vous, vous aurez ce courage, je l'aurai aussi. Cela dépend entièrement de vous, chère Sue. Dites seulement un mot, et c'est chose faite.

– Avant l'arrivée de l'enfant ?

– Certainement.

– Peut-être notre mariage lui fera-t-il un foyer plus normal, murmura-t-elle.

Jude écrivit donc, en termes formels, qu'il désirait qu'on lui envoyât l'enfant, dès son arrivée, ne faisant aucune remarque sur la nature de la surprenante révélation d'Arabella, ne manifestant aucune opinion sur l'origine de l'enfant ; et ne disant pas que, s'il eût connu la vérité sur ce point, sa conduite eût été identique.

Un soir, Jude venait de se mettre au lit et Sue allait entrer dans la chambre voisine, quand elle entendit frapper un coup et descendit.

– Est-ce que mon père habite ici ? demanda un enfant.

– Qui ?

– M. Fawley, c'est son nom.

Sue courant à la chambre de Jude et l'avertit ; il se hâta de descendre le plus vite possible, bien qu'il parût lent à l'impatience de Sue.

– Quoi… est-ce lui… si tôt ?… demanda-t-elle, quand Jude arriva.

Elle scrutait les traits de l'enfant, et soudain elle s'enfuit dans le petit salon avoisinant. Jude souleva le garçonnet à sa hauteur, le regarda ardemment avec une sombre tendresse, et lui dit qu'il serait allé l'attendre à la gare, s'il avait connu son arrivée prématurée ; l'ayant déposé provisoirement sur une chaise, il courut voir Sue dont l'extrême sensibilité était bouleversée, il le savait. Il la trouva dans les ténèbres, ployée au fond d'un fauteuil. Il l'entoura de ses bras, mit sa tête contre la sienne et murmura :

– Qu'y a-t-il ?

– Ce que dit Arabella est vrai – vrai. Je vous vois en lui.

– Oui ; en tout cas, je dois faire dans la vie comme s'il en était ainsi.

– Mais l'autre moitié de lui… C'est *Elle* ! Et c'est ce que je ne puis supporter… Mais je le dois… J'essaierai de m'y habituer… oui, je le dois.

– Jalouse petite Sue !… Je retire tout ce que j'ai dit sur votre insexualité… N'importe ! Le temps arrangera tout… Et, Sue chérie, j'ai une idée. Nous élèverons ce petit en vue de l'Université, et ce que je n'ai pu accomplir moi-même, peut-être le réaliserai-je en lui… Le succès est plus facile aux étudiants pauvres, maintenant, vous savez.

– Oh ! rêveur !… dit-elle.

Et, serrant sa main, elle revint avec lui près de l'enfant. Celui-ci la regardait comme elle le regardait :

– Est-ce vous qui êtes ma vraie mère, à la fin ? demanda-t-il.

– Pourquoi ? N'ai-je pas l'air d'être la femme de votre père ?

– Oui… excepté qu'il paraît affectueux pour vous et vous pour lui. Puis-je vous appeler ma mère ?

Une émotion passa sur le visage de l'enfant, et il se mit à pleurer.

– Vous pouvez m'appeler votre mère, si vous le désirez, mon pauvre chéri ! dit-elle, penchant sa joue sur celle du petit pour cacher ses pleurs.

– Qu'y a-t-il autour de votre cou ? interrogea Jude, avec un calme affecté.

– La clef de ma malle qui est à la gare.

Ils s'empressèrent autour de l'enfant, le firent souper et lui installèrent un lit provisoire dans lequel il s'endormit aussitôt.

IV

– Son visage est comme le masque tragique de Melpomène, dit Sue, le lendemain matin, en examinant l'enfant. Quel est votre nom, mon chéri ? Voulez-vous nous le dire ?

– On m'a toujours appelé : Petit Père le Temps. C'est un surnom… parce que je parais vieux, disait-on.

Il était l'Âge, déguisé en Jeunesse, et si mal que sa réalité apparaissait à travers les crevasses du masque. Une vague profonde, s'élevant des anciennes années de nuit, semblait parfois soulever l'enfant en ce matin de sa vie, où son visage regardait en arrière, vers quelque grand Atlantique de temps, et ne paraissant pas prendre garde à ce qu'il voyait.

– Vous semblez vieux, en effet, dit Sue tendrement. C'est étrange, Jude, que ces enfants vieux viennent toujours des pays neufs… Mais quel est votre nom de baptême ?

– Je n'ai jamais été baptisé.

– Pourquoi cela ?

– Parce que, si j'étais mort dans la damnation, cela eût épargné les frais d'un enterrement religieux.

Oh !… votre nom n'est pas Jude, alors ? demanda le père, avec quelque désappointement.

L'enfant hocha la tête.

– Je n'en ai jamais entendu parler.

– Évidemment non, dit Sue, avec vivacité, puisque Arabella vous haïssait toujours.

– Nous le baptiserons, dit Jude.

Et il dit à Sue, tout bas :

– Le jour de notre mariage.

Cependant la venue de l'enfant l'avait troublé.

Un peu gênés par la fausseté de leur situation, ayant l'impression qu'un mariage civil était moins solennel qu'un mariage religieux, ils décidèrent de renoncer cette fois à l'église. Tous deux ensemble, Sue et Jude allèrent à la mairie du district pour donner la notification légale ; ils étaient si bien devenus compagnons qu'ils pouvaient à peine rien faire d'important l'un sans l'autre.

– Cela gâte le sentiment, n'est-ce pas ? dit-elle en revenant au logis. Cela paraît en faire une affaire plus sordide que lorsqu'on signe un contrat dans une sacristie. Il y a un peu de poésie à l'église. Mais nous essayerons de nous en contenter.

– Oui, car quel homme est celui qui s'est fiancé à une femme et qui ne l'a pas épousée ? Qu'il s'en aille et retourne dans sa maison, à moins qu'il ne meure dans le combat, et qu'un autre homme épouse la femme. Ainsi parle le législateur juif.

– Comme vous connaissez bien les Écritures, Jude ! Réellement, vous auriez dû être pasteur. Je connais seulement les écrivains profanes.

Sur ces entrefaites, Jude se décida à relier le présent au passé, si légèrement que ce fût, en invitant au mariage la seule personne qui fût associée au souvenir de sa vie primitive à Marygreen – la vieille veuve, Mrs Edlin, qui avait été l'amie de sa grand-tante et l'avait soignée dans sa dernière maladie.

Le matin du mariage, Sue, dont la nervosité s'exagérait d'heure en heure, prit Jude à part, dans le salon, avant de partir.

– Jude, je vous prie de m'embrasser, comme un amoureux, chastement, dit-elle, se blottissant tremblante contre lui, les cils humides... Cela me semble une terrible témérité, à nous deux, que de nous marier. Je vais m'engager à vous par les mêmes paroles qui m'ont engagée à mon autre mari, et vous à moi avec les mêmes mots qui vous ont lié à votre autre femme, sans considération pour la terrible leçon que nous enseignèrent ces expériences.

– Si vous sentez un malaise, je suis malheureux, dit-il. J'avais espéré que vous vous sentiriez tout à fait joyeuse. Mais si vous ne l'êtes pas, vous ne l'êtes pas. Ce n'est pas la peine de dissimuler. Vous vous faites du mal et à moi aussi.

– C'est déplaisant comme cet autre matin, c'est tout, murmura-t-elle. Allons, maintenant.

Ils partirent, bras dessus bras dessous, pour le susdit bureau, aucun témoin ne les accompagnant, excepté la veuve Edlin. Dans le bureau, plusieurs personnes étaient rassemblées, et notre couple s'aperçut qu'on allait célébrer un mariage entre un soldat et une jeune femme. La pièce où ils se trouvaient était un lieu odieux pour deux êtres de leur tempérament, quoiqu'il parût sans doute assez quelconque à ceux qui le fréquentaient habituellement. Des livres de droit, reliés en veau, à l'ancienne mode, couvraient un mur ; et partout ailleurs étaient des annuaires des postes et autres livres de renseignements. Des liasses de papiers attachés avec des ficelles rouges étaient entassées tout autour, dans des casiers, et le parquet de bois nu était, comme le seuil, sali par les visiteurs précédents.

Le soldat était revêche et de mauvaise grâce, la fiancée était triste et timide ; elle était apparemment sur le point de devenir mère, et avait un œil poché. Leur petite affaire fut bientôt terminée et les mariés et leurs amis s'éloignèrent ; en passant, un des témoins dit par hasard à Jude et à Sue, comme s'il les eût connus auparavant :

– Voyez-vous ce couple qui part à l'instant ?… Ah ! Ah !… Ce garçon est sorti de prison justement ce matin. La fille est allée le chercher aux portes de la prison et l'a conduit tout droit ici. Elle payera tout cela.

Sue se tourna vers son ami :

– Jude… Je me déplais ici… Je voudrais que nous ne fassions pas venus. Ce lieu me fait horreur ; il convient si mal au triomphe de notre amour ! J'aurais préféré que ce fût à l'église ; ce n'est pas aussi vulgaire, là.

– Chère petite fille ! dit Jude, comme vous semblez pâle et troublée !

– Tout doit s'accomplir ici, maintenant, je suppose ?

– Non, peut-être pas nécessairement.

Il parla au clerc et revint :

– Non, nous ne sommes pas obligés de nous marier ici ni ailleurs, à moins que nous ne le désirions, même maintenant, dit-il. Nous pouvons être mariés à l'église, sinon avec le même certificat, du moins avec un autre qu'on nous donnera, je pense. En tout cas, sortons jusqu'à ce que vous soyez plus calme, chérie, et moi aussi ; nous discuterons.

Ils sortirent furtivement avec une mine de coupables, comme s'ils avaient commis quelque méfait, fermant la porte sans bruit, et disant à la veuve, qui les attendait dans le vestibule, de revenir les attendre à la maison, qu'ils prendraient des passants comme témoins à l'occasion, si cela était nécessaire. Quand ils furent dans la rue, ils prirent une allée peu fréquentée où ils se promenèrent de long en large, comme ils avaient fait longtemps auparavant dans le marché de Melchester.

Sue dit enfin :

– Cela me paraît une faiblesse aussi, de veiller, comme nous le faisons. Et cependant cela vaut bien mieux que d'agir trop précipitamment une seconde fois… Que cette scène était terrible pour moi ! L'expression de ce flasque visage de femme venant se donner elle-même à ce gibier de prison, non pour quelques heures, comme elle le voudrait, mais pour toute sa vie, comme elle le doit. Et la pauvre âme, pour éviter une honte conventionnelle, imputable à la faiblesse de son caractère, elle se dégrade jusqu'à la honte réelle d'un esclavage auprès d'un tyran qui la méprise, un homme qu'elle devait fuir pour garder sa dernière chance de salut… C'est ici notre église paroissiale, n'est-ce pas ? C'est là que nous serions allés, si nous avions suivi la coutume ? On dirait qu'on célèbre un service.

Jude alla regarder, du seuil de l'église :

– Comment… c'est aussi un mariage, dit-il.

Sue pensa que la proximité du carême causait cette affluence de cérémonies nuptiales.

– Écoutons, dit-elle, et voyons quelle impression ce mariage nous fait, quand il est célébré à l'église.

Ils entrèrent à l'église, et, placés dans un des bas-côtés, ils observèrent ce qui se passait devant l'autel. Les conjoints semblaient appartenir à la classe moyenne, et la noce était tout à fait ordinaire, sans grande élégance ni grand intérêt. Ils pouvaient voir trembler les fleurs dans la main de la fiancée, même à distance, et l'entendre murmurer mécaniquement des mots dont elle semblait ne pas comprendre le sens. Sue et Jude écoutaient et ils se voyaient chacun dans le passé s'engageant soi-même de la même façon.

– Ce n'est pas la même chose pour elle – pauvre créature – ce n'est pas la même chose que ce serait pour moi, si je me remariais, avec ce que je sais actuellement, dit Sue tout bas. Vous voyez, ils sont novices et considèrent la cérémonie comme chose toute naturelle : mais nous qui avons été réveillés par l'expérience, moi, du moins, il me semble réellement immoral de venir et d'entreprendre encore la même chose avec des yeux ouverts. Venir ici et voir ceci, m'a fait craindre le mariage religieux autant que le mariage civil... Nous sommes un couple faible et tremblant, cher Jude, et ce qui donne confiance aux autres nous inspire des doutes.

– Nous sommes horriblement sensitifs. C'est ce qui nous caractérise réellement, Sue, déclara-t-il.

– J'imagine qu'il y a beaucoup plus de gens dans notre cas que nous ne le pensons.

– Je ne sais. L'intention du contrat est bonne et utile pour un grand nombre de gens, sans doute ; mais, dans notre cas, elle détruit ses propres fins parce que nous sommes les gens étranges que nous sommes, des gens chez qui les liens domestiques, s'ils sont noués par contrainte, détruisent la cordialité et la spontanéité.

Sue soutint encore qu'il n'y avait là rien d'étrange ou d'exceptionnel, que tous étaient ainsi :

– Chacun est conduit à sentir comme nous sentons. Nous sommes un peu en avance, voilà tout. Dans cinquante ans, oui, dans vingt ans même, les descendants de ces deux époux agiront et sentiront d'une manière bien pire. Ils auront de l'humanité une vision plus intense que n'est aujourd'hui la nôtre, comme

Des formes pareilles aux nôtres hideusement multipliées et ils seront effrayés de se reproduire.

– Quel terrible vers !... quoique j'aie éprouvé ce même sentiment contre mes semblables, à des moments morbides.

– Ce qui est sûr, c'est qu'avec des raisons différentes, nous arrivons à cette même conclusion : que pour nous, en particulier, un serment irrévocable est hasardeux. Donc, Jude, retournons à la maison sans tuer notre rêve. Oui ! Que vous êtes bon, mon ami ! vous déférez à tous mes désirs.

– Ils s'accordent absolument avec les miens.

Il lui donna un petit baiser derrière un pilier, tandis que l'attention de tous était absorbée par le spectacle du cortège nuptial entrant dans la sacristie. Ils sortirent de l'édifice, mais, à la porte, ils durent attendre que deux ou trois voitures, qui s'étaient éloignées, fussent revenues ; le nouveau marié et sa femme apparurent au grand jour. Sue soupira :

– Les fleurs dans la main de la fiancée sont tristes comme la guirlande qui décorait les génisses offertes en sacrifice dans les temps anciens.

– Pourtant, Sue, ce n'est pas pire pour la femme que pour l'homme. C'est ce que quelques femmes négligent de considérer, et, au lieu de protester contre les conditions du mariage, elles protestent contre l'homme, l'autre victime ; précisément comme si une femme crucifiée invectivait l'homme qui est crucifié contre elle, tandis qu'il est seulement un malheureux désespéré, transmettant l'oppression exercée sur lui.

– Oui, quelques-unes font ainsi, au lieu de s'allier avec l'homme contre leur ennemie commune : la contrainte sociale.

Ils regagnèrent leur logis, et, passant au bras l'un de l'autre devant la fenêtre, ils virent la veuve qui les regardait.

– Eh bien ! cria leur hôtesse, quand ils entrèrent, je me disais en vous voyant venir si amoureusement : « Ils se sont décidés, à la fin ! »

Ils firent comprendre, en peu de mots, qu'il n'en était rien.

– Quoi ? vous ne vous êtes réellement pas mariés ?

– Ne dites rien à l'enfant, quand il reviendra, murmura Sue nerveusement ; il croira que tout a marché comme de droit, et il vaudra mieux qu'il ne soit pas surpris et intrigué. Naturellement, ce n'est que différé pour une nouvelle délibération. Si nous sommes heureux comme nous sommes, qu'importe-t-il aux autres ?

V

Les gens qui habitaient la rue du Printemps et le voisinage ne comprenaient généralement pas, et probablement n'étaient pas capables de comprendre, les sentiments particuliers de Suzanne et de Jude, leurs émotions, leur position, leurs craintes. Ces étranges évènements, l'arrivée inattendue d'un enfant qui appelait Jude son père et Sue sa mère, – et l'incident de la cérémonie nuptiale, tout cela, joint au bruit des procès que Jude et Sue n'avaient pas défendus devant le tribunal, ne pouvait s'expliquer pour eux.

Le Petit Temps – car, bien qu'il eût reçu formellement le nom de Jude, le surnom caractéristique lui était demeuré – le Petit Temps revenait le soir de l'école et répétait les questions et les remarques qui lui avaient été faites par les autres garçons. Elles causaient à Sue et à Jude beaucoup de peine et de tristesse.

Le résultat de tout ceci fut qu'après la tentative de mariage civil, le couple fit une absence de quelques jours (à Londres, croyait-on), après avoir chargé quelqu'un de veiller sur l'enfant. Quand Sue et Jude revinrent, ils laissèrent entendre, avec un air de dégoût et de totale indifférence, qu'ils étaient enfin légalement mariés. Sue, qu'on avait d'abord nommée Mrs Bridehead, adopta maintenant, ouvertement, le nom de Mrs Fawley.

Mais ils s'y étaient mal pris, et ce voyage secret pour conclure l'affaire augmenta beaucoup le mystère de leur vie, et ils ne se trouvèrent pas aussi avancés avec leurs voisins qu'ils l'avaient espéré. Un mystère vivant n'était pas moins intéressant qu'un scandale mort.

Personne ne les molesta, il est vrai, mais une atmosphère oppressive commença à environner leurs âmes, et leurs tempéraments étaient précisément de nature à souffrir de cette atmosphère, et incapables de l'alléger par des explications fermes et ouvertes. Leur apparent essai de réparation était venu trop tard pour être efficace.

Les commandes de monuments et d'épitaphes déclinèrent, et, deux ou trois mois plus tard, quand vint l'automne. Jude s'aperçut qu'il devrait recommencer un travail d'ouvrier à la journée, dans des conditions d'autant plus néfastes qu'il n'avait pas encore acquitté les dettes inévitablement amenées par les frais de justice de l'année précédente.

À ce moment, Jude reçut de Biles et Willis, entrepreneurs de constructions, la proposition d'aller restaurer le texte des dix Commandements peints dans une petite église de campagne, à deux milles d'Aldbrickam. Il y alla et trouva les tables de la loi juive dominant sévèrement les instruments de la grâce chrétienne, comme principal ornement au fond du sanctuaire, dans le beau style sec du siècle dernier. Leur cadre étant construit en plâtre ornemental, on ne pouvait les descendre pour les restaurer. Une partie, émiettée par l'humidité, demandait des réparations ; et quand Jude les eut terminées et qu'il eut nettoyé tout, il commença à refaire l'inscription. Le lendemain matin, Sue vint pour voir à quoi elle pouvait lui être utile, et aussi parce qu'ils aimaient à être ensemble.

Le silence et la solitude du bâtiment lui donnèrent confiance et, montant sur une plate-forme basse et solide érigée par Jude, elle commença à peindre la Première Table, pendant qu'il corrigeait une partie de la Seconde. Vers midi et demi, le vieux vicaire et son marguillier vinrent examiner le travail fait ; ils parurent surpris en découvrant qu'une jeune femme aidait le peintre. Ils passèrent dans une aile de l'église, et, à ce moment, la porte s'ouvrit encore, et une autre figure apparut, celle du Petit Temps qui pleurait. Sue lui avait dit où il pouvait la trouver entre les heures de classe, s'il le désirait. Elle descendit de son perchoir et dit :

– Qu'y a-t-il, mon chéri ?

– Je n'ai pu rester pour manger mon dîner à l'école, parce qu'on a dit...

Il raconta comment quelques garçons s'étaient moqués de lui, à cause de sa mère adoptive, et Sue, affligée, exprima son indignation à Jude qui l'écoutait d'en haut. L'enfant sortit dans la cour de l'église et Sue retourna à son travail. Sur ces entrefaites, la porte se rouvrit encore, et alors parut, tout affairée, la vieille femme en tablier qui nettoyait l'église. Sue reconnut en elle une personne qui avait des amis rue du Printemps et qui, parfois, leur faisait visite. La gardienne regarda Sue, ouvrit la bouche, leva les mains ; elle avait évidemment reconnu la compagne de Jude, comme cette dernière l'avait reconnue. Ensuite vinrent deux dames, et, après avoir causé avec la gardienne, elles se rapprochèrent aussi ; et comme Sue restait debout tout en haut, elles observèrent sa main qui traçait des lettres et regardèrent d'un air de critique toute sa personne en relief sur le mur blanc, jusqu'à ce que Sue devint si nerveuse qu'elle tremblait visiblement.

Elles retournèrent vers l'endroit où d'autres les attendaient en chuchotant, et l'une dit – sans que Sue pût l'entendre :

– Elle est sa femme, je suppose ?

– Les uns disent oui, les autres disent non, répondit la gardienne.

– Non ? Mais elle doit être sa femme... ou celle de quelqu'un... c'est très clair.

– Ils sont mariés seulement depuis quelques semaines, à moins qu'ils ne le soient pas du tout.

– Un étrange couple pour peindre les deux Tables ! Je m'étonne que Biles et Willis aient pensé à employer de telles gens.

Le marguillier supposa que Biles et Willis ne savaient rien de défavorable, et alors, l'autre, qui avait causé avec la vieille femme, expliqua ce qu'elle entendait par ces mots : des gens étranges.

Le marguillier se mit alors à raconter à haute voix une anecdote suggérée sans doute par la situation actuelle. Des ouvriers devant réparer la Table des Commandements avaient, une nuit de samedi, posé des bouteilles de rhum sur l'autel. Mais à peine avaient-ils vidé leurs verres qu'ils tombèrent sans connaissance, le diable leur étant apparu dans un coup de tonnerre. Et quand les fidèles vinrent assister au service, ils trouvèrent que les Commandements étaient peints à l'exception du mot « Pas » ce qui en dénaturait le sens.

– Telle est la tradition, acheva le marguillier. Prenez cette histoire pour ce qu'elle vaut, mais le cas que nous voyons aujourd'hui me l'a remise en mémoire, comme je vous le dis.

Les visiteurs regardèrent encore une fois, comme pourvoir si Jude et Sue n'avaient pas, eux aussi, oublié d'écrire le mot « Pas ». Ensuite ils quittèrent l'église, et la vieille femme elle-même finit par s'en aller. Sue et Jude, qui ne s'étaient pas arrêtés de travailler, renvoyèrent l'enfant à l'école et restèrent sans parler ; jusqu'à ce que, la regardant de plus près, Jude s'aperçut qu'elle avait pleuré en silence.

– N'y faites pas attention, amie, dit-il. Je sais ce que c'est.

– Je ne puis supporter que ces gens ni personne puissent penser que des gens sont pervers, parce qu'ils ont choisi de vivre à leur guise. Ce sont réellement ces opinions qui rendent téméraires les gens les mieux intentionnés, et les conduisent actuellement à devenir immoraux.

– Ne vous jetez pas en bas. C'était seulement une histoire bizarre.

– Ah ! Mais nous l'avons suggérée... Je crains de vous avoir porté malheur, Jude, au lieu de vous avoir aidé en venant ici.

Avoir suggéré une telle histoire, ce n'était certainement pas chose risible, si l'on considérait sérieusement leur position. Cependant, après peu de minutes, Sue sembla voir que leur position, ce matin-là, avait un côté comique, et, essuyant ses yeux, elle se mit à rire.

– C'est drôle, après tout, dit-elle, que nous deux, parmi tout le monde, avec notre singulière histoire, soyons arrivés à faire ce que nous faisons. Vous, un réprouvé, et moi... dans ma situation... Ô cher !...

Et, couvrant scs yeux avec sa main, elle rit encore silencieusement et par intervalles, jusqu'à ce qu'elle fût tout à fait fatiguée.

– Cela vaut mieux, dit Jude gaiement. Maintenant nous sommes d'aplomb, n'est-ce pas, petite fille ?

– Oh ! mais c'est sérieux, tout de même ! (Elle soupira, comme elle ramassait le pinceau et se relevait.) Mais vous voyez qu'ils ne croient pas que nous soyons mariés. Ils ne peuvent pas le croire. C'est extraordinaire.

– Je me moque de ce qu'ils pensent ou ne pensent pas, dit Jude. Je ne me tourmenterai pas davantage à cause d'eux.

Comme ils déjeunaient, un homme entra dans l'église et Jude reconnut l'entrepreneur Willis. Il fit signe à Jude et le prit à part.

– Voici... J'ai justement reçu une plainte à ce sujet, dit-il avec un mortel embarras. Je ne voudrais pas me mêler de cela... je ne sais pas de quoi il s'agit... mais j'ai peur d'être obligé de vous demander, ainsi qu'à elle, de laisser ce travail qu'un autre devra finir. Cela vaut mieux pour éviter des désagréments. Je vous paierai la semaine, tout de même.

Jude était trop fier pour récriminer ; l'entrepreneur le paya et partit. Jude ramassa ses outils et Sue nettoya ses pinceaux. Puis leurs yeux se rencontrèrent.

– Comment pouvions-nous… être assez simples… pour supposer qu'il était possible de faire ce travail ? dit-elle, sa voix déclinant en notes tragiques. Évidemment, nous ne devions pas… Je ne devais pas venir.

– Je n'avais pas l'idée que personne pût s'introduire dans cet endroit solitaire et nous voir, répliqua Jude. Eh bien, il n'y a plus de remède, et je ne voudrais pas offenser la clientèle de Willis en restant.

… Fawley avait encore assez de dévouement à la cause de l'éducation. Il s'était affilié à une société de Progrès mutuel pour les artisans, qui avait été fondée à Aldbrickam, vers l'époque où il était venu dans cette ville. Quelques jours après l'incident qui lui avait fait abandonner les réparations de l'église, et avant qu'il eût trouvé aucun autre travail, il se rendit à une réunion du comité. Il était tard, quand il arriva ; tous les autres étaient déjà présents et, comme Jude entra, ils le regardèrent d'un air incertain et murmurèrent à peine un mot de bienvenue. Il s'aperçut qu'on avait discuté et agité quelque décision qui le concernait. Quelques affaires ordinaires furent réglées, et l'on découvrit que le nombre des souscriptions avait subitement baissé dans le quartier. Un des membres, – homme juste et vraiment bienveillant – commença à parler par énigmes sur les causes possibles de cet évènement ; il déclara qu'ils devaient bien examiner leurs règlements, car si les membres du Comité n'étaient pas respectés, s'ils n'avaient pas, au moins, – malgré leurs différences d'opinion, – une commune ligne de conduite, ils feraient tomber l'institution. Rien de plus ne fut dit en présence de Jude, mais il savait ce que cela signifiait, et, retournant à sa table, il écrivit une note résignant ses fonctions.

Ainsi le couple « supersensitif » était de plus en plus engagé au départ. Les factures affluèrent et une question se posa : que pourrait faire Jude avec le lourd et antique mobilier de sa grand-tante, s'il quittait la ville pour voyager il ne savait où ? Cela, et la nécessité de réaliser aussitôt une somme d'argent, décidèrent Jude à faire une vente, bien qu'il eût préféré emporter le vénérable mobilier.

VI

À dater de cette semaine, on ne vit plus passer Jude Fawley et Sue dans la ville d'Aldbrickam.

Où ils étaient allés, nul n'en savait rien, principalement parce que nul n'avait intérêt à le savoir. Ils avaient adopté une existence nomade, s'établissant dans les endroits où Jude trouvait du travail. Deux ans et demi s'écoulèrent ainsi.

C'était la foire du printemps à Kennetbridge. Une voiture légère, parmi d'autres véhicules, était entrée dans la ville par la route du nord et se dirigeait vers la porte d'une maison de tempérance. Là, descendirent deux femmes, l'une – celle qui conduisait – semblant une paysanne quelconque, et l'autre, de figure assez bien faite et portant un grand deuil de veuve. Son vêtement sombre la faisait paraître quelque peu déplacée dans la mêlée et le brouhaha d'une foire provinciale.

– Je vais juste chercher où c'est, Anny, dit la veuve à sa compagne, quand un homme eut emmené plus loin le cheval et la voiture, puis je reviendrai et je vous rencontrerai ici, et nous irons manger et boire quelque chose : je commence à me sentir tout à fait faible.

– De tout cœur, dit l'autre, quoique j'eusse préféré aller aux *Échecs* ou au *Jacques*. Ici, nous ne trouverons pas grand-chose.

– Allons, retenez vos appétits gloutons, mon enfant, dit-elle, d'un ton de reproche.

– Très bien. Nous nous rencontrerons dans une demi-heure, à moins que vous ne veniez avec moi chercher où est situé l'emplacement de la nouvelle chapelle.

– Je n'y tiens pas. Vous pourrez me le dire.

Les deux compagnes reprirent chacune leur chemin, celle qui portait le voile de crêpe marchant d'un pas ferme, avec un air de dédain pour le public mélangé qui l'entourait. En faisant ses recherches, elle arriva à un terrassement dans lequel des excavations révélaient les fondations d'un bâtiment. Sur le côté extérieur, une ou deux grandes affiches annonçaient que la première pierre de la chapelle qui devait être érigée là serait posée dans l'après-midi, à trois heures, par un prédicateur londonien très populaire : dans sa confrérie.

Étant certaine de son fait, la veuve aux longs habits de deuil revint sur ses pas et se donna le loisir d'observer le mouvement de la foire. Son attention fut arrêtée par un petit étalage de gâteaux et de pains d'épice, placé entre de plus prétentieux édifices de tréteaux et de toiles. Il était recouvert d'un linge immaculé et surveillé par une jeune femme apparemment peu habituée au commerce ; elle était accompagnée d'un jeune garçonnet à figure vieillotte qui l'assistait.

– Sur mon âme ! murmura la veuve, en elle-même. Sa femme Sue – c'est bien elle !…

Elle s'approcha plus près de l'éventaire.

– Comment allez-vous, mistress Fawley ? dit-elle doucement.

Sue changea de couleur et reconnut Arabella à travers le voile de crêpe.

– Comment allez-vous, mistress Carlett ? dit-elle sèchement.

Mais elle aperçut le costume d'Arabella, et sa voix devint sympathique en dépit d'elle-même :

– Quoi ?… vous avez perdu ?…

– Mon pauvre mari. Oui, il est mort subitement, il y a six semaines, me laissant assez gênée, quoiqu'il fût bon mari pour moi. Mais le profit qu'on peut tirer d'un café demeure à ceux qui fabriquent eux-mêmes leurs liqueurs et non à ceux qui les détaillent. Et vous, mon petit vieux bonhomme ? Vous ne me reconnaissez pas, je le prévois.

– Si, je vous reconnais. Vous êtes la femme que je crus être ma mère pendant quelque temps, jusqu'à ce que j'aie appris que vous ne l'étiez pas, répondit le Père le Temps.

– Très bien. N'importe. Je suis une amie.

– Jude, dit Sue tout à coup, allez sur le quai de la station avec ce plateau ; il y a un autre train qui entre en gare, je crois.

Quand il fut parti, Arabella continua :

– Il ne sera jamais beau, n'est-ce pas, le pauvre garçon ? Sait-il que je suis réellement sa mère ?

– Non. Il pense qu'il y a quelque mystère à propos de sa parenté ; c'est tout. Jude lui dira la vérité quand il sera un peu plus âgé.

– Mais comment en êtes-vous arrivée à faire ce métier ? Je suis surprise.

– C'est seulement une occupation temporaire, une idée qui nous est venue, pendant que nous étions dans l'embarras.

– Alors, vous vivez encore avec lui ?

– Oui.

– Mariée ?

– Naturellement.

– Pas d'enfants ?

– Deux.

– Et un autre qui viendra bientôt, je le vois.

Sue frémit sous la question brutale et directe et sa tendre petite bouche commença à trembler.

– Seigneur ! je croyais dire une gentillesse ! Pourquoi pleurer à propos de ça ? Bien des gens en seraient assez fiers.

– Ce n'est pas que je sois honteuse, pas comme vous croyez. Mais cela me semble si terriblement tragique de mettre des êtres au monde, cela me semble si présomptueux, que je me demande parfois si j'en ai le droit.

– Tranquillisez-vous, ma chère... Mais vous ne me dites pas pourquoi vous vendez des gâteaux ? Jude avait l'habitude d'être un garçon orgueilleux.

– Peut-être alors mon mari a-t-il changé depuis ce temps. Je suis sûre qu'il n'est pas orgueilleux maintenant. Je fais ceci parce qu'il a pris froid au commencement de l'année, en sculptant la façade d'un concert à Quatershot ; il travaillait sous la pluie, le travail devant être livré à jour fixe. Il est mieux qu'il n'a été, mais nous avons eu une crise longue et pénible...

Une vieille veuve, une amie, est venue nous aider pendant ce temps ; mais elle part bientôt.

– Eh bien, je suis devenue respectable aussi, Dieu merci, et j'ai des sentiments sérieux depuis mon veuvage. Pourquoi avez-vous choisi de vendre des pains d'épice ?

– C'est un pur accident. Jude était sorti d'une boulangerie, et il a essayé de se remettre à cet ouvrage qu'il pouvait faire sans quitter la maison. Nous appelons ces gâteaux « gâteaux de Christminster ». Il y a des fenêtres gothiques et des cloîtres, vous voyez. C'est une fantaisie de Jude de les avoir modelés en pâtisserie.

– Toujours la rengaine de Christminster, même dans ses gâteaux... C'est bien de Jude. C'est sa passion dominante. Quel bizarre garçon il est et il sera toujours !

Suc soupira et laissa voir sa détresse d'entendre critiquer Jude.

– Ne croyez-vous pas qu'il est bizarre ? Allons, vous êtes de cet avis, quoique vous soyez si entichée de lui.

– Naturellement, Christminster est une sorte de vision qui le hante et il ne sera jamais guéri d'y croire, je le suppose. Il croit encore que c'est un grand centre de pensées hautes et hardies, tandis que c'est, au contraire, un nid de vulgaires maîtres d'école dont le trait caractéristique est l'obséquiosité timide envers la tradition.

Arabella persifla Sue, moins pour ce qu'elle disait que pour la manière dont elle le disait.

– Que c'est singulier d'entendre une marchande de gâteaux parler comme ça ! dit-elle. Pourquoi n'êtes-vous pas rentrée dans l'enseignement ?

Sue hocha la tête :

– On ne veut pas de moi.

– À cause du divorce, j'imagine ?

– À cause de cela et d'autres choses. Et il n'y a aucune raison de le souhaiter. Nous avons abandonné toute ambition et n'avions jamais été plus heureux de notre vie, jusqu'à la maladie de Jude.

– Où demeurez-vous ?

– Je n'ai pas besoin de le dire.

– Ici, à Kennetbridge ?

L'attitude de Sue montra à Arabella qu'en conjecturant au hasard elle était tombée juste.

– Voilà le gamin qui revient, continua Arabella ; mon gamin à moi et à Jude.

Les yeux de Sue lancèrent un éclair :

– Vous n'avez pas besoin de me jeter cela à la figure, cria-t-elle.

– Bien… quoique j'aie un peu le sentiment que j'aurais aimé l'avoir avec moi… Mais, Seigneur ! je n'ai pas l'intention de vous le reprendre. Je pourrais croire pourtant que vous avez assez des vôtres. Il est en très bonnes mains, je le sais. Et je ne suis pas femme à trouver mal ce que le Seigneur a ordonné. Je suis arrivée à des sentiments plus résignés.

– En vérité ? Je voudrais être capable de sentir ainsi.

– Vous pourriez essayer, répondit la veuve, avec la hauteur d'une personne consciente, non seulement de sa supériorité spirituelle, mais aussi de sa supériorité sociale. Je ne me glorifie pas de m'être réveillée à la foi, mais je ne suis plus ce que j'étais. Après la mort de Cartlett, je passais devant la chapelle qui est dans une rue voisine de la nôtre, et j'y entrai pour m'y abriter contre une averse. Je sentis le besoin d'un secours quelconque qui m'aidât à supporter mon deuil, et comme celui que je trouvai là était plus fort que le gin, je pris l'habitude d'aller régulièrement à la chapelle et j'y trouvai un grand réconfort. Mais j'ai quitté Londres maintenant, vous savez, et je demeure à présent à Alfredston, avec mon amie Anny, pour être près de ma vieille campagne. Je ne suis pas venue ici aujourd'hui pour la foire. On célèbre cet après-midi la pose de la première pierre d'une nouvelle chapelle par un prédicateur très populaire de Londres, et je suis venue en voiture avec Anny. Maintenant, je dois aller la retrouver.

Arabella souhaita le bonsoir à Sue et partit.

Quand Sue eut vendu tous ses gâteaux de Christminster, elle prit sous son bras la corbeille vide et le linge qui recouvrait l'éventaire qu'elle avait loué, et, donnant le reste à l'enfant, elle quitta la rue avec lui. Ils suivirent un sentier jusqu'à la distance d'un demi-mille, où ils rencontrèrent une vieille femme portant un bébé en robe courte, et conduisant de l'autre main un autre enfant au pas incertain.

Sue embrassa les enfants et dit :

– Comment va-t-il maintenant ?

– Mieux encore, répondit gaiement Mrs Edlin. Avant que vous soyez malade, votre mari sera suffisamment rétabli. Ne vous tourmentez pas.

Ils changèrent de direction et arrivèrent près de quelques vieilles maisonnettes aux toits bruns, entourées de jardins et d'arbres fruitiers. Dans une de ces maisonnettes, ils entrèrent en levant le loquet sans frapper et pénétrèrent ensemble dans la pièce principale. Là, ils saluèrent Jude qui était assis dans un fauteuil ; ses traits naturellement délicats étaient devenus plus délicats encore, et l'espoir enfantin qu'exprimaient ses yeux suffisait à montrer qu'il avait traversé une grave maladie.

– Quoi ?… Vous les avez tous vendus ? dit-il, un air d'intérêt rayonnant sur sa figure.

– Oui : les arcades, les pignons, les croisées et tout.

Elle lui dit le résultat pécuniaire, puis elle hésita. À la fin, quand ils furent seuls, elle lui raconta sa rencontre inattendue avec Arabella et le veuvage de cette dernière.

Jude fut troublé :

– Quoi ? Elle habite ici ? dit-il.

– Non, à Alfredston, répondit Sue.

L'aspect de Jude restait sombre.

– Je pense que j'ai mieux fait de vous le dire, continua-t-elle, l'embrassant d'un air anxieux.

– Oui… Mon Dieu ! Arabella n'est plus dans les profondeurs de Londres, mais ici… Il y a à peine une douzaine de milles, à travers la campagne, d'ici à Alfredston. Que fait-elle là-bas. ?

Sue lui dit tout ce qu'elle savait.

– Elle a pris des habitudes religieuses et parle en conséquence.

– Bien, dit Jude. Peut-être est-ce pour le mieux que nous ayons presque décidé de nous en aller. Je me sens en meilleur état aujourd'hui, et je serai assez bien portant pour partir dans une semaine ou deux. Alors Edlin pourra retourner chez elle. Chère fidèle vieille amie ! la seule amie que nous ayons en ce monde.

– Où pensez-vous aller ? demanda Sue avec des larmes dans la voix.

Jude confessa sa pensée. Il dit que Sue en serait surprise, peut-être, après leur résolution d'éviter, depuis si longtemps, les lieux qu'ils avaient naguère habités. Mais, pour une chose ou une autre, il avait beaucoup pensé à Christminster dernièrement, et si cela ne déplaisait pas à Sue, lui voudrait y retourner. Pourquoi tant s'inquiéter d'être connus ? C'était par une exagération de sensibilité qu'ils y attachaient tant d'importance. Ils vendraient aussi bien des gâteaux là-bas, si Jude ne pouvait travailler. Il n'avait aucunement la honte de sa pauvreté, et peut-être redeviendrait-il aussi fort qu'auparavant, et pourrait-il se remettre à la sculpture pour son propre compte, à Christminster.

– Pourquoi tant vous préoccuper de Christminster ? dit-elle pensivement. Christminster ne vaut rien pour vous, pauvre cher ami.

– Eh bien, je ne puis m'en défendre, j'aime cette ville, quoique je sache combien lui sont odieux les hommes comme moi, ceux qu'on appelle les autodidactes ; combien elle méprise nos acquisitions laborieuses, quand elle devrait être la première à les respecter ; comme elle se moque de nos méprises et de nos fautes, quand elle devrait dire : « Je vois que vous avez besoin d'aide, mon pauvre ami… » N'importe, c'est le centre de l'univers pour moi, à cause de mon premier rêve, et rien ne peu l'altérer. Peut-être s'éveillera-t-elle bientôt à la générosité. Je prie qu'il en soit ainsi. J'aimerais y retourner vivre, peut-être y mourir. Dans deux ou trois semaines, je le pourrai, je pense. Ça sera donc en juin, et j'aimerais arriver là-bas certain jour que je sais.

L'espoir de guérison se trouva si bien justifié que, trois semaines plus tard, tous arrivaient à la ville de tant de souvenirs, et ils foulaient actuellement ses pavés, recevant le reflet du couchant qui frappait les murs en ruines.

Sixième partie

I

À leur arrivée, la station était animée. Des jeunes gens en chapeaux de paille étaient venus recevoir des jeunes filles qui leur ressemblaient étrangement, et qui étaient habillées de leurs plus brillantes et de leurs plus légères toilettes.

– L'endroit paraît gai, dit Sue. Ah ! c'est la Fête Commémorative ! Jude. Sournois que vous êtes ! Vous êtes venu exprès aujourd'hui !

– Oui, dit tranquillement Jude, en prenant dans ses bras le petit garçon, et recommandant à l'enfant d'Arabella de se tenir près d'eux, tandis que Sue s'occupait de son aîné. Je pensais que nous pouvions aussi bien venir aujourd'hui qu'un autre jour.

– Mais j'ai peur que cela vous humilie ! dit-elle en le regardant avec anxiété, de la tête aux pieds.

– Oh ! il ne doit pas être question de cela, maintenant, et nous avons beaucoup à faire avant que nous soyons installés ici. La première chose est de nous loger.

Ils laissèrent leurs bagages et les outils de Jude à la station et suivirent à pied la rue familière qui portait tous les promeneurs oisifs dans la même direction. Arrivés aux Quatre-Voies, ils allaient tourner du côté où ils devaient pouvoir trouver ce qui leur convenait quand, regardant l'horloge et la foule qui se pressait, Jude dit :

– Allons voir la procession et au diable le logement pour le quart d'heure ! Nous le trouverons bien plus tard.

– Ne faudrait-il pas avoir un toit sur nos têtes d'abord ? demanda-t-elle.

Mais Jude semblait avoir l'âme pleine de l'anniversaire, et ensemble ils descendirent la Grand-Rue, leur plus jeune enfant dans les bras de Jude, Suzanne conduisant sa fillette, et le petit garçon d'Arabella marchant d'un air rêveur et en silence à côté d'eux. Des essaims de gentilles sœurs en toilettes aériennes, et des parents ignorants, qui n'avaient connu aucun collège dans leur jeunesse, allaient dans la même direction sous l'escorte de frères et de fils dont toute la personne révélait nettement cette opinion qu'aucun être digne du nom d'homme n'avait vécu sur la terre avant qu'ils n'y fussent venus pour l'embellir à cette heure et en ce lieu.

– Ma faillite m'est renvoyée par chacun de ces jeunes gens, dit Jude. Une leçon de modestie m'attend aujourd'hui ! Jour d'humiliation pour moi !... Si vous, ma chère mignonne, n'étiez venue à mon secours, je me serais livré aux chiens, de désespoir.

Elle comprit à son visage qu'il entrait dans une de ses humeurs d'orage où il se torturait lui-même.

– Il aurait mieux valu que nous fussions allés à nos affaires, cher, répondit-elle. Je suis sûre que cette vue éveillera de vieux chagrins en vous, et ne vous fera pas de bien !

– Nous sommes tout près ; il faut voir maintenant, dit-il.

Ils tournèrent sur la gauche, le long de l'église au porche italien dont les colonnes torses étaient lourdement tapissées de plantes grimpantes, et suivirent la ruelle jusqu'à ce que se dressât aux yeux de Jude le théâtre circulaire surmonté de cette fameuse lanterne qui lui apparaissait, dans sa pensée, comme le triste symbole de ses espoirs abandonnés ; car c'était de là qu'il avait jeté un dernier regard sur la Cité des Collèges, cet après-midi de sa grande méditation où il sentit enfin la vanité de son espoir d'être un fils de l'Université.

Aujourd'hui, dans l'espace libre qui s'étendait entre ce bâtiment et le plus proche collège, se tenait une foule en attente. Un passage était maintenu libre au milieu par deux barrières de bois qui allaient de la porte du collège à la porte du grand bâtiment entre lui et le théâtre.

– Voici la place, ils vont juste passer ! cria Jude, soudain excité.

Et, s'ouvrant un chemin vers le premier rang, il prit place près de la barrière, serrant toujours le plus jeune enfant dans ses bras, tandis que Sue et les autres le suivaient de près. Les rangs se garnirent derrière eux, et la foule se mit à causer, plaisanter et rire à mesure que les voitures, les unes après les autres, arrivaient à la petite porte du collège, et que d'imposants personnages en robes rouges en descendaient. Le ciel était devenu chargé et livide et le tonnerre grondait par moments.

Le Père le Temps tremblait.

– On dirait la fin du monde, murmura-t-il.

– Ce ne sont que de savants docteurs, dit Sue. De grosses gouttes d'eau tombaient sur leurs têtes et leurs épaules, et l'attente devenait fastidieuse. Sue témoigna de nouveau son désir de ne pas rester là.

– Ils ne seront pas longs maintenant, dit Jude. Mais le cortège ne sortait pas, et l'un des curieux, pour passer le temps, se mit à examiner la façade du plus proche collège, et dit qu'il était intrigué par le sens de l'inscription latine du milieu. Jude, qui était son voisin, la lui expliqua, et, voyant que les gens tout autour de lui écoutait avec intérêt, en vint à décrire les sculptures de la frise, qu'il avait étudiées des années auparavant, et à critiquer quelques détails de maçonnerie dans les façades des autres collèges de la ville.

Tous ces gens oisifs, y compris les deux policemen préposés aux portes, ouvraient de grands yeux comme les Lycaoniens devant Paul, car Jude était capable de s'enthousiasmer sur le premier sujet venu, et ils semblaient s'étonner que cet étranger en sût plus long sur les édifices de leur ville qu'ils n'en savaient eux-mêmes. Soudain quelqu'un dit :

– Mais je connais cet homme ; il travaillait ici voilà des années... Jude Fawley, il s'appelle ! Ne vous en souvient-il plus ? On lui avait donné le sobriquet de *Y êtes... Y êtes-vous ?...* parce qu'il visait à ce genre d'occupations. Il est marié, je suppose, maintenant, et c'est son enfant qu'il tient dans ses bras. Taylor le connaîtrait bien, lui, qui connaît tout le monde.

Celui qui parlait ainsi était un nommé Jack Stagg, avec lequel Jude avait jadis travaillé à réparer ! maçonneries des collèges. Tinker Taylor, qu'on voyait tout près de là, aperçut Jude et lui cria à travers les barrières :

– Vous nous avez fait l'honneur de revenir, l'ami ?

Jude fit signe que oui.

– Et vous ne semblez pas avoir gagné grand-chose à vous en aller ?

Jude indiqua de la même manière que c'était bien son avis.

– Il a pourtant trouvé des bouches de plus à remplir.

Cela était dit par une nouvelle voix, que Jude reconnut pour être celle de l'oncle Joe, un autre camarade de travail.

Jude répliqua avec bonne humeur qu'il ne pouvait pas en disconvenir, et, de remarque en remarque, quelque chose comme une conversation générale s'engagea entre lui et la foule des oisifs. Tinker Taylor demanda à Jude s'il se rappelait encore le *Credo* en latin et la nuit du défi dans le cabaret.

– Mais la Fortune ne se trouve pas par là, interrompit Joe. Vous n'aviez pas assez de ressources pour aller jusqu'au bout.

– Ne leur répondez plus, implora Suzanne.

– Je ne crois pas que j'aime Christminster ! murmura le petit Père le Temps avec tristesse, tandis qu'il se tenait submergé et invisible dans la foule.

Mais se voyant le centre de la curiosité, de la raillerie et des commentaires, Jude n'était pas disposé à reculer devant de franches déclarations sur des choses dont il n'avait aucune raison de rougir, et bientôt il se sentit poussé à parler. S'adressant d'une voix forte à la foule qui l'écoutait :

– C'est une difficile question, mes amis, pour un jeune homme, que la question avec laquelle je fus aux prises et que des milliers sont en train de soulever à l'heure présente, à l'aurore de ces temps nouveaux. Suivra-t-on aveuglément le chemin où l'on se voit placé, sans considérer si on y est apte ; ou bien, considérera-t-on quelle aptitude ou tendance on peut avoir, afin d'y conformer sa direction ! J'ai essayé le second parti, et j'ai échoué. Mais je n'admets pas que ma faillite prouve que j'ai pris le mauvais parti, ni qu'il eût été le bon si j'avais réussi. C'est pourtant ainsi qu'on apprécie de nos jours ces tentatives, je veux dire, non d'après leur valeur essentielle, mais d'après leurs issues accidentelles. Si j'avais fini par devenir pareil à un de ces messieurs en rouge et en noir, que nous voyons entrer là en ce moment même, tout le monde aurait dit : « Voyez combien ce jeune homme fut sage de suivre la pente de sa nature ! » Mais je n'ai pas mieux fini que je n'avais commencé, et on dit : « Voyez la folie de ce garçon qui a suivi un caprice de son imagination ! »

Pourtant, ce fut ma pauvreté et non ma volonté qui se résigna à la défaite. Il faut deux ou trois générations pour faire ce que j'essayai de faire en une seule ; et mes impulsions, mes passions, peut-être faudrait-il dire mes vices, avaient trop de force pour ne pas entraver un homme sans ressources, à qui il faudrait un sang de poisson et un égoïsme de porc pour avoir vraiment une chance sérieuse de devenir un des hommes distingués de son pays. Vous pouvez me tourner en ridicule ; je comprends très bien que vous le fassiez. C'est tout à fait le cas, il n'y a pas de doute. Mais je crois que si vous saviez par où j'ai passé ces dernières années, vous me plaindriez plutôt. Et s'ils le savaient – il tourna la tête vers le collège où arrivaient séparément les personnages – il est bien possible qu'ils feraient de même.

– Il paraît malade et usé, c'est vrai ! dit une femme.

L'émotion de Suzanne se lisait sur son visage. Mais, bien qu'elle fût près de Jude, on ne le voyait pas.

– Je puis faire quelque bien avant de mourir, réaliser un effrayant exemple de ce qu'il ne faut pas faire, et ainsi illustrer une histoire édifiante, continua Jude, qui commençait à devenir amer, bien qu'il eût commencé avec assez de sérénité. Je fus peut-être, après tout, une médiocre victime de cette inquiétude morale et sociale qui fait tant de malheureux à cette heure !

– Ne leur dites pas cela, murmura Suzanne, dont les larmes éclataient devant l'état d'esprit de Jude. Vous ne fûtes pas cela. Vous avez noblement lutté pour acquérir le savoir, et seules les plus viles âmes du monde vous blâmeraient !

Jude changea de position son enfant, qui lui gênait le bras, et il conclut :

– Et le pauvre homme malade que j'apparais n'est pas ce qu'il y a de pire en moi. Je suis dans un chaos de principes, tâtonnant dans l'ombre, agissant par instinct, sans modèle. Il y a huit ou neuf ans, lorsque je vins ici pour la première fois, j'avais un bagage bien en ordre d'opinions réglées, mais elles sont tombées une à une ; et, plus je vais, moins je suis assuré. Je me demande si j'ai présentement une autre règle de vie que de suivre les inclinations qui ne font de mal qu'à moi et à personne d'autre, et de faire plaisir à ceux que j'aime le plus. Ainsi, messieurs, puisque vous vouliez savoir où j'en étais, je vous l'ai dit. Grand bien vous fasse ! Je ne puis m'expliquer davantage ici. Je m'aperçois qu'il y a quelque vice quelque part dans nos formules sociales. Lequel ? Il faudra pour le découvrir des hommes et des femmes plus clairvoyants que moi, si même ils y peuvent arriver, du moins de notre temps. « Car qui sait ce qui est bon pour l'homme en cette vie ? et qui peut dire à un homme ce qui sera après lui sous le soleil ? »

– Écoutez ! Écoutez ! dit la populace.

– Bien prêché ! dit Tinker Taylor.

Et, s'adressant à ses voisins :

– Eh ! un de ces pasteurs à tout faire qui fourmillent par là, et prennent le service quand nos révérends ont besoin d'un congé, n'aurait pas fait un tel exposé de doctrines pour moins d'une guinée. Hein ? Je parie bien que pas un ne l'aurait fait... Et ce n'est qu'un ouvrier !

Comme si les choses voulaient commenter les remarques de Jude, une voiture arriva en ce moment même, avec un docteur en retard. Il était essoufflé dans sa robe et, comme le cheval ne s'arrêta pas juste où il fallait, il sauta de la voiture et entra dans le collège. Le cocher descendit de son siège et se mit à donner à la bête des coups de pied dans le ventre.

– Si cela peut se faire, dit Jude, au seuil d'un collège, dans la ville par excellence de la religion et de l'éducation, où en sommes-nous donc ?

– Silence ! dit un des policemen, préposé avec un camarade à l'ouverture des deux grandes portes : tenez votre langue tranquille, mon brave homme, pendant le défilé du cortège.

La pluie tombait plus forte, et tous ceux qui avaient des parapluies les ouvraient. Ce n'était pas le cas de Jude, et Sue n'avait qu'une petite ombrelle. Elle était devenue pâle, bien que Jude ne le remarquât pas.

– Allons-nous-en, cher, dit-elle tout bas, en essayant de l'abriter. N'oubliez pas que nous n'avons pas encore de logement et que toutes nos affaires sont à la station. Et puis, vous n'êtes pas bien du tout encore. J'ai peur que cette pluie vous fasse mal !

– Les voilà qui arrivent. Un moment, et je vous suis, dit-il.

Un carillon de six cloches prit sa volée ; les têtes apparurent aux fenêtres et le défilé des proviseurs et des nouveaux docteurs commença ; leurs formes rouges et noires passaient devant la vision de Jude, comme d'inaccessibles planètes devant un objectif.

À mesure qu'ils défilaient, on se disait leurs noms ; et quand ils atteignirent le vieux théâtre en cirque de Wren, une acclamation s'éleva.

– Allons par là, cria Jude.

La pluie tombait à verse, mais il ne semblait pas s'en apercevoir et il les entraîna vers le théâtre. Là, ils s'arrêtèrent sur la paille étendue pour étouffer le bruit discordant des roues. Les étranges bustes de pierre, rongés par la gelée, qui entouraient l'édifice, les regardaient avec leur hideuse pâleur (en particulier Jude, Suzanne et leurs enfants), comme de grotesques personnages qui n'avaient rien à faire ici.

– Je voudrais pouvoir entrer ! dit-il fiévreusement à Sue. Écoutez... Je puis attraper quelques mots du discours latin, en restant ici ; les fenêtres sont ouvertes.

Malgré tout, à travers le bruit continu de l'orgue, les cris et les hourras qui scandaient chaque période oratoire, Jude eut beau rester sous la pluie, il n'arriva guère de latin à ses oreilles que, de temps à autre, un mot sonore en *um* ou *ibus*.

– Oui,... je suis un paysan qui reste dehors, jusqu'à la fin de mes jours ! soupira-t-il après quelque temps. Maintenant, je veux bien partir, ma patiente Sue. Quelle bonté est la vôtre de m'attendre dans la pluie tout ce temps, pour satisfaire ma folie ! Je n'aurai plus jamais souci de ce lieu maudit, plus jamais, sur mon âme ! Mais qu'est-ce qui vous faisait trembler ainsi quand nous étions à la barrière ! Et comme vous êtes pâle, Sue !

– J'ai vu Richard dans la foule de l'autre côté.

– Ah ! vraiment ?

– Il est évidemment venu à Christminster pour voir la fête, comme nous tous. Et j'en conclus qu'il ne doit pas habiter bien loin. Il avait la même passion de l'Université que vous-même, sous une forme plus douce. Je ne crois pas qu'il m'ait vue, bien qu'il vous ait sans doute entendu haranguer la foule. Mais il ne semblait pas y faire attention.

– Eh bien, supposez qu'il vous ait vue. Plus rien ne vous trouble à son sujet, maintenant, ma Suzanne ?

– Non, certes. Mais je suis faible. J'ai beau savoir que tout est bien ainsi ; j'ai senti je ne sais quelle crainte devant lui : un respect ou une terreur des conventions auxquelles je ne crois pas. Cela m'envahit parfois, comme une sorte de paralysie qui se glisse, et je suis si triste alors !

– Vous êtes fatiguée, Sue. Oh !... j'oubliais, chérie ! Oui, nous allons partir ensemble.

Ils s'en allèrent à la recherche d'un logement, et finirent par trouver quelque chose qui semblait pouvoir convenir, dans Mildew Lane ; un endroit qui séduisait Jude irrésistiblement, bien qu'il n'exerçât pas la même fascination sur Suzanne ; un passage étroit qui donnait sur le derrière d'un collège, mais sans communication avec lui. Les petites maisons étaient plongées dans l'ombre par les hauts bâtiments collégiaux, à l'intérieur desquels la vie était aussi éloignée de celle des gens de la rue que si elle avait été de l'autre côté du globe ; pourtant, il n'y avait entre elles que l'épaisseur d'une muraille. Deux ou trois de ces maisons avaient des écriteaux de chambres à louer. Les nouveaux arrivants frappèrent à une porte qu'une femme ouvrit.

– Ah ! Écoutez ! dit soudain Jude, au lieu de s'adresser à elle.

– Quoi ?

– Ces cloches… Quelle église cela peut-il être ? Leur son m'est familier. Une autre envolée de cloches s'élevait à quelque distance.

– Je ne sais pas, dit d'un ton aigre la propriétaire. Avez-vous frappé pour me demander cela ?

– Non, c'est pour un logement, dit Jude, qui revint à lui.

La maîtresse du lieu examina un instant Suzanne.

– Nous n'avons rien à louer, dit-elle, et elle referma la porte.

Jude avait l'air déconcerté, et le gamin en détresse.

– Maintenant, Jude, dit Suzanne, laissez-moi essayer, vous ne savez pas vous y prendre.

Ils trouvèrent un second endroit, tout près. Cette fois le propriétaire observa non seulement Suzanne, mais encore le gamin et les petits enfants. Il dit d'un ton poli :

– Je suis désolé de vous dire que nous ne louons pas quand il y a des enfants, et il ferma aussi la porte.

Le bébé faisait la moue et pleurait en silence, avec l'instinct que les choses n'allaient pas. Le gamin soupirait :

– Je n'aime pas Christminster ! disait-il. Est-ce que ces grandes vieilles maisons sont des prisons ?

– Non, des collèges, dit Jude, où vous étudierez peut-être quelque jour.

– J'aimerais mieux pas ! répliqua l'enfant,

– Nous allons essayer encore une fois, dit Suzanne. Je vais m'envelopper dans mon manteau… Quitter Kennetbridge pour cet endroit, c'est passer de Caïphe à Pilate !… Comment suis-je maintenant, cher ?

– Personne ne pourrait s'apercevoir de votre état, dit Jude.

Il y avait une autre maison, et ils firent une troisième tentative. La femme, cette fois, fut plus aimable. Mais elle n'avait qu'une petite chambre de libre et ne pouvait consentir à y recevoir Suzanne et ses enfants que si le mari allait ailleurs. Ils furent bien forcés d'accepter cette combinaison, car il était urgent de ne pas pousser plus loin leurs recherches à cette heure tardive. Ils s'arrangèrent avec elle, bien que son prix fût plutôt élevé pour leur bourse. Mais ils n'étaient pas en état de pouvoir discuter tant que Jude n'aurait pas le temps de se procurer une habitation moins provisoire. Suzanne s'installa donc dans cette maison.

La chambre, au second étage, sur le derrière, avait un petit cabinet pour les enfants. Jude se reposa et but une tasse de thé. Il découvrit avec plaisir que la fenêtre donnait sur la façade de derrière d'un des collèges. Puis, les ayant embrassés tous les quatre, il sortit pour acheter quelques objets indispensables et se chercher un logement.

Quand il fut parti, la propriétaire monta causer un peu avec Suzanne et apprendre un peu l'histoire de la famille qu'elle avait prise chez elle.

Sue ignorait l'art des tergiversations, et, après avoir raconté quelques faits, comme les difficultés et les voyages des derniers temps, elle tressaillit à cette question soudaine de la propriétaire :

– Êtes-vous réellement mariée ?

Suzanne hésita ; puis, cédant à son impulsion, dit à la femme que son mari et elle avaient été malheureux dans leurs premiers mariages ; après quoi, terrifiés à la pensée d'une seconde union irrévocable, et de peur que les conditions du contrat ne tuent leur amour, désirant pourtant être ensemble, ils n'avaient littéralement pas eu le courage de répéter la cérémonie, bien qu'ils l'eussent essayé deux ou trois fois. Aussi bien qu'au sens où elle prenait le mot, elle fût une femme mariée, au sens de la propriétaire elle ne l'était pas.

La dame parut embarrassée et descendit. Suzanne vint s'assoir près de la fenêtre, et se prit à rêver, en regardant la pluie. Son repos fut interrompu par le bruit d'une entrée dans la maison, puis par les voix d'un homme et d'une femme qui causaient dans le corridor, à l'étage au-dessous. Le mari de la propriétaire venait d'arriver et elle lui expliquait l'entrée des locataires durant son absence.

La voix de l'homme prit soudain un accent irrité :

– Avons-nous besoin d'une pareille femme ici, maintenant ? Et peut-être un accouchement !… D'ailleurs, n'avais-je pas dit que je ne voulais pas d'enfants ? Le vestibule et l'escalier fraîchement peints, pour qu'ils y donnent des coups de pied ! Vous auriez dû comprendre qu'il y avait quelque chose d'irrégulier… des gens qui viennent comme ça… Prendre une famille, quand j'ai dit un homme seul.

La femme fit ses observations, mais le mari, semblait-il, tenait bon, car bientôt un petit coup frappé à la porte de la chambre, et la propriétaire apparut.

– Je suis désolée de vous dire, madame, que je ne puis pas du tout vous laisser la chambre pour la semaine. Mon mari s'y oppose, et je dois donc vous demander de partir. Je ne voudrais pas vous laisser dehors ce soir, car il se fait tard dans l'après-midi, mais je serai heureuse si vous pouvez quitter la maison demain matin de bonne heure.

Bien qu'elle sût qu'elle avait droit à son logement une semaine, Suzanne ne voulut pas mettre le trouble entre la femme et le mari et elle dit qu'elle ferait comme on lui demandait. Quand la propriétaire fut partie, Sue regarda de nouveau par la fenêtre. Voyant que la pluie avait cessé, elle proposa au gamin de sortir, quand elle aurait couché les petits, afin de chercher une autre place et de la retenir pour le lendemain, de façon à ne pas être obligés de recommencer les pénibles tentatives d'aujourd'hui.

Donc, au lieu de défaire les malles, que Jude venait précisément d'envoyer de la station, ils allèrent à travers les rues mouillées, qui n'étaient malgré tout pas désagréables. Suzanne ne voulait pas troubler son mari avec la nouvelle de son congé, tandis qu'il avait lui-même peut-être l'embarras de son propre logement. En la compagnie du garçon, elle erra d'une rue à l'autre, mais elle eut beau essayer une douzaine de maisons différentes, elle fut plus mal reçue toute seule qu'elle ne l'avait été en compagnie de Jude, et elle ne put obtenir de personne qu'on lui promit une chambre pour le jour suivant. Partout on regardait de travers cette femme et cet enfant qui cherchaient un logement à la brune.

– Je n'aurais pas dû naître, n'est-ce pas ? dit le gamin d'un air craintif.

Exténuée, Suzanne finit par revenir là où, sans être bienvenue, elle avait du moins un abri momentané. En son absence, Jude avait laissé son adresse. Mais sachant combien il était faible encore, elle s'en tint à sa décision de ne pas le troubler jusqu'au lendemain.

Suzanne était assise, les yeux fixés sur le plancher nu de la chambre ; la maison n'était guère qu'un vieux cottage de ville. Elle regarda le paysage à travers la fenêtre sans rideaux. Tout près, en face, les murs extérieurs de Sarcophagus Collège, silencieux, noirs et sans fenêtres, jetaient leurs quatre siècles d'ombre, de bigoterie et de délabrement dans la petite chambre qu'elle occupait ; ils interceptaient le clair de lune, le soir, et le soleil, le jour. Au-delà, on apercevait aussi la silhouette de Rubric Collège, et plus loin encore, la tour d'un troisième. Sue songeait à l'étrange empire de cette passion assez forte sur l'âme de Jude pour le pousser, lui, qui l'aimait si tendrement ainsi que ses enfants, à les mettre là, dans ce voisinage déprimant, parce que son rêve le hantait encore. Même maintenant, il n'entendait pas distinctement le glacial refus que ces savantes murailles avaient renvoyé à son désir.

L'insuccès des recherches pour un logement et le manque de chambre dans cette maison pour son père avaient fait une profonde impression sur le jeune garçon ; une sorte d'horreur concentrée et profonde semblait l'avoir envahi. Il rompit le silence par ces mots :

– Mère, que ferons-nous demain ?

– Je ne sais pas, dit Suzanne d'un ton découragé. J'ai peur que cela ne tourmente votre père,

– Je voudrais que mon père fût tout à fait bien, et qu'il y eût ici une chambre pour lui ! Et puis, cela n'a pas tant d'importance ! Pauvre père !

– Pas d'importance !

– Y puis-je quelque chose ?

– Non ! Tout est tourment, malheur et souffrance !

– Mon père est parti pour nous donner la chambre, à nous, les enfants, n'est-ce pas ?

– Surtout pour cela.

– Il vaudrait mieux ne pas être au monde, n'est-il pas vrai ?

– Cela vaudrait presque mieux, chéri.

– C'est aussi à cause de nous, les enfants, n'est-ce pas, que vous ne pouvez pas vous procurer un bon logement ?

– Oui ; on ne veut pas d'enfants, quelquefois.

– Alors, si les enfants causent tant de trouble, pourquoi en a-t-on ?

– Oh !… parce que c'est une loi de nature.

– Mais nous ne demandons pas à naître.

– Non, à la vérité.

– Et ce qui est pire avec moi, c'est que vous n'êtes pas ma vraie mère, et que vous n'aviez pas besoin de m'avoir sans le vouloir. J'aurais dû ne pas vous venir, voilà la vérité. Je les gênais en Australie, et je gêne ici. Je voudrais n'être jamais né !

– Vous ne pouvez pas empêcher cela, mon chéri.

– Je pense que quand des enfants naissent, sans qu'on les ait voulus, il faudrait les tuer tout de suite et ne pas les laisser grandir et marcher !

Suzanne ne répondit pas. Elle se demandait comment traiter cet enfant trop réfléchi.

Elle finit par conclure que, dans la mesure où les circonstances le permettaient, elle devait être loyale et franche avec quelqu'un qui prenait part à ses peines comme un ami de son âge.

– Il en viendra bientôt un autre dans notre famille, insinua-t-elle avec hésitation.

– Comment ?

– Il viendra bientôt un autre bébé.

– Quoi ? (L'enfant bondit de fureur). Ô Dieu ! mère, vous n'en avez pas demandé un autre ; vous avez tant de peine avec ceux que vous avez déjà !

– Si ! je l'ai fait, je suis attristée de le dire, murmura Sue, les yeux brillants de larmes suspendues à ses cils.

L'enfant éclata en sanglots :

– Oh ! vous êtes imprudente, vous êtes imprudente, cria-t-il d'un ton d'amer reproche. Comment avez-vous jamais pu, mère, être si méchante et si cruelle ! Vous auriez pu attendre que nous fussions tous mieux, et le père bien portant. Nous jeter tous dans un pire chagrin. Pas de chambre pour nous, le père obligé de s'en aller, nous, forcés de partir demain, et encore vous allez avoir bientôt un autre enfant !… Cela tombe mal, mal, mal !…

Il allait et venait en sanglotant.

– Il ne faut pas m'en vouloir, mon petit Jude. (Sue s'excusait, aussi haletante que l'enfant). Je ne puis vous expliquer… Je le ferai, quand vous serez plus âgé. Il vous semble… que cela tombe mal, maintenant que nous sommes dans un tel embarras… Je ne puis vous expliquer, chéri. Mais ce n'est pas… tout à fait exprès… Je n'ai pu l'empêcher.

– Si ! vous l'auriez pu. Car personne ne peut s'introduire parmi nous, comme cela, si vous n'y consentez. Je ne pourrai jamais vous pardonner, jamais… Je ne croirai jamais que vous m'aimez, ma mère, ni moi ni les autres.

Il sortit et alla dans le cabinet attenant à la chambre, où un lit avait été arrangé sur le parquet. Là, Sue l'entendit qui disait :

– Si nous autres, enfants, nous étions partis, il n'y aurait plus de tourment, plus du tout.

– Ne pensez pas cela, chéri ! cria-t-elle ; mais allez dormir.

Le matin suivant, elle se réveilla vers six heures, et résolut d'aller avant le déjeuner à l'auberge de Jude, pour lui dire ce qui s'était passé depuis son départ.

Elle le trouva en train de déjeuner dans l'obscure taverne qu'il avait choisie pour compenser la dépense du logement meublé ; et elle lui expliqua qu'elle allait être sans abri.

– Vous viendrez tous dans cette auberge passer un jour ou deux, dit-il. C'est un endroit assez déplaisant, et cela sera moins agréable pour les enfants, mais nous aurons le temps de chercher dans les environs. Il y a beaucoup de logements à louer dans les faubourgs, dans mon vieux quartier de Beersheba. Déjeunez avec moi puisque vous êtes ici, mon petit oiseau. Êtes-vous sûre d'être bien portante ? Vous aurez largement le temps de revenir et de préparer le repas des enfants avant leur réveil. Au fait, j'irai avec vous.

Elle partagea le déjeuner hâtif de Jude ; un quart d'heure après ils partirent ensemble, résolus à purger immédiatement de la présence de Sue le trop respectable logement. Quand elle rentra et qu'elle monta chez elle, Sue trouva que tout était tranquille dans la chambre des enfants. Elle pria la propriétaire, d'un ton craintif, de vouloir bien apporter la bouilloire et ce qu'il fallait pour leur déjeuner. Ce fut fait, et, prenant une couple d'œufs qu'elle avait achetés, Sue les mit dans l'eau bouillante et chargea Jude de les surveiller pour le repas des deux petits, tandis qu'elle allait les appeler, car il était à peu près huit heures et demie.

Jude restait courbé sur la bouilloire, sa montre à la main, surveillant les œufs, le dos tourné à la petite chambre où reposaient les enfants. Un cri perçant le fit brusquement se retourner. Il vit que la porte du cabinet, qui avait paru jouer pesamment sur ses gonds quand Sue l'avait poussée, était ouverte, et que Sue était tombée sur le parquet juste au seuil de la chambre. Jude se précipita pour la relever, et jeta les yeux vers le petit lit déplié sur des planches ; les enfants n'y étaient pas. Il regarda de tous côtés avec perplexité. Au revers de la porte étaient fixés deux crochets pour suspendre les habits, et à ces crochets pendaient les corps des deux petits enfants, un morceau de corde enroulé autour du cou, tandis qu'à un clou posé un peu plus loin, le corps du petit Jude était accroché de la même manière. Une chaise était renversée près de l'aîné des enfants dont les yeux ternes regardaient fixement à travers la chambre, mais ceux de la petite fille et du bébé étaient fermés.

À demi paralysé par l'effroyable et monstrueuse horreur de cette scène, Jude laissa Suzanne gisante, coupa les cordes avec son couteau de poche et étendit les trois enfants sur le lit ; mais le contact de leurs corps pendant le court moment où il dut les manier lui révéla qu'ils étaient morts. Jude revint à Suzanne évanouie et la porta sur le lit, dans l'autre chambre ; après quoi, tout hors d'haleine, il avertit la propriétaire et courut chercher un médecin. Quand il rentra, Sue était revenue à elle, et les deux femmes impuissantes, penchées sur les enfants avec des efforts acharnés pour les rappeler à la vie, le trio des petits cadavres, composaient une scène qui lui enleva tout son sang-froid. Le médecin le plus proche arriva, mais, comme Jude l'avait prévu, sa présence était inutile. Les enfants ne pouvaient être sauvés, car bien que leurs corps fussent à peine froids, le docteur conjectura qu'ils avaient dû rester pendus plus d'une heure. L'hypothèse que formèrent les parents plus tard, quand ils furent capables de raisonner sur ce cas, fut que l'aîné des enfants, au réveil, regardant dans la chambre voisine et n'y trouvant pas Sue, tomba dans un accès de désespoir auquel les évènements et la révélation de la veille prédisposaient son tempérament morbide. D'ailleurs, on trouva sur le parquet un morceau de papier où l'enfant avait écrit ces mots, avec un bout de crayon, qu'il portait habituellement : « Fait parce que nous sommes trop. »

À cette vue, les nerfs de Suzanne se déchaînèrent complètement, et la terrible conviction que sa causerie avec l'enfant avait été la cause majeure de cette tragédie la jeta dans une agonie convulsive qui ne connaissait point de répit. On l'emporta contre sa volonté dans une chambre à l'étage inférieur ; et là, elle resta étendue, son délicat visage tout secoué de soupirs, ses yeux fixés au plafond, et la logeuse essayant vainement de l'apaiser.

De cette chambre, on pouvait entendre les gens qui allaient et venaient en haut, et Sue implorait qu'on lui permit de remonter ; on ne put l'en empêcher qu'en lui assurant que s'il y avait quelque espoir, sa présence pouvait être nuisible, et qu'en lui rappelant comment il lui était nécessaire de prendre soin d'elle-même, à moins de mettre en danger la vie d'un enfant à venir. Ses questions étaient incessantes ; enfin, Jude descendit et lui dit qu'il n'y avait plus d'espoir. Dès que Suzanne put parler, elle l'informa de ce qu'elle avait dit au petit garçon, et comment elle pensait être cause de tout ce qui était arrivé.

– Non, dit Jude. C'était dans sa nature d'agir ainsi. Le médecin dit qu'il y a des enfants comme cela, qui surgissent parmi nous, des enfants d'une espèce inconnue dans la génération précédente : de nouvelles visions de la vie qui se manifestent. Ils semblent en voir toutes les terreurs avant d'être assez âgés pour sentir en eux la force de les affronter. Il dit que c'est le commencement de l'universel vouloir de ne pas vivre. C'est un homme avancé, le docteur, mais il ne peut pas donner de consolation à...

Jude avait refoulé sa propre douleur par pitié pour Suzanne ; maintenant, il tombait accablé, et ce spectacle obligea Sue à des efforts d'affection qui l'arrachèrent quelque peu aux poignants reproches qu'elle s'adressait à elle-même. Quand tout le monde fut parti, elle fut autorisée à voir les enfants.

La face de l'aîné racontait toute leur histoire. Sur ce petit visage étaient concentrées toutes les ombres, toutes les choses de mauvais augure qui avaient assombri le premier mariage de Jude – et tous les accidents, tous les malentendus, toutes les craintes, toutes les erreurs du second. Il était leur nœud, leur foyer, leur expression en un terme unique. Il avait gémi par l'imprudence de ses parents, il avait tremblé par leur mésintelligence, il était mort de leurs malheurs.

Quand la maison redevint silencieuse et qu'il n'y eut plus rien à faire qu'à attendre l'enquête du magistrat, une grande voix, basse et comme étouffée, s'épandit dans l'air de la chambre à travers l'épaisseur des murs.

– Qu'est-ce que cela ? dit Sue, retenant sa respiration spasmodique.

– C'est l'orgue de la chapelle du collège. L'organiste étudie, je suppose. C'est le thème du soixante-treizième psaume : « Dieu est sincèrement aimé dans Israël. »

Elle sanglota encore.

– Oh ! mes petits ! Ils n'avaient fait aucun mal. Pourquoi les a-t-on pris et non pas moi !

Il y eut une autre accalmie, rompue par la conversation de deux personnes qui parlaient quelque part, au-dehors.

– Ils parlent de nous, sans doute, gémit Suzanne. « Nous sommes un spectacle au monde, aux anges et aux hommes. »

Jude écouta :

– Non, ils ne parlent pas de nous. Ce sont deux ecclésiastiques d'opinions différentes, qui discutent sur la question d'Orient.

Un autre silence, jusqu'à ce que Sue fût saisie d'un inapaisable accès de douleur :

– Il y a quelque chose, hors de nous, qui nous dit : « Non : » qui a dit d'abord : « Vous n'étudierez pas ; » puis : « Vous ne travaillerez pas, » et maintenant : « Vous n'aimerez pas. »

Il essaya de la calmer en lui disant :

– C'est cruel de votre part, chérie.

– Mais c'est vrai.

Ainsi, ils attendaient, et Sue rentra dans sa chambre. Elle n'avait pas voulu qu'on enlevât la robe et les souliers du bébé qui étaient posés sur une chaise au moment de sa mort, – bien que Jude eût désiré les ôter de sa vue.

Mais chaque fois qu'il y touchait, Sue le suppliait de les laisser là, et elle éclata en transports de colère contre la propriétaire, qui essayait aussi de les emporter.

Jude craignait les silences apathiques de Suzanne plus que ses violences :

– Pourquoi ne me parlez-vous pas, Jude ? dit-elle après un de ces accès. Ne vous détournez pas de moi ! Je ne puis supporter la solitude que je sens loin de vos regards.

– Là, chérie… Je suis ici, dit-il, appuyant son visage contre celui de Sue.

– Oui… Ô mon compagnon, notre union parfaite, la fusion de deux être en un seul, elle est maintenant souillée de sang.

– Assombrie par la mort… c'est tout.

– Ah ! c'est moi qui l'ai incité vraiment, quoique j'ignorasse ce que je faisais. J'ai parlé à cet enfant comme on ne parle qu'aux gens d'âge mûr. Je lui ai dit que le monde était contre nous ; qu'il valait mieux mourir que vivre à ce prix ; et il a pris cela au pied de la lettre. Et je lui disais aussi que j'allais avoir un autre enfant. Cela l'a bouleversé. Oh ! comme il me fit des reproches amers !

– Pourquoi lui parliez-vous ainsi, Sue ?

– Je ne puis le dire. C'est que j'avais besoin d'être sincère. Je ne pouvais supporter de le tromper sur les faits de la vie. Et cependant je n'étais pas sincère, car, avec une fausse délicatesse, je lui parlais trop obscurément. Pourquoi fus-je à moitié plus sage que les autres femmes ? Pourquoi la demi-sagesse seulement ? Pourquoi n'ai-je pas dit à cet enfant d'agréables mensonges, au lieu de demi-réalités ? Ce fut mon besoin de sincérité qui me rendit incapable et de cacher les choses et de les révéler.

– Votre intention eût été bonne dans la majorité des cas, mais, dans notre cas particulier, cela risquait de tourner mal, peut-être. L'enfant eût connu la vérité tôt ou tard.

– Et justement, je faisais à mon bébé chéri une robe neuve ! Et jamais je ne le verrai avec cette robe, jamais plus je ne lui parlerai… Mes yeux sont si gonflés que je puis à peine voir… et pourtant, il y a un peu plus d'un an, je me disais heureuse ! Nous nous sommes trop aimés, nous laissant aller jusqu'à l'égoïsme. Nous disions – vous en souvenez-vous ? – que nous ferions une vertu de la joie. Je disais que c'était l'intention de la nature, sa loi, sa raison d'être que nous fussions joyeux par les instincts qu'elle a mis en nous : instincts que la civilisation a pris à tâche de contrecarrer. Quelles choses terribles je disais ! Et maintenant le sort nous frappe par derrière, parce que nous avons été assez fous pour prendre la nature au mot.

Elle tomba dans une méditation tranquille, jusqu'à ce qu'elle dit :

– Il vaut mieux peut-être qu'ils soient morts… Oui… Je le vois… Mieux vaut être cueilli dans sa fraîcheur que de demeurer pour se flétrir misérablement.

– Oui, répondit Jude. Quelques-uns disent que les adultes devraient se réjouir quand leurs enfants meurent au premier âge.

– Mais ils ne savent pas !… Ô mes petits, mes petits, que n'êtes-vous vivants encore ! On peut dire que l'aîné désirait mourir ; autrement, il n'eût pas fait cela. Ce n'était pas déraisonnable, pour lui, de mourir ; c'était la loi de sa nature incurablement triste, pauvre petit garçon ! Mais les autres… mes enfants *à moi* et à vous !

Sue regarda encore la petite robe suspendue, les bottines et les souliers ; toutes les fibres de son visage tressaillirent.

– Je suis une créature pitoyable, dit-elle ; je ne vaux rien ni pour la terre, ni pour le ciel. Je suis aliénée de moi par les choses. Où est le devoir ?

Elle fixait ses yeux sur Jude et serrait fortement sa main.

– Il n'y a rien à faire, répondit-il. Les choses sont ce qu'elles sont, et elles vont à la fin qui leur fut destinée.

Elle l'interrompit :

– Oui. Qui a dit cela ? demanda-t-elle, avec peine.

– C'est dans un chœur d'*Agamemnon*. Cela me revient sans cesse à l'esprit depuis le malheur.

– Mon pauvre Jude ! Comme vous avez tout manqué ! vous, plus que moi, car je vous ai entraîné ! Dire que vous avez appris cela par vos lectures, sans aucune aide, et que vous êtes encore dans la pauvreté et le désespoir.

Après ces diversions momentanées, sa douleur remontait comme une vague.

Les magistrats vinrent examiner les corps, l'enquête fut close ; et bientôt arriva le mélancolique matin des funérailles. Les récits des journaux avaient attiré des flâneurs curieux qui restaient à contempler les volets et les murs. Le doute qui régnait sur les réelles relations du couple ajoutait un piment à leur curiosité. Sue avait déclaré qu'elle suivrait ses deux petits jusqu'à leur tombe, mais, au dernier moment, elle s'évanouit, et pendant qu'elle était gisante, les cercueils furent doucement emportés hors de la maison. Jude monta dans la voiture et l'on partit, au grand soulagement du logeur qui n'avait plus sur les bras que Sue et son bagage et espérait bien en être débarrassé au plus tard dans la journée.

Quand Jude eut vu mettre en terre les deux petites caisses (on avait réuni dans la même les deux plus jeunes enfants), il se hâta de revenir vers Suzanne. Elle était toujours dans sa chambre et il ne voulut pas la troubler. L'anxiété pourtant le ramena vers quatre heures. La propriétaire le croyait toujours couchée, mais elle revint dire à Jude que Sue n'était plus dans la chambre à coucher. Son chapeau et son manteau manquaient aussi ; elle était sortie. Jude se précipita à l'auberge où il passait la nuit. On ne l'y avait pas vue. Alors, se demandant ce qui avait pu arriver, il suivit la route jusqu'au cimetière, où il entra. Il se dirigea vers le lieu de la récente inhumation. La foule des oisifs que le drame avait attirés à l'enterrement était partie à cette heure. Un homme avec une pelle à la main, ramenait la terre sur la tombe commune des enfants, mais une femme lui retenait le bras et, debout sur le trou à demi comblé, suppliait. C'était Suzanne. Dans ses vêtements de couleur, qu'elle n'avait jamais pensé à changer pour ceux qu'il lui avait achetés, elle donnait l'impression d'une douleur plus profonde que n'aurait pu l'exprimer l'appareil du deuil conventionnel.

– Il entasse la terre sur eux, mais il ne le fera pas, sans que j'aie revu mes chers petits ! cria-t-elle avec un accent sauvage quand elle vit Jude. Je veux les voir une fois encore. Ô Jude… je vous en supplie, Jude… je veux les voir ! Je ne savais pas que vous les laisseriez emporter pendant que j'étais endormie. Vous disiez que je pourrais les voir une fois encore avant qu'ils fussent enfermés dans le cercueil ; et puis, vous ne l'avez pas fait, mais vous les avez enlevés ! Oh ! Jude, vous êtes cruel pour moi, vous aussi !

– Elle veut que je rouvre la fosse et que je lui rende les cercueils, dit l'homme à la bêche. Il faudrait l'emporter chez elle, dans son intérêt. Elle est à peine responsable, la pauvre, cela se voit bien. Je ne peux pas les retirer de là maintenant, madame. Rentrez chez vous avec votre mari, résignez-vous, et remerciez Dieu de ce qu'il y en aura bientôt un autre pour consoler votre douleur.

Mais Suzanne suppliait toujours :

– Ne puis-je les voir une fois encore, rien qu'une ? Dites ? Rien qu'une petite minute, Jude ? Ce ne sera pas long ! Et je serai si heureuse, Jude ! Je serai si bonne et je ne vous désobéirai jamais plus, si vous voulez m'accorder cela ! Je rentrerai tranquillement après, et je ne demanderai plus jamais à les voir ? Ne le puis-je donc pas ? Pourquoi ne le puis-je pas ?

Elle continuait toujours. Jude souffrait les dernières tortures. Il se sentit tout près d'intervenir pour décider l'homme. Mais cela ne pourrait faire que du mal à Sue et il comprit qu'il fallait à tout prix qu'elle rentrât chez elle. Aussi il se pencha vers elle avec douceur, lui murmura de douces paroles et l'enlaça pour la soutenir, jusqu'à ce qu'enfin elle cédât sans résistance et se laissât emmener du cimetière.

Il aurait voulu une voiture pour regagner la maison, mais il fallait absolument économiser ; elle l'en détourna et ils rentrèrent à pied, lentement, Jude avec son crêpe noir, elle, dans ses vêtements bruns et rouges. Ils avaient à chercher un nouveau logement cet après-midi, mais Jude vit que c'était impossible et ils rentrèrent dans la maison désormais détestée. Tandis que Suzanne se mettait au lit, on envoya chercher le médecin.

Jude attendit en bas toute la soirée. On vint lui apprendre fort tard qu'un enfant était venu au monde avant terme et qu'il était, comme les autres, un cadavre.

III

Suzanne revenait à la vie, bien qu'elle eût espéré mourir, et Jude avait retrouvé du travail à son ancien chantier. Ils logeaient ailleurs, maintenant, dans la direction de Beersheba, non loin de l'église cathédrale de Saint-Silas.

Ils restaient muets devant cet antagonisme direct des choses, bien plus frappant que des obstacles absurdes et stupides. Dans leur défaite, ils prêtaient une apparence humaine aux forces contraires ; ils avaient aujourd'hui le sentiment d'une sorte de fuite devant un persécuteur.

– Il faut accepter, dit Sue avec une résignation morne. Toute l'antique fureur d'une puissance céleste s'est déchaînée sur nous, ses pauvres créatures, et nous devons nous soumettre. Il n'y a pas à choisir. Nous le devons. Il n'est pas d'usage de combattre contre Dieu.

– C'est seulement contre l'homme et les fatalités absurdes, dit Jude.

– C'est vrai, murmura-t-elle ; qu'ai-je pensé ? Je deviens superstitieuse comme un sauvage. Mais quel que soit notre adversaire, je suis réduite à la soumission. Je n'ai plus de force pour lutter, ni pour rien entreprendre… Je suis broyée, broyée… « Nous sommes devenus un spectacle au monde, aux anges et aux hommes. » Je me dis toujours cela, maintenant.

– Je sens de même.

– Que ferons-nous ? Vous travaillez à présent, mais souvenez-vous : c'est sans doute parce que notre histoire et nos relations ne sont pas absolument connues. Il est possible, si l'on savait que notre mariage n'a pas été légalisé, qu'on vous enlève votre travail, comme on l'a fait à Aldbrickam.

– J'ai peine à le croire. Peut-être n'oseraient-ils pas le faire. Cependant, je pense que nous devrions faire légaliser notre mariage aussitôt que vous serez en état de sortir.

– Vous croyez ?

– Certainement.

Et Jude devint rêveur.

– Dernièrement, dit-il, il m'a semblé à moi-même que j'appartenais à ce vaste groupe d'hommes qu'évitent les gens vertueux et qu'on appelle des séducteurs. Cela m'étonne quand j'y pense. Je n'ai pas eu conscience de cela, ni de vous avoir fait aucun tort, à vous que j'aime plus que moi-même. Cependant, je suis un de ces hommes. Je me demande s'il y en a d'autres parmi eux qui soient d'aussi aveugles, d'aussi simples créatures que je le suis moi-même. Oui, Sue, voilà ce que je suis. Je vous ai séduite. Vous étiez un type d'exception, une créature affinée, destinée par la nature à rester intacte. Mais je ne pouvais vous laisser seule.

– Non, non, Jude, dit-elle rapidement, ne vous reprochez pas d'être ce que vous n'êtes pas. Si quelqu'un est à blâmer, c'est moi.

– J'ai accepté votre résolution de quitter Philotson, et peut-être, sans moi, ne l'eussiez-vous pas pressé de vous laisser fuir.

– J'aurais fait de même. Quant à nous, le fait que nous ne sommes pas engagés par un contrat légal est le trait salutaire de notre union. Nous avons, par là, évité d'insulter, comme nous l'eussions fait, à la solennité de notre premier mariage.

– Solennité ?

Jude la regarda avec quelque surprise, et il prit conscience qu'elle n'était plus la Sue des premiers temps.

– Oui, dit-elle d'une voix un peu tremblante, j'ai eu des craintes terribles, un sentiment terrible de l'insolence de mon action. J'ai pensé que... je suis encore sa femme.

– De qui ?

– De Richard.

– Bon Dieu, ma chérie ! Pourquoi ?

– Oh ! je ne puis l'expliquer... Seulement, cette pensée me vient à l'esprit.

– C'est votre faiblesse... une idée de malade, sans raison ni sens. Ne vous tourmentez pas.

Sue soupira péniblement.

Une chose, plus que toute autre, troublait Jude ; c'est que, depuis le drame, Sue et lui avaient mentalement voyagé dans des directions opposées ; les évènements qui avaient élargi ses propres vues sur la vie, les lois, les coutumes et les dogmes n'avaient pas agi sur Suzanne de la même façon. Elle n'était plus la femme des jours indépendants, quand son intelligence se jouait comme une flamme légère parmi les conventions et les formalités que Jude respectait alors, et qu'à présent il ne respectait plus.

Un certain dimanche soir, il rentra plus tard que de coutume. Sue n'était pas à la maison, mais elle revint bientôt. Jude la trouva silencieuse et méditative.

– À quoi pensez-vous, ma petite femme ? demanda-t-il curieux.

– Oh ! je ne puis le dire clairement. J'ai pensé que nous avions été égoïstes, insouciants, impies même, dans la conduite de notre vie, vous et moi. Notre vie a été un vain effort vers le bonheur. Mais l'abnégation est une route qui mène plus haut. Nous devrions mortifier la chair, la terrible chair, la malédiction d'Adam.

– Sue, murmura-t-il, que vous est-il arrivé ?

– Nous devons continuellement nous sacrifier sur l'autel du devoir. Mais je me suis toujours acharnée à faire ce qui me plaisait. J'ai bien mérité le châtiment que je subis. Je voudrais que quelque chose m'enlevât tout le mal qui est en moi, et toutes mes monstrueuses erreurs et toutes mes coupables idées.

– Sue, ma trop douloureuse chérie, il n'y a pas de mal en vous. Vous n'êtes pas une mauvaise femme. Vos instincts naturels sont parfaitement sains, point tout à fait aussi passionnés, peut-être, que je le désirerais, mais bons, charmants et purs. Et, comme je vous l'ai dit souvent, vous êtes la femme, la plus éthérée, la moins sensuelle que j'aie jamais connue. Pourquoi votre langage a-t-il tellement changé ? Nous n'avons jamais été égoïstes, excepté quand notre abnégation ne pouvait servir personne. Vous aviez coutume de dire que la nature humaine est noble et généreuse, non pas vile et corrompue, et j'ai fini par croire que c'était le fond de votre pensée. Et maintenant vous semblez avoir un sentiment plus humilié de ces choses.

– Je dois avoir un humble cœur et un esprit contrit, ce que je n'avais jamais eu encore.

– Vous avez été sans crainte, à la fois dans votre esprit et dans votre cœur, et vous méritiez plus d'admiration que je ne vous en accordais. J'étais alors trop rempli de dogmes étroits pour voir cela.

– Ne parlez pas ainsi, Jude. Je voudrais que chacune de mes pensées ou de mes paroles orgueilleuses fût enlevée de mon histoire. Le Renoncement, cela suffit. J'aimerais me piquer moi-même avec des épingles pour perdre, avec mon sang, toute la méchanceté qui est en moi.

– Chut ! dit-il, pressant contre sa poitrine le petit visage de Sue, comme si elle eût été un enfant. C'est votre deuil qui vous en a fait arriver là. Un tel remords n'est pas fait pour vous, ma sensitive, mais pour les méchants de ce monde… qui ne l'éprouvent jamais.

– Je ne puis pas demeurer ainsi, murmura-t-elle, quand elle eut gardé quelque temps cette attitude.

– Pourquoi pas ?

– C'est une faiblesse.

– Vous revenez toujours au même point. Mais il n'y a rien de meilleur ici-bas que de nous aimer l'un l'autre.

– Oui. Cela dépend de l'espèce d'amour qu'on ressent. Le vôtre, le nôtre est un amour coupable.

– Je ne le voudrais pas, Sue ! Allons, quand voulez-vous que notre mariage soit sanctionné dans une église ?

Elle s'arrêta et sembla gênée :

– Jamais, murmura-t-elle.

Ne comprenant pas toute sa pensée, Jude accepta cette réponse sans s'en tourmenter. Plusieurs minutes s'écoulèrent, et il pensa qu'elle s'était endormie ; mais il lui parla doucement et trouva qu'elle était restée pleinement éveillée, tout le temps. Elle se redressa et soupira.

– Il y a un parfum, une atmosphère étrange, indéfinissable autour de nous, ce soir, Sue, dit-il. Je ne parle pas seulement au figuré, mais d'un parfum qui émane de vos habits. Une espèce d'odeur végétale qu'il me semble connaître, mais dont je ne puis me souvenir.

– C'est l'encens.

– L'encens ?

– J'ai été au service à Saint-Silas, et je me trouvais dans la vapeur de l'encens.

– Oh ! À Saint-Silas ?

– Oui. J'y vais quelquefois.

– Vraiment, vous y allez ?

– Voyez, Jude, c'est seulement les matins, dans la semaine, quand vous êtes au travail et que je pense à... à mes... (Elle s'arrêta jusqu'à ce qu'elle pût vaincre la contraction de sa gorge) et j'ai pris l'habitude d'aller là... C'est si près.

– Très bien... Naturellement je n'ai rien à dire contre cela. Seulement, c'est bizarre de votre part. Les fidèles ne savent pas quelle espèce de diable est parmi eux.

– Que voulez-vous dire, Jude ?

– Eh bien... une sceptique, pour être clair.

– Comment pouvez-vous m'affliger ainsi, cher Jude, dans mon chagrin ? Pourtant, je sais que telle n'était pas votre intention. Mais vous n'auriez pas dû dire cela.

– Je n'ai pas cette habitude, mais je suis grandement surpris.

– Eh bien, je dois vous dire encore autre chose, Jude. Vous ne vous fâcherez pas, dites ? J'y ai beaucoup pensé depuis la mort de mes petits. Je ne crois pas que je doive être votre femme ou vivre avec vous comme votre femme plus longtemps.

– Quoi ?... Mais vous êtes ma femme !

– À votre point de vue... mais...

– Naturellement, la cérémonie nous effrayait et bien des gens à notre place eussent été effrayés aussi, avec d'aussi fortes raisons de craindre. Mais l'expérience a prouvé combien nous nous étions mal jugés nous-mêmes, et combien nous avions exagéré nos incapacités. Si vous commencez à respecter les cérémonies et les rites, comme il paraît, je m'étonne que vous n'ordonniez pas d'achever l'affaire, immédiatement. Vous êtes certainement ma femme, Sue, de toutes façons, sauf par la loi. Est-ce là ce que vous vouliez dire ?

– Je ne crois pas être votre femme.

– Non ? Mais supposez que nous ayons terminé la cérémonie. Sentiriez-vous alors que vous l'êtes ?

– Non, je ne l'aurais pas senti et je me trouverais plus coupable que je ne le fais maintenant.

– Pourquoi ?

– Parce que je suis à Richard.

– Ah ! vous m'avez exprimé déjà cette idée absurde...

– C'était seulement une impression alors. Je me sens de plus en plus convaincue avec le temps... Je lui appartiens, à lui ou à personne.

– Ciel ! Que tout a changé !

– Oui. Peut-être.

Peu de jours après, dans le crépuscule du soir d'été ils étaient assis dans la même petite pièce, au rez-de-chaussée, quand un coup retentit à la porte du charpentier qui les logeait, et un moment après on frappa légèrement à la porte de leur chambre. Avant qu'ils eussent pu ouvrir, une forme de femme apparut.

– M. Fawley est-il ici ?

Jude et Sue tressaillirent, pendant qu'il prononçait machinalement une réponse affirmative... La voix était celle d'Arabella.

Tous trois essayèrent une pénible conversation à propos du drame. Jude s'était fait un devoir d'avertir Arabella immédiatement ; elle n'avait jamais répondu à sa lettre.

– Je reviens justement du cimetière, dit-elle. J'ai cherché et trouvé la tombe de l'enfant. Je n'ai pu assister aux funérailles. Merci tout de même de m'y avoir invitée. J'ai tout lu sur les journaux et j'ai senti que l'on n'avait pas besoin de moi... Je suis heureuse d'avoir trouvé la tombe... Comme c'est votre métier, Jude, vous pourrez bien leur mettre une pierre funéraire.

– Je taillerai une pierre, dit-il tristement.

– Il était mon enfant, et, naturellement, je suis affligée.

– Je l'espère bien. Nous aussi.

– Les autres n'étant pas à moi, leur mort m'afflige moins, c'est naturel.

– Bien entendu.

Un soupir vint du coin sombre où Sue était assise.

– J'avais souvent désiré avoir mon fils avec moi, continua Mrs Carlett. Peut-être qu'il ne fût rien arrivé, mais je ne voulais pas le reprendre à votre femme.

– Je ne suis pas sa femme.

Ces mots venaient de Sue.

Jude en fut saisi et resta silencieux.

– Oh ! je vous demande bien pardon ; je suis sûre du contraire, dit Arabella. J'ai appris que vous l'étiez.

Arabella fit grand étalage de son deuil et s'adressa à Sue. Il n'y eut pas de réponse. Sue, invisible, avait quitté la chambre.

– Elle a dit qu'elle n'était pas votre femme. Pourquoi cela ?

– Je ne puis vous l'apprendre, dit Jude brièvement. Je n'ai pas à critiquer ce qu'elle dit.

– Ah ! je comprends... Mais je n'ai plus de temps. Je vais passer ici la nuit, et j'ai pensé que je ne pouvais pas moins faire que de venir vous voir, après notre mutuelle affliction. Je couche dans l'établissement où j'ai servi, et demain, je retournerai à Alfredston. Mon père habite là et je vis avec lui.

Quand Arabella fut partie, Jude, se sentant très soulagé, monta les escaliers et appela Sue, anxieux de savoir ce qu'elle était devenue.

Elle ne répondit pas. Le propriétaire appela sa femme, qui conjectura que Sue devait être à l'église de Saint-Silas, où elle allait souvent.

– Certainement pas à cette heure de nuit, dit Jude. L'église est fermée.

– Elle connaît quelqu'un qui a la clef et qui la lui prête aussi souvent qu'elle en a besoin.

Jude alla vaguement dans la direction de l'église. Le lieu était désert, mais la porte avait certainement été ouverte ; il leva le loquet sans bruit et, poussant la porte derrière lui, se tint immobile à l'intérieur. Le grand silence semblait envelopper un faible son, pareil à un soupir ou à un sanglot, et qui venait de l'autre bout de l'édifice. Le tapis amortissait ses pas, tandis qu'il allait dans cette direction à travers l'obscurité coupée seulement par le reflet très faible qu'envoyait du dehors la nuit claire.

En haut, au-dessus des marches du sanctuaire, Jude pouvait distinguer une immense croix latine, solidement construite, aussi grande sans doute que l'original qu'elle était destinée à commémorer. Elle semblait être suspendue dans l'air par d'invisibles fils ; elle était rehaussée de grosses pierres précieuses qui brillaient dans un faible rayon filtré du dehors quand la croix se balançait dans un silencieux et imperceptible mouvement. Au-dessous, sur le pavé, gisait ce qui semblait être un monceau de vêtements noirs et de là sortait le sanglot qu'il avait entendu tout à l'heure. Cette forme était sa Sue prosternée sur les dalles. Il murmura :

– Suzanne !

Quelque chose de blanc se découvrit ; elle avait tourné la tête.

– Quoi ? Qu'avez-vous à faire ici avec moi, Jude ? Vous n'auriez pas dû venir ! J'avais besoin d'être seule. Pourquoi vous êtes-vous introduit ici ?

– Pouvez-vous me le demander ! reprocha-t-il vivement, car il était blessé en plein cœur par cette attitude de Suzanne à son égard. Pourquoi je viens ?

Qui a le droit de venir, je voudrais bien le savoir, si ce n'est pas moi ! Moi, qui vous aime mieux que moi-même, mieux, oh ! bien mieux que vous ne m'avez aimé ! Qui vous a fait me laisser pour venir ici toute seule ?

– Ne me critiquez pas, Jude ; je ne puis le supporter. Je vous l'ai souvent dit. Il faut me prendre comme je suis. Je suis une malheureuse, brisée par mes folies. Quand Arabella est venue, je n'ai pu la supporter. Je me suis sentie si profondément misérable que je n'avais plus qu'à sortir. Elle semble être votre femme encore et Richard mon mari.

– Mais ils ne nous sont rien !

– Si, cher ami, ils nous sont quelque chose. Je vois le mariage d'une autre manière maintenant. Mes enfants m'ont été pris pour me montrer cela. L'enfant d'Arabella tuant les miens, c'était un arrêt : le bien tuant le mal. Que serai-je ? *quoi* ? Je suis une si vile créature, trop indigne de me mêler aux êtres ordinaires !

– C'est terrible, dit Jude presque en larmes. Il est monstrueux et hors nature que vous soyez en proie à de tels remords, quand vous n'avez rien fait de mal.

– Ah ! vous ne connaissez pas ma malice !

Il répliqua avec emportement :

– Si ! je la connais. Vous me faites haïr le christianisme, ou le mysticisme, ou le sacerdotisme, ou, de quelque nom qu'on l'appelle, ce qui a causé ce ravage en vous. Cette femme qui était toute poésie, tout intuition, cette femme dont l'âme brillait comme un diamant, dont tous les sages du monde auraient été fiers, s'ils avaient pu vous connaître, se dégrader ainsi ! Je me réjouis de n'avoir rien à faire avec la Divinité, si elle vous pousse ainsi à votre ruine.

– Vous êtes irrité, Jude, et cruel pour moi, et vous ne voyez pas les choses comme elles sont.

– Alors rentrez avec moi, très chère, et peut-être les verrai-je. Je suis trop accablé maintenant, et vous aussi, vous êtes bouleversée.

Il l'entoura de son bras et la souleva, mais, bien qu'elle le suivit, elle préféra marcher sans son appui.

– Je n'ai pas cessé de vous aimer, Jude, dit elle d'une voix douce et suppliante ; je vous aime autant que jamais ! Seulement je ne dois pas vous aimer, désormais. Oh ! je ne dois plus !

– Je ne puis l'admettre.

– Mais je me suis mis en tête que je ne suis pas votre femme ! Je lui appartiens ; le sacrement me joint à lui pour la vie. Rien ne peut changer cela !

– Que dites-vous là, grands dieux ? Nous sommes mari et femme, si jamais deux êtres l'ont été dans ce monde. C'est le mariage de la nature, incontestablement.

– Mais non pas du Ciel. Or, c'est là qu'un autre eut lieu pour moi, et il fut ratifié pour l'éternité dans l'église de Melchester.

– Sue ! Sue ! Le chagrin vous a conduite à cette folie ! Vous qui m'avez converti à vos vues sur tant de choses, vous voir soudain où vous en êtes ! Vous arrachez de mon cœur le peu d'affection et de respect que j'y avais gardé pour l'Église et les liens de jadis... Ce que je ne puis comprendre en vous, c'est votre extraordinaire aveuglement à l'égard de votre ancienne logique. Est-ce quelque chose qui vous est propre ou bien un fait essentiellement féminin ? Comme vous savez bien voir dans le mariage le grossier contrat qu'il est en effet ; comme vous montriez bien toutes les objections qu'on peut lui faire, toutes ses absurdités ! Si deux et deux faisaient quatre quand nous étions heureux ensemble, sûrement ils font quatre aujourd'hui encore. Je ne puis le comprendre, je le répète !

– Ah ! cher Jude, c'est parce que vous êtes comme un homme absolument sourd en face de gens qui écoutent de la musique. Vous dites : « Qu'est-ce qu'ils regardent ? Il n'y a rien... » Mais il y a quelque chose.

– Vous êtes dur de me parler ainsi, et la comparaison n'est pas juste. Vous jetiez loin de vous toute la vieille écorce des préjugés et vous m'appreniez à en faire autant. J'avoue que je reste complètement stupéfait : vous déconcertez mon estime.

– Cher ami, mon seul ami, ne soyez pas dur avec moi. Je ne puis m'empêcher maintenant – et j'ai la conviction que je suis dans le vrai – de voir à la fin la lumière. Mais, oh ! comment en profiter ?

Ils avancèrent quelques pas encore, jusqu'à ce qu'ils fussent hors de l'édifice et qu'elle eût reporté la clef.

– Se peut-il (lui dit, quand elle revint, Jude, qui sentait renaître en lui un peu de force, maintenant qu'il était dans l'air libre de la rue), se peut-il que ce soit là la jeune fille qui apporta les divinités païennes dans cette cité très chrétienne ? qui citait Gibbon et Shelley et Mill ? Où sont maintenant Apollon et Vénus, les dieux aimés ?

– Oh ! ne soyez pas si cruel pour moi, Jude, pour moi qui suis si malheureuse. (Elle sanglotait.) Je ne puis pas raisonner avec vous. J'avais tort, orgueilleuse de ma propre pensée ! L'arrivée d'Arabella a été la fin. Ne me raillez pas ; cela coupe comme un couteau !

Il jeta ses bras autour d'elle et l'embrassa avec passion, là, dans la rue silencieuse, avant qu'elle pût l'en empêcher. Ils allaient, et se trouvèrent bientôt devant un petit café.

– Jude, dit-elle, en étouffant ses larmes, voudriez-vous vous occuper de trouver un logement ici ?

– Je veux bien, si… si vous le désirez vraiment. Mais est-ce bien ainsi ? Laissez-moi aller jusqu'à notre porte et vous comprendrez.

Il vint et entra avec elle. Elle dit qu'elle ne voulait pas souper, et monta au premier, dans l'obscurité. Elle alluma une lumière, et, se retournant, vit que Jude l'avait suivie et se tenait à la porte de la chambre. Elle vint vers lui, sa main dans la sienne et dit :

– Bonne nuit !

– Mais, Sue ! n'est-ce pas chez nous ici ?

– Vous avez dit que vous feriez comme je le désirais !

– Oui. Très bien !… Peut-être ai-je eu tort de discuter avec mauvais goût comme je l'ai fait. Peut-être, puisque nous ne pouvions nous marier consciencieusement tout d'abord, suivant les vieilles formes, aurait-il fallu nous séparer. Peut-être le monde n'est-il pas assez éclairé pour des expériences comme la nôtre ! Qui étions-nous pour croire que nous pouvions ouvrir des voies ?

– Je suis si joyeuse que vous compreniez bien cela, quoi qu'il en soit. Je n'ai jamais eu le propos délibéré d'agir comme je faisais. La jalousie et l'agitation m'ont insensiblement conduite à ma fausse position.

– Mais sûrement l'amour aussi. Vous m'aimiez ?

– Oui. Mais j'aurais voulu que l'amour en restât là et que nous ne cessions pas d'être de purs amants, jusqu'à ce que…

– Mais quand on aime, on ne peut pas vivre toujours ainsi !

– Les femmes le pourraient ; les hommes ne peuvent pas, parce que… ils ne veulent pas. Une femme moyenne est supérieure à un homme moyen en ceci qu'elle ne commence jamais ; elle ne fait que répondre. Nous aurions dû vivre dans une réunion spirituelle, et rien de plus.

– J'ai été la cause malheureuse du changement, comme je vous l'ai déjà dit… Bien, comme vous voudrez… Mais la nature humaine ne peut s'empêcher d'être elle-même…

– Oh ! oui, c'est là justement ce qu'il faut apprendre : la maîtrise de soi.

– Je le répète : si l'un de nous fut à blâmer, ce n'est pas vous, mais moi.

– Non, ce fut bien moi. Vous n'avez pas d'autre tort que le désir naturel à l'homme de posséder la femme. Moi, je n'ai partagé ce désir que quand la jalousie m'a poussée à évincer Arabella. J'avais bien pensé que je devais par charité vous laisser m'approcher, qu'il était horriblement égoïste de vous torturer, comme j'avais fait à mon autre ami. Pourtant, je n'aurais pas cédé si vous n'aviez triomphé de moi en me faisant craindre que vous retourneriez à elle… Mais ne parlons plus de cela ! Jude, voulez-vous me laisser à moi-même maintenant ?

175

Il éclata :

– Ah ! mon vieux reproche était, après tout, trop bien fondé. Vous ne m'avez jamais aimé comme je vous aime, jamais, jamais ! Vous n'avez pas un cœur passionné, vous ; votre cœur ne brûle pas dans une flamme ! Vous êtes, somme toute, froide, une sorte de fée ou d'esprit, non une femme !

– Tout d'abord, je ne vous aimai pas, Jude. Cela, je l'avoue. Dans les premiers temps où je vous connus, j'avais seulement besoin de votre amour. Je ne fus pas précisément coquette avec vous, mais cet insatiable instinct qui mine la moralité de quelques femmes, presque plus que la passion débridée, l'instinct d'attirer et de captiver, sans égard au mal que cela peut faire à l'homme, je l'avais en moi ; et quand je compris que je vous avais pris, je fus effrayée. Et alors, je ne sais pas comment cela se fit, je ne pouvais supporter de vous laisser partir, revenir à Arabella, peut-être, et ainsi, j'en vins à vous aimer, Jude. Mais, vous le voyez, quelle qu'en soit la fin, cela commença dans l'égoïsme et le cruel désir de faire souffrir votre cœur pour moi sans que le mien souffrît pour vous.

– Et maintenant, vous achevez votre cruauté par l'abandon !

– Ah ! oui, plus je me débats, plus je fais de mal !

– Oh ! Sue ! dit-il avec un sentiment soudain de son propre danger, ne faites pas une chose immorale pour des raisons morales ! Vous avez été mon salut social. Restez avec moi pour l'amour de l'humanité. Vous savez quel pauvre homme je suis. Vous connaissez mes deux grands ennemis : mon faible pour les femmes, et l'attrait de l'alcool. Ne m'abandonnez pas à eux, Sue, pour n'avoir plus souci que du salut de votre âme ! Ils ont été merveilleusement tenus à distance depuis que vous êtes devenue mon ange gardien ! Depuis que vous avez été près de moi, j'ai été capable d'affronter toutes les tentations du sort, sans risque. Est-ce que mon salut ne vaut pas un petit sacrifice de principe dogmatique ?…

Elle éclata en sanglots.

– Oh ! mais il ne faut pas, Jude ! Vous ne le ferez pas ! Je prierai pour vous nuit et jour !

– Bien ! n'y pensez plus ; ne vous affligez pas, dit Jude généreusement ! J'ai souffert, Dieu le sait, près de vous jadis, et maintenant je souffre encore. Mais peut-être moins que vous. La femme va, dans cette voie, plus loin que l'homme à la longue.

– Oui.

– À moins qu'elle ne soit tout à fait indigne et méprisable. Et ce n'est pas le cas de celle-ci, non, jamais !

Suzanne soupira nerveusement :

– Si, je le crains !… Maintenant, Jude, bonne nuit, je vous en supplie !

– Je ne puis pas rester ? Pas même une fois encore ? comme cela a été si souvent... oh ! Sue, ma femme, pourquoi pas ?

– Non, non, pas votre femme !... Je suis dans vos mains, Jude ; ne me tentez pas, ne me rappelez pas en arrière maintenant que je suis avancée si loin.

– Très bien. Je vous obéis. Je vous dois cela, chérie, en expiation de ma désobéissance des premiers jours. Mon Dieu ! Comme j'étais égoïste ! Peut-être, peut-être ai-je abîmé un des plus hauts et des plus purs amours qui aient jamais existé entre un homme et une femme !... Eh bien ! que le voile de notre temple soit déchiré en deux à partir de cette heure !

Il alla vers le lit, enleva un des oreillers, et le jeta à terre. Suzanne le regardait, et, penchée sur la barre du lit, pleurait silencieusement.

– Vous ne voyez donc pas que c'est une affaire de conscience pour moi et que je n'ai pas cessé de vous aimer ? dit-elle dans un murmure entrecoupé. Ne plus vous aimer ! Mais je ne puis rien dire de plus... Cela brise mon cœur... Cela défera tout ce que j'ai commencé ! Jude... bonne nuit !

– Bonne nuit ! dit-il, et il se détourna pour partir.

– Oh ! mais vous m'embrasserez, dit-elle en s'élançant. Je ne puis pas... supporter...

Il la prit dans ses bras, et baisa son visage en larmes, comme il ne l'avait presque jamais fait auparavant, et ils restèrent en silence jusqu'à ce qu'elle dit :

– Adieu, adieu !

Et alors, le repoussant doucement, elle s'échappa de ses bras et essaya d'adoucir sa tristesse en lui disant :

– Nous serons des amis chers, tout aussi bien, Jude, ne le voulez-vous pas ? Et nous nous verrons quelquefois... oui... et nous oublierons tout cela et nous essaierons d'être comme nous fûmes jadis.

Jude n'ajouta rien, mais il se détourna et descendit l'escalier.

IV

L'homme que Suzanne, dans son revirement moral, regardait maintenant comme son époux de par un indissoluble mariage, vivait toujours à Marygreen.

La veille du jour où avait eu lieu le drame des enfants, Phillotson les avait vus tous deux, elle et Jude, pendant qu'ils attendaient sous la pluie, à Christminster, le cortège qui se rendait au théâtre. Mais il n'en avait rien dit à son compagnon Gillingham, qui, en sa qualité de vieil ami, demeurait avec lui au susdit village et avait, à la vérité, suggéré cette excursion à Christminster.

– À quoi pensez-vous ? dit Gillingnam, tandis qu'ils regagnaient la maison. Que vous n'avez jamais obtenu le grade universitaire ?

– Non, non, dit Phillotson d'un ton âpre. Je pense à quelqu'un que j'ai vu aujourd'hui.

Au bout d'un instant il ajouta :

– Suzanne.

– Je l'ai vue aussi.

– Vous n'avez rien dit.

– Je ne voulais pas attirer votre attention sur clle. Mais puisque vous l'avez vue, vous auriez pu lui dire : « Comment allez-vous, mon ex-chérie ? »

– Ah ! oui. J'aurais pu. Mais que pensez-vous de cela ? J'ai de bonnes raisons de croire qu'elle était innocente quand je divorçai – et que c'est moi qui eus tous les torts. Oui, en vérité ! maladroit, n'est-ce pas ?

– Elle a pris soin de vous donner raison depuis, en tout cas, apparemment.

– Laissez là vos basses railleries… J'aurais dû attendre, il n'y a pas de doute.

À la fin de la semaine, quand Gillingham fut retourné à son école, près de Shaston, Phillotson, selon son habitude, alla au marché d'Alfredston. Arrivé à la ville, il acheta, comme chaque semaine, le journal hebdomadaire de la localité ; et quand il se fut assis dans une auberge pour se rafraîchir de cette marche de cinq milles, il tira le journal de sa poche et se mit à lire. Ses yeux tombèrent sur la relation de « l'Étrange suicide des enfants d'un tailleur de pierres ».

Il avait beau être d'une nature fort calme, cela l'impressionna douloureusement et ne l'embarrassa pas peu, car il ne pouvait pas comprendre que l'âge de l'aîné fût celui qu'on disait. Pourtant il n'y avait pas à douter que le récit du journal ne fût vrai en quelque manière.

– Leur coupe de douleur est pleine, maintenant, dit-il.

Et il pensait et pensait encore à Suzanne, et à ce qu'elle avait gagné à le quitter.

Arabella avait établi sa résidence à Alfredston, et comme le maître d'école y venait au marché tous les samedis, il n'était pas étonnant qu'au bout de quelques semaines, ils se rencontrassent de nouveau. Ce fut précisément lorsqu'elle revint de Christminster, où elle était restée plus longtemps qu'elle ne l'avait d'abord projeté. Elle continuait à observer Jude avec intérêt, bien que Jude ne l'eût pas revue. Phillotson était en chemin pour rentrer chez lui quand il rencontra Arabella qui, elle, revenait vers la ville.

– Vous aimez à vous promener sur cette route ? madame Cartlett ? dit-il.

– Je viens juste de recommencer, répliqua-t-elle. C'est là que j'ai vécu comme jeune fille et comme femme et toutes les choses de ma vie qui intéressent mon cœur sont associées à cette route. Et elles ont été bien remuées en moi, dernièrement. Car j'ai été faire un tour à Christminster. Oui, j'ai vu Jude.

– Ah ! Comment supportent-ils leur terrible malheur ?

– D'une bien étrange manière, bien étrange ! Elle ne vit plus avec lui, désormais. Je n'ai appris cela comme une chose certaine qu'au moment où j'allais partir ; mais j'avais bien vu que les choses prenaient ce chemin-là quand je leur fis visite.

– Ne pas vivre avec son mari ? Mais j'aurais pensé que cela dût les unir davantage.

– Il n'est pas son mari, après tout. Ils n'ont jamais été réellement mariés, bien qu'ils aient passé si longtemps pour le mari et la femme. Et maintenant, au lieu que ce triste évènement les décide et leur fasse légaliser leur cas, elle est prise de je ne sais quelle bizarre religiosité, tout comme moi quand j'eus la douleur de perdre Cartlett ; seulement, la sienne est d'une forme plus hystérique que la mienne. Et elle dit, m'a-t-on rapporté, qu'elle est votre femme devant le Ciel et l'Église, – la vôtre seulement ; – et qu'aucun pouvoir humain ne peut la faire celle d'un autre.

– Ah ! vraiment ?… Séparés, est-ce possible ?

– Voyez-vous, l'aîné des enfants était le mien.

– Oh ! le vôtre !

– Oui, pauvre petit, né en légitime mariage, grâce à Dieu. Et peut-être sent-elle, par-dessus tout, que j'aurais dû être à sa place. Je ne puis pas vous dire. Toujours est-il que moi, je m'en vais bientôt d'ici. J'ai pris mon père pour en avoir soin maintenant, et nous ne pouvons pas vivre dans un trou comme celui-ci. J'espère rentrer bientôt dans un bar de Christminster ou de quelque autre grande ville.

Ils se séparèrent. Quand Phillotson eut monté quelques pas sur la colline, il s'arrêta, revint précipitamment en arrière et l'appela.

– Quelle est, ou quelle était leur adresse ?

Arabella la lui donna.

– Merci. Bonjour !

Arabella eut un hideux sourire en reprenant sa route et s'exerça à se faire des fossettes tout le long du chemin, depuis l'endroit où commencent les saules étêtés jusqu'aux vieux hospices qui sont dans la première rue de la ville.

Tandis que Phillotson montait à Marygreen, et, pour la première fois depuis bien longtemps, il regarda l'avenir. En passant sous les grands arbres de la pelouse, près de l'humble école à laquelle il avait été réduit, il se représenta Suzanne franchissant le seuil pour venir à lui. Aucun homme n'avait jamais payé plus cher sa propre charité, chrétien ou païen, que Phillotson après avoir laissé partir Suzanne. Il avait été ballotté de poste en poste, véritable jouet aux mains des gens de vertu, et l'épreuve avait presque surpassé ses forces ; peu s'en fallait qu'il ne fût mort de faim, et maintenant il était à la merci de la très modique rétribution que lui valait cette école de village. Il avait souvent pensé à cette remarque d'Arabella, qu'il aurait dû être plus sévère avec Suzanne dont l'esprit rebelle n'eût pas longtemps résisté. Pourtant, tel était son mépris obstiné et illogique de l'opinion et des principes dans lesquels il avait été élevé, que ses convictions sur la rectitude de sa conduite avec sa femme n'avaient pas été ébranlées.

Ces principes, que le sentiment aurait pu bouleverser, s'en accommodaient tout aussi bien. Les instincts qui l'avaient poussé à donner à Suzanne sa liberté lui permettaient maintenant de ne pas la juger plus mauvaise pour avoir vécu avec Jude. Il la désirait encore, à sa manière, s'il ne l'aimait pas, et en dehors de tout système, il sentit bientôt qu'il serait satisfait de la voir redevenir sienne, toujours à la condition qu'elle revint de son plein gré.

Mais il fallait, pensait-il, un artifice pour couper le vent glacé que soufflerait impitoyablement le mépris du monde. Et il avait son moyen tout prêt. En recouvrant Suzanne et en l'épousant de nouveau sous le respectable prétexte d'avoir entretenu ses erreurs et obtenu à tort le divorce, il pouvait acquérir quelque bien-être, reprendre son ancien service, peut-être revenir à l'école de Shaston, si même ce n'était pas à l'Église comme licencié.

Quelques jours après, une forme allait dans le brouillard argenté qui enveloppait Beersbeba, le faubourg de Christminster, vers le quartier où Jude Fawley s'était installé depuis sa séparation avec Suzanne. On heurta timidement à la porte de sa demeure.

C'était le soir ; de sorte qu'il était chez lui. Par une espèce de divination, il se précipita lui-même vers la porte.

– Voulez-vous sortir avec moi ? J'aimerais mieux ne pas entrer. Je voudrais causer avec vous et aller avec vous au cimetière...

C'était la voix tremblante de Suzanne qui avait dit ces paroles. Jude mit son chapeau.

– C'est lugubre pour vous d'être dehors, dit-il, mais si vous préférez ne pas entrer, cela m'est égal.

– Oui, je préfère. Je ne vous garderai pas longtemps.

Jude était trop ému pour continuer à parler tout d'abord ; Suzanne, elle aussi, n'était à cette heure qu'un pauvre paquet de nerfs, tout pouvoir d'initiative semblait l'avoir abandonnée, et elle s'avança à travers le brouillard, pareille aux ombres de l'Achéron, longtemps sans un mot ni un geste.

– J'ai besoin de vous parler, dit-elle enfin, d'une voix tantôt précipitée, tantôt lente, afin que vous n'appreniez pas cela par hasard. Je retourne avec Richard. Il a, si magnanimement, daigné tout pardonner !

– Vous retournez ? Comment pouvez-vous aller...

– Il va m'épouser de nouveau. C'est pour la forme et pour satisfaire le monde, qui ne voit pas les choses comme elles sont. Mais naturellement je suis sa femme déjà. Rien n'a changé cela.

Il répliqua avec une angoisse qui était presque féroce :

– Mais, vous êtes ma femme ! oui, la mienne. Vous le savez bien. J'ai toujours regretté cette feinte d'un départ dans le dessein prétendu de revenir légalement mariés, pour sauver les apparences. Je vous aimais et vous m'aimiez, et nous étions d'accord : et cela fit le mariage. Nous nous aimons encore ; et vous aussi bien que moi, je le sais, Sue ! C'est pourquoi notre mariage n'est pas annulé.

– Oui, je sais comment vous voyez cela, répondit-elle en contenant son désespoir. Mais je vais me marier de nouveau avec lui. Et pour vous parler sans restriction – laissez-moi vous dire cela, Jude ! – vous devriez reprendre... Arabella.

– La reprendre ? Grand Dieu ! et après ? Mais alors, si nous étions mariés légalement, comme nous étions sur le point de le faire ?

– J'aurais eu toujours le même sentiment, qu'entre nous il n'y avait pas de mariage. Et je retournerais à Richard, sans renouveler le sacrement, s'il me demandait. Mais « le monde et ses voies ont une certaine valeur », je suppose : donc, je consens à renouveler la cérémonie... N'épuisez pas tout ce qui reste de vie en moi par le sarcasme et la discussion, je vous en supplie ! Je fus très forte jadis, je le sais, et peut-être que je vous traitai cruellement. Mais, Jude, rendez-moi le bien pour le mal ! Je suis la plus faible aujourd'hui. N'usez pas de représailles avec moi, soyez doux. Oh ! soyez doux pour moi, – pauvre femme qui essaye de s'amender.

Il secoua la tête, sans espoir ; ses yeux se mouillèrent. Il allait perdre Suzanne ! Un vent glacé semblait balayer sa raison. Sa vue, jadis claire, se troublait.

– Misère ! misère ! dit-il, d'une voix rauque. Erreur – perversité ! Cela me fait perdre le sens ! Avez-vous souci de lui ? L'aimez-vous ? Vous savez bien que non ! Ce sera une prostitution fanatique – Dieu me pardonne, oui – c'est bien ce que cela sera !

– Je ne l'aime pas ; il faut bien, il faut que je l'avoue, dans le plus profond remords ! Mais j'essaierai d'apprendre à l'aimer en lui obéissant.

Jude discuta, insista, supplia ; mais la conviction de Suzanne était à l'épreuve de tout. Il semblait que ce fût la seule chose en ce monde sur quoi elle fût ferme, et cette fermeté qu'elle avait en cela la laissait chancelante dans tous ses autres instincts, dans tous ses autres désirs.

– J'ai tenu à ce que vous sachiez toute la vérité et à vous la dire moi-même, dit-elle d'une voix entrecoupée, afin que vous ne puissiez pas penser que je vous ai traité sans égards et l'apprendre de seconde main. J'ai même été jusqu'au suprême aveu que je ne l'aime pas. Je ne crois pas avoir mérité tant de rudesse en agissant ainsi ! J'allais vous demander…

– De vous livrer moi-même ?

– Non. De m'envoyer mes malles, si vous vouliez. Mais je suppose que vous ne voulez pas.

– Comment ! je le veux bien. Mais ne va-t-il donc pas venir vous prendre pour vous mener d'ici à l'autel ? Il ne daignera pas faire cela ?

– Non. Je ne permettrais pas. Je vais à lui volontairement, comme je l'ai quitté. Nous nous marierons à la petite église de Marygreen.

Elle était si tristement douce dans ce qu'il appelait son entêtement, que Jude ne put s'empêcher d'être plus d'une fois ému jusqu'aux larmes de pitié pour elle.

– Je n'ai jamais vu une femme comme vous pour avoir des élans de pénitence, Sue !

– Laissons cela, Jude, il faut que je vous dise adieu. Mais j'ai besoin de vous : venez au cimetière avec moi. C'est là que doit se faire notre adieu, près des tombes de ceux qui sont morts pour m'apporter à mon foyer la révélation de mes erreurs.

Ils se dirigèrent vers ce lieu et, sur leur demande, on leur ouvrit la porte. Suzanne y était venue souvent et elle connaissait son chemin dans l'obscurité. Arrivés, ils restèrent silencieux.

– C'est là. Je voudrais y être aussi, dit-elle.

– Que n'est-ce ainsi !

– Ne me soyez pas cruel parce que j'ai agi par conviction. Votre généreux dévouement pour moi est incomparable, Jude ! Votre faillite mondaine, s'il y a faillite, vous honore plutôt qu'elle ne vous condamne. Souvenez-vous que les meilleurs et les plus grands dans l'humanité sont ceux qui ne se font à eux-mêmes aucun avantage en ce monde. Tout homme qui réussit est plus ou moins égoïste. Les dévoués échouent… « La charité ne cherche pas son propre bien. »

– Sur ce chapitre, nous sommes d'accord, chérie toujours aimée, et, en ce qui le concerne, nous nous séparerons amis. Ses versets subsisteront, quand tout le reste que vous appelez religion aura passé !

– Eh bien, ne discutons pas cela. Adieu, Jude ; mon complice dans le péché, et mon plus tendre ami !

– Adieu, ma chère femme égarée. Adieu !

V

L'après-midi du lendemain, le brouillard coutumier de Christminster enveloppait encore toutes choses. À peine y pouvait-on discerner l'ombre mince de Suzanne se dirigeant vers la station.

Jude n'avait pas eu le cœur d'aller à son travail ce jour-là. Il ne pouvait non plus aller nulle part où il serait exposé à la voir passer. Il alla dans une direction opposée, dans un endroit morne, étrange et calme où les branches gouttaient, véritable piège de toux et de phtisie, et où il n'avait jamais été auparavant.

– Sue est partie, partie ! murmura-t-il misérablement.

Elle, pendant ce temps, avait quitté le train et débarqué à la route d'Alfredston où elle monta dans le tramway à vapeur et se fit conduire jusqu'à la ville. Sur sa demande, il avait été convenu que Phillotson ne viendrait pas à sa rencontre. Elle désirait, disait-elle, venir à lui volontairement, jusqu'à sa maison même et à son foyer.

On avait choisi le vendredi soir parce que le maître d'école était libre à quatre heures ce jour-là jusqu'au lundi matin. La petite carriole qu'elle avait louée à l'Ours pour la conduire à Marygreen la descendit, sur son désir, au bout de la rue, à un demi-mille du village, et la précéda à la maison d'école avec les malles qu'elle avait apportées. Elle la rencontra qui revenait et demanda au conducteur s'il avait trouvé ouverte l'habitation du maître. L'homme lui dit que oui et ajouta que les bagages avaient été reçus par le maître d'école lui-même.

Elle pouvait maintenant entrer à Marygreen sans attirer beaucoup l'attention. Elle passa près du puits, et une allée la conduisit à la jolie école toute neuve. Elle poussa le loquet de la demeure sans frapper. Phillotson se tenait au milieu de la chambre, l'attendant comme elle l'avait demandé.

– Je suis venue, Richard, dit-elle toute pâle et tremblante et cherchant un siège. Je ne puis croire que vous pardonniez à votre femme !

– Tout, chère Suzanne, dit Phillotson.

Elle tressaillit à ce mot de tendresse, bien qu'il eût été judicieusement prononcé sans ferveur. Puis elle se ressaisit de nouveau.

– Mes enfants… sont morts… et il est bien que ce soit ainsi. Je suis joyeuse… presque. Ils étaient les enfants du péché. Ils ont été sacrifiés pour m'enseigner à vivre. Leur mort fut le premier degré de ma purification. C'est pourquoi ils ne sont pas morts en vain !… Vous voulez me reprendre ?

Il fut si ému par ces paroles et cet accent pitoyables, qu'il fit plus qu'il n'avait décidé. Il se pencha et lui baisa la joue.

Suzanne eut un imperceptible recul, sa chair frissonnant au contact de ces lèvres.

Le cœur de Phillotson défaillait, car le désir renaissait en lui.

– Vous avez encore une aversion pour moi !

– Oh ! non, cher… Je… suis venue en voiture… dans le brouillard… et je suis frileuse, dit-elle avec un sourire forcé. Quand allons-nous recevoir le mariage ? Bientôt ?

– Demain matin de bonne heure, je pensais, si vous le désirez vraiment. Je vais faire savoir au vicaire que vous êtes venue. Je lui ai tout dit et il approuve hautement… mais êtes-vous sûre de vous-même ? Il n'est pas trop tard, pour refuser maintenant, si vous pensez ne pas pouvoir vous y résoudre, vous savez ?

– Si, si, je suis résolue ! Je veux que ce soit fait au plus vite. Dites-lui que nous sommes d'accord ! L'entreprise a mis ma force à l'épreuve… Je ne puis attendre longtemps !

– Vous allez prendre quelque chose alors et passer dans votre chambre chez Mrs Edlin. J'indiquerai au vicaire huit heures et demie du matin, avant que personne n'y soit, si ce n'est pas trop tôt pour vous ? Mon ami Gillingham est ici pour nous assister dans la cérémonie. Il a été assez bon pour venir de Shaston, bien que cela le dérangeât fort.

Contre l'ordinaire des femmes, dont les yeux sont si perçants pour les choses matérielles, Suzanne semblait ne rien voir dans la pièce où ils étaient. Mais en circulant à travers la salle pour poser son manchon, elle murmura un léger « oh ! » et devint plus pâle encore. Elle avait l'air d'un condamné qui voit sa bière.

– Qu'est-ce ? dit Phillotson.

Le bureau se trouvait être ouvert, et, en y déposant son manchon, ses yeux étaient tombés sur un papier qui était là.

– Oh !… c'est seulement une… surprise ! dit-elle essayant de faire passer son cri pour un badinage, tandis qu'elle revenait vers la table.

– Ah ! oui, dit Phillotson, la dispense… Elle vient justement d'arriver.

Gillingham, qui descendait de sa chambre, vint alors les rejoindre et Suzanne s'efforça de plaire à Richard en causant de tout ce qu'elle estimait susceptible de l'intéresser, excepté d'elle-même, bien que cela surtout l'eût intéressé. Elle prit docilement quelque nourriture et se prépara à partir pour son logis qui était tout proche. Phillotson traversa la pelouse avec elle et lui souhaita une bonne nuit à la porte de Mrs Edlin.

La vieille femme accompagna Suzanne à son logement provisoire et l'aida à défaire ses malles. Parmi d'autres choses, elle déplia une chemise de nuit brodée avec goût.

– Oh ! je ne savais pas que *cela* fût là-dedans ! dit vivement Suzanne. Je ne l'ai pas fait exprès. En voici une toute différente.

Elle en tenait une neuve, tout unie, et de gros calicot écru.

– Mais celle-ci est bien plus jolie, dit Mrs Edlin. Celle que vous tenez ne vaut pas mieux que la toile à sac de l'Écriture !

– Oui, je la veux ainsi. Donnez-moi l'autre.

Elle la prit et se mit à la déchirer de toutes ses forces ; et cela sonnait dans la maison comme un cri d'oiseau de nuit.

– Mais, chère, chère !… quelle…

– Elle est adultère ! Je ne la connais plus… Je l'achetai il y a longtemps… pour plaire à Jude. Elle doit être anéantie !

Mrs Edlin leva les bras au ciel, et Sue continua à déchirer furieusement la toile en lambeaux, jetant les morceaux au feu.

– Vous auriez dû me la donner ! dit la veuve. Cela me fait mal au cœur de voir un si joli petit ouvrage consumé par les flammes. Ce n'est pas que ces légers voiles de nuit puissent beaucoup servir à une vieille femme comme je suis. Le temps de toutes ces choses est bien passé pour moi !

– C'est une chose maudite… elle me rappelle ce que je veux oublier, répéta Suzanne. Elle n'est bonne que pour le feu.

– Seigneur ! vous êtes trop stricte ! Pourquoi parlez-vous ainsi et condamnez-vous à l'enfer vos chers petits enfants que vous avez perdus ? Sur ma vie, je n'appelle pas cela de la religion !

Suzanne renversa sa tête sur le lit et sanglotant :

– Oh ! ne me parlez pas ainsi ! oh ! non ! cela me tue.

Elle resta secouée par sa douleur et se laissa glisser à genoux.

– Je vous dis que… vous ne devriez pas redevenir la femme de cet homme ! dit Mrs Edlin avec indignation. Vous êtes encore amoureuse de l'autre !

– Si ! je le dois… Je suis à lui déjà !

– Bah ! vous êtes à l'autre ! S'il ne vous a pas plu de vous lier vous-même par un vœu, tout d'abord, c'était parce que vous aviez plus de foi dans votre conscience et que vous n'aviez égard qu'à votre raison ; et vous avez continué de vivre ainsi et vous avez bien fait. Après tout, cela ne regardait personne, que vous deux.

– Richard dit qu'il veut m'avoir de nouveau, et je suis tenue d'aller à lui ! S'il avait refusé, ce n'aurait peut-être pas été autant mon devoir de… laisser Jude. Mais…

Elle resta le visage dans les couvertures, et Edlin quitta la chambre.

Phillotson, dans l'intervalle, était revenu vers son ami Gillingham, qui était encore à table, et ils se promenèrent sur la pelouse pour fumer un instant. Une lumière brûlait dans la chambre de Suzanne et l'on voyait une ombre se mouvoir derrière la persienne.

Gillingham avait été évidemment impressionné par le charme indéfinissable de Suzanne, et, après un silence, il dit :

– Eh bien, vous avez fini par la rattraper ou presque. Elle ne peut guère s'en aller une seconde fois. La poire est tombée mûre dans votre main.

– Oui... Je crois que j'ai raison de la prendre au mot. Je confesse qu'il y a peut-être là une pointe d'égoïsme. Outre qu'elle est ce qu'elle est, un délice pour une ganache comme moi, cela me posera bien aux yeux du clergé et des laïques orthodoxes, qui ne m'ont jamais pardonné de l'avoir laissée partir. Je puis ainsi remonter un peu du chemin de jadis.

– Eh bien, si vous avez trouvé quelque bonne raison de l'épouser de nouveau, faites-le maintenant, pour Dieu ! Je fus toujours opposé à cette façon d'ouvrir la cage et de laisser partir l'oiseau dans une voie si évidemment mortelle. Vous pourriez être inspecteur, aujourd'hui, ou révérend, si vous n'aviez pas été si faible avec elle.

– Je me suis fait un tort irréparable, je le sais.

– Vous l'avez une fois rattrapée : gardez-la.

Le cottage de Mrs Edlin s'ouvrit avec un petit bruit de loquet, et quelqu'un traversa dans la direction de l'école. Phillotson dit :

– Bonne nuit !

– Oh ! c'est M. Phillotson, dit Mrs Edlin. Je me disposais à aller vous voir. Je suis montée avec elle, l'aider à déballer ses affaires, et, sur ma parole, je ne pense pas que cela doive être.

– Quoi ? le mariage ?

– Oui. Elle se fait violence, pauvre chère petite créature ; et vous n'avez pas idée de ce qu'elle souffre. Je n'ai jamais tenu bien fort ni pour ni contre la religion, mais il ne peut pas être bien de laisser faire cela et vous devriez l'en dissuader. Naturellement chacun dira que c'était très bien à vous de pardonner et de la reprendre. Mais, pour ma part, je ne le dirai pas.

– C'est son désir et j'y consens, dit Phillotson avec réserve. (L'opposition lui donnait maintenant une fermeté illogique.) Un grave désordre sera réparé.

– Je ne le crois pas. Elle est sa femme, si jamais elle fut celle de quelqu'un. Elle a eu de lui trois enfants et il l'aime tendrement ; et c'est une méchante honte de la pousser à cela, pauvre petit être frémissant ! Elle n'a personne auprès d'elle. Le seul homme qui serait son ami, l'obstinée créature ne veut pas le laisser venir auprès d'elle. D'où vient cet état d'esprit ? Je n'y comprends rien.

– Je ne puis pas vous le dire. Certainement, ce n'est pas moi. Elle agit tout à fait de son plein gré. Maintenant, c'est tout ce que j'ai à vous dire.

– Phillotson parlait sèchement. – Vous avez tourné autour d'elle, mistress Edlin. Cela ne vous ressemble pas !

– Bien. Je savais que vous seriez offensé de ce que j'avais à vous dire. Mais il n'importe : la vérité est la vérité.

– Je ne suis pas offensé, mistress Edlin. Vous avez été une trop bonne voisine pour cela. Mais vous me permettrez de savoir ce qui vaut le mieux pour Suzanne et pour moi-même. Je suppose que vous ne viendrez pas à l'église avec nous, alors ?

– Non pas. Que je sois pendue si je m'en sens capable... Je ne sais pas quels temps vont venir. Le mariage est devenu si sérieux aujourd'hui, qu'on se sent vraiment effrayé de s'engager à fond. De mon temps, nous prenions cela plus légèrement ; et je ne sache pas que nous en fussions pires ! Quand nous nous mariâmes, mon pauvre homme et moi, nous menâmes la fête pendant toute la semaine et nous eûmes à emprunter une demi-couronne pour commencer notre ménage !

Quand Mrs Edlin fut rentrée à son cottage, Phillotson dit d'un air sombre :

– Je ne sais pas si je dois faire cela, en tout cas si rapidement.

– Pourquoi ?

– Si elle s'y force vraiment contre son impulsion, simplement d'après sentiment nouveau du devoir ou de la religion, je devrais peut-être la laisser attendre un peu.

– Vous êtes aujourd'hui trop avancé pour reculer. Voilà mon avis.

– Il ne m'est guère possible de différer cela maintenant, c'est vrai. Mais j'ai eu un scrupule quand elle a poussé ce petit cri à la vue de la dispense.

– Désormais, n'ayez jamais de scrupules, mon vieux. Il est entendu que désormais je vous la donne et que vous la prenez. J'ai toujours eu sur la conscience de ne pas vous avoir combattu davantage quand vous l'avez laissée partir, et, aujourd'hui que nous en sommes là, je ne serai pas content que je ne vous aie aidé à remettre les choses en place.

Phillotson fit un signe d'assentiment, et, voyant combien son ami était ferme, devint plus franc.

– Nul doute qu'en apprenant ce que j'ai fait, beaucoup de gens ne me prêtent une douce folie. Mais ils ne connaissent pas Suzanne comme je la connais. Elle a une nature si droite et si ouverte que je ne crois pas qu'elle ait jamais fait quelque chose contre sa conscience. Le fait d'avoir vécu avec Fawley n'est rien. Au moment où elle me quitta pour lui, elle pensait qu'elle était tout à fait dans son droit. Aujourd'hui elle pense autrement.

Le matin du lendemain arriva, et le sacrifice d'elle-même que cette femme consentait sur l'autel de ce qu'il lui avait plu d'appeler ses principes, les deux amis y consentirent, chacun à son point de vue. Phillotson passa chez la veuve Edlin pour aller prendre Suzanne, un peu après huit heures. Le brouillard qui, depuis un jour ou deux, traînait sur le sol, s'était élevé maintenant ; les arbres de la pelouse l'accrochaient par brassées et en faisaient des averses de grosses gouttes. La mariée attendait toute prête. Elle n'avait jamais été aussi pareille au lis que dans cette pâle lumière du matin. Purifiée, fatiguée du monde, pleine de remords, l'effort de ses sens avait dévoré sa chair et ses os, et elle apparaissait plus fine que jamais, bien qu'elle n'eût pas été forte aux jours de sa plus robuste santé.

– Quel empressement ! dit le maître d'école, en lui prenant magnanimement la main.

Mais il réprima son envie de l'embrasser ; il se rappelait le petit tressaillement qu'elle avait eu la veille et qu'il ne pouvait chasser de sa pensée.

Gillingham les rejoignit et ils quittèrent la maison, la veuve Edlin restant ferme dans son refus d'assister à la cérémonie.

– Où est l'église ? dit Suzanne.

Elle n'avait pas vécu dans le pays depuis la démolition de la vieille église, et, dans sa préoccupation, elle oubliait où était la nouvelle.

– La voici, un peu plus haut, dit Phillotson.

Le clocher se dessinait vaguement dans le brouillard, lourd et solennel. Le vicaire s'était déjà rendu à l'édifice, et, quand ils entrèrent, il dit plaisamment :

– Nous avons presque besoin de bougies.

– Vous désirez… vraiment… que je sois vôtre, Richard ? murmura tout bas Suzanne avec effort.

– Certainement, chère ; par-dessus toutes choses au monde.

Suzanne n'ajouta pas un mot ; et, pour la seconde ou la troisième fois, il sentit qu'il ne suivait pas l'instinct d'humanité qui l'avait poussé à la laisser partir.

Ils se tenaient là, tous les cinq : le ministre, le clerc, le couple et Gillingham ; et le rite sacré fut aussitôt célébré une seconde fois. Dans la nef, il y avait deux ou trois villageois, et quand le clergyman arriva aux mots : « Ce que Dieu a uni… » on entendit parmi eux une voix de femme dire tout haut :

« Dieu les a unis en vérité ! »

C'était comme si les fantômes de leurs anciens *moi* avaient promulgué de nouveau le pacte de la scène analogue qui avait eu lieu à Melchester des années avant. Quand les registres furent signés, le vicaire félicita le mari et la femme d'avoir accompli un acte noble et juste de pardon mutuel. « Tout est bien qui finit bien, dit-il en souriant. Puissiez-vous longtemps être heureux ensemble après avoir été ainsi *sauvés du feu.* »

Ils descendirent de l'église presque vide et passèrent à la maison d'école. Gillingham avait besoin d'être chez lui cette nuit et il les quitta de bonne heure. Lui aussi, il félicita le couple.

– Maintenant, dit-il, en se séparant de Phillotson qui l'avait accompagné un bout de chemin, je serai à même de raconter aux gens de chez vous une bonne histoire, et ils diront « bien fait », soyez-en sûr.

Quand le maître d'école revint, Suzanne essayait de s'occuper un peu au ménage, comme si elle vivait là. Mais elle parut intimidée à son approche.

– Naturellement, chère, je n'ai point le dessein de forcer votre vie intime, pas plus que je ne le fis auparavant, dit-il gravement. Il est de notre bien social d'agir ainsi, et c'est la justification de cet acte, si ce n'en fut pas pour moi la raison.

Suzanne s'éclaira un peu.

VI

La scène se passe à la porte du logement garni que Jude avait loué dans un faubourg de Christminster, loin de ce quartier de Saint-Silas où il avait vécu d'abord et qui l'attristait jusqu'à le rendre malade. La pluie tombait. Une femme, misérablement vêtue de noir, se tenait sur le seuil, parlant à Jude qui retenait la porte dans sa main.

– Je suis seule, dénuée de tout, sans logis ; voilà ce que je suis. Mon père m'a renvoyée après m'avoir emprunté jusqu'à mon dernier sou pour mettre dans ses affaires, et il m'accusait alors de fainéantise, quand j'attendais seulement une situation. Je suis à la merci de tout le monde. Si vous ne pouvez me prendre avec vous et me sauver, Jude, je devrai aller au « workhouse » ou dans un endroit pire. Tout à l'heure, comme je venais, deux étudiants m'ont regardée en clignant de l'œil... Il est difficile à une femme de rester vertueuse dans un lieu où il y a tant de jeunes gens.

La femme qui parlait ainsi sous la pluie était Arabella, et c'était le lendemain soir du mariage de Sue avec Phillotson.

– J'en suis fâché pour vous, mais je ne suis qu'en garni, dit Jude, froidement.

– Alors, vous me renvoyez ?

– Je vous donnerai assez d'argent pour vous nourrir et vous loger quelques jours.

– Oh ! ne pouvez-vous avoir la bonté de me prendre ici ? Je ne puis supporter d'habiter plus longtemps à l'auberge, et je suis si seule... Je vous en prie, Jude, en souvenir du passé.

– Non, non, dit Jude, précipitamment. Je ne tiens pas à me rappeler ces choses, et si vous m'en parlez, je ne vous aiderai pas.

– Donc, je suppose que je dois m'en aller, dit Arabella.

Elle appuya sa tête contre le montant de la porte et commença à sangloter.

– La maison est pleine, dit Jude. Et j'ai seulement une petite chambre de débarras – guère plus qu'un cabinet – où je serre mes outils et le peu de livres que j'ai gardés.

– Ce serait un palais pour moi.

– Il n'y a pas de bois de lit.

– On peut arranger une espèce de lit par terre. Ce serait bien assez bon pour moi.

Incapable de la brutaliser, et ne sachant que faire, Jude appela le propriétaire et la présenta comme une personne de sa connaissance qui était dans une grande détresse et désirait un refuge temporaire.

– Vous pouvez me reconnaître, car j'ai servi autrefois à la brasserie de l'*Agneau et de l'Étendard*, dit Arabella. Mon père m'a insultée cet après-midi, et je l'ai quitté, quoique sans le sou.

Le propriétaire dit qu'il ne pouvait se rappeler ses traits.

– Mais pourtant, si vous êtes une amie de M. Fawley, nous ferons ce que nous pourrons pour un jour ou deux, s'il veut bien répondre pour vous.

– Oui, oui, dit Jude. Elle m'a réellement pris au dépourvu ; mais je voudrais la tirer d'embarras.

Un arrangement fut enfin conclu : on mettrait un lit dans le cabinet de débarras de Jude, afin de le rendre confortable pour Arabella, jusqu'à ce qu'elle fût sortie de la gêne où elle se trouvait, non par sa faute, disait-elle, et qu'elle pût retourner chez son père.

Pendant qu'on faisait les préparatifs, Arabella dit :

– Vous connaissez les nouvelles, je suppose ?

– Je devine ce que vous voulez dire, mais je ne sais rien.

– J'ai reçu aujourd'hui une lettre d'Annie qui habite Alfredston. Elle a justement entendu dire que le mariage devait être célébré hier, mais elle ne savait pas si c'était fait.

– Je désire ne pas en parler.

– Non, non, évidemment, vous n'y tenez pas. Seulement, cela montre quelle espèce de femme…

– Ne parlez pas d'elle, vous dis-je. C'est une folle… Mais c'est un ange aussi, pauvre chérie !

– Si la chose est faite, il aura la chance de regagner son ancienne situation ; c'est l'avis de tous, dit Annie. Et tous ses protecteurs seront charmés, y compris l'évêque lui-même.

– Épargnez-moi, Arabella.

Arabella fut commodément installée dans le petit cabinet, et d'abord elle évita de venir près de Jude…

Mais le matin du dimanche suivant, comme Jude déjeunait plus tard que d'habitude – elle lui demanda doucement si elle pouvait venir déjeuner avec lui, ayant cassé sa théière, et ne pouvant la remplacer immédiatement parce que les magasins étaient fermés.

– Oui, si vous voulez, dit-il avec indifférence.

Après qu'ils se furent assis en silence, elle remarqua brusquement :

– Vous semblez tout pensif, mon vieux. J'en suis fâchée pour vous.

– Je suis toujours pensif.

– C'est à cause d'elle, je le sais. Ce ne sont pas mes affaires, mais je puis apprendre ce qu'il en est, à propos du mariage, si réellement il a eu lieu et si vous désirez le savoir.

– Comment ?

– Il faut que j'aille à Alfredston chercher quelques effets que j'y ai laissés. Et je pourrais voir Annie qui aura sûrement entendu dire quelque chose, car elle a des amis à Marygreen.

Jude ne put se résoudre à acquiescer à cette proposition ; mais son indécision combattait sa réserve et finit par l'emporter.

– Vous pouvez vous informer, si cela vous convient. Je n'ai pas entendu un mot de cela, dit-il. La cérémonie a dû être tout à fait privée si... s'ils sont mariés.

– Je crains de n'avoir pas assez d'argent pour aller là-bas et revenir ; autrement j'y serais allée plus tôt. Je dois attendre d'en avoir gagné un peu.

– Oh ! je puis payer votre voyage, dit-il impatiemment.

Et son anxiété au sujet du bonheur de Sue et du mariage possible le conduisit à dépêcher pour émissaire la dernière personne qu'il eût choisie après réflexion.

Arabella s'en alla, Jude lui ayant recommandé de ne pas rentrer plus tard que par le train de sept heures. Quand elle fut partie, il se dit :

– Pourquoi l'ai-je pressée de revenir à une heure particulière ? Elle n'est rien pour moi, ni l'autre non plus.

Mais après avoir achevé son travail, il ne put s'empêcher d'aller à la gare, pour y rencontrer Arabella, entraîné par une impatience fiévreuse de recevoir les nouvelles qu'elle apporterait et d'en connaître les pires. Arabella qui avait essayé avec succès des fossettes, pendant le temps du retour, souriait en sautant hors du wagon. Il dit simplement :

– Eh bien ?

– Ils sont mariés.

– Oui, naturellement... ils sont mariés, répondit-il.

Elle observa cependant le pli dur de sa lèvre, comme il parlait.

– Annie dit qu'elle a appris de Belinda, sa parente de Marygreen, que la cérémonie avait été triste et curieuse à voir.

– Triste ? Que voulez-vous dire ? Elle désirait se remarier avec lui, n'est-ce pas ? et lui avec elle...

– Oui ; c'était ainsi. Elle désirait ce mariage à un certain point de vue, mais à un autre, elle n'y tenait point... Mrs Edlin en était toute bouleversée et elle a dit ce qu'elle pensait à Phillotson. Mais Sue était si excitée à ce propos qu'elle a jeté au feu son plus beau linge brodé qu'elle avait porté pendant qu'elle était avec vous, afin de vous effacer entièrement de sa mémoire. C'est bien... Si une femme est dans ces sentiments, elle doit agir ainsi. Je l'approuve pour cela, bien que d'autres la blâment. – Arabella soupira. – Elle a senti que Phillotson seul était son mari et qu'elle n'appartiendrait à personne d'autre, devant Dieu Tout-Puissant, tant qu'il vivrait. Il y a peut-être une autre femme qui se fait, sur elle-même, les mêmes réflexions.

Arabella soupira encore.

– Je hais toute espèce d'hypocrisie, clama Jude.

– Ce n'est pas de l'hypocrisie, dit Arabella. Je sens exactement comme elle.

Il mit fin à cette conversation par cette remarque abrupte :

– Eh bien, maintenant je sais ce que je voulais savoir. Grand merci du renseignement. Je ne rentrerai pas encore à mon logement.

Et il la quitta aussitôt.

… La soirée s'écoula et Jude ne revint pas chez lui. À neuf heures et demie, Arabella sortit elle-même, se dirigeant d'abord vers un quartier éloigné, près de la rivière, où son père avait ouvert récemment une misérable petite charcuterie.

– Eh bien, lui dit-elle, malgré la scène que vous m'avez faite ce soir, je suis revenue parce que j'avais quelque chose à vous dire. Je pense que je serai mariée et établie encore une fois. Seulement vous devez m'aider et vous ne pouvez pas moins faire, après le secours que je vous ai apporté.

– Je ferai n'importe quoi pour ne plus vous avoir sur les bras.

– Très bien. Je vais aller voir ce que devient mon jeune homme. Il a filé, je le crains, et il faut que je le ramène à la maison. Tout ce que je vous demande, c'est de ne pas fermer la porte cette nuit, dans le cas où je devrais coucher ici et assez tard.

Elle répartit donc et, d'abord, revint chez Jude pour s'assurer qu'il n'était pas rentré ; puis elle commença ses recherches. Ses présomptions sagaces au sujet de la première course que Jude avait dû faire la conduisirent à la taverne qu'il fréquentait autrefois, et où elle-même avait été servante. Elle n'avait pas plutôt ouvert la porte du « Private bar » qu'elle aperçut Jude assis dans l'ombre, au revers d'un compartiment, ses yeux fixés sur le parquet avec un regard de stupeur découragée. En ce moment, il ne buvait que de l'ale, et rien de plus fort. Il ne remarqua pas Arabella ; elle entra et s'assit à côté de lui.

Jude regarda et dit, sans surprise :

– Vous venez prendre quelque chose, Arabella ?… J'essaie de l'oublier : c'est tout. Mais je ne peux pas ; et je vais rentrer.

Elle vit qu'il avait une pointe d'ivresse, très légère encore.

– Je suis uniquement venue pour vous, mon cher garçon. Vous n'êtes pas bien. Maintenant, il faut prendre quelque chose de meilleur que ça.

Arabella fit un signe à la servante.

– Vous boirez des liqueurs, cela convient mieux que la bière à un homme de votre éducation. Vous prendrez du marasquin, du curaçao doux ou fort, du cherry brandy. Je veux vous régaler, pauvre camarade.

– N'importe quoi. Demandez du cherry brandy... Sue m'a traité méchamment, très méchamment. Je n'attendais pas cela de Sue. Je m'étais attaché à elle ; elle aurait dû s'attacher à moi. J'aurais vendu mon âme pour son salut, et elle n'aurait pas risqué pour moi un atome d'elle-même. Pour sauver son âme, elle laissait la mienne se damner !... Mais ce n'est pas sa faute, pauvre petite fille ! Je suis sûr que ce n'est pas sa faute.

Il était difficile de savoir par quel moyen Arabella s'était procuré de l'argent, mais elle commanda des liqueurs de chaque espèce et paya le tout. Quand ils eurent bu, Arabella proposa autre chose ; et Jude eut le plaisir d'être conduit à toutes les variétés de dégustation par quelqu'un qui les connaissait comme son domaine. L'accent d'Arabella fut uniformément caressant et doucereux cette nuit-là, et lorsque Jude disait :

– Je ne m'inquiète pas de ce qui peut m'arriver, phrase qu'il répétait sans cesse, elle répondait :

– Mais je m'en inquiète beaucoup.

L'heure de la clôture arriva et on les fit sortir. Alors Arabella mit son bras autour de la ceinture de Jude et guida ses pas chancelants.

Comme ils allaient par les rues, elle dit :

– Je ne sais ce que dira notre propriétaire en voyant que je vous ramène dans cet état. Je m'attends à ce que nous restions dehors, à moins qu'il ne veuille descendre et nous laisser entrer.

– Je ne sais pas ; je ne sais pas.

– Ce qu'il y a de pire, c'est de n'avoir point de maison à soi. Je vous dirai, Jude, ce que nous avons de mieux à faire. Allons du côté de chez mon père ; Je me suis un peu raccommodée avec lui aujourd'hui. Je vous ferai entrer, personne ne nous verra, et demain matin, vous serez d'aplomb.

– N'importe quoi, n'importe où, répliqua Jude. Que diable cela peut-il me faire ?

Ils cheminèrent ensemble, comme tout autre couple d'ivrognes, le bras d'Arabella autour de la taille de Jude, puis, à la fin, le bras de Jude autour de la taille d'Arabella. Il n'y avait là aucune intention amoureuse ; mais Jude était faible, instable, et il avait besoin d'un appui.

... Quand ils furent arrivés chez le père d'Arabella, elle ouvrit doucement la porte, cherchant une lumière à tâtons.

Les circonstances n'étaient pas absolument différentes de celles qui avaient marqué leur entrée dans le cottage de Cresscombe, bien longtemps auparavant. Et peut-être les intentions d'Arabella étaient à peu près les mêmes. Mais Jude n'y songeait guère, bien qu'elle-même y pensât.

– Je ne puis trouver les allumettes, chéri, dit-elle quand elle eut refermé la porte. Mais n'importe, voilà le chemin. Aussi doucement que possible, s'il vous plaît.

– Il fait noir comme dans un trou, dit Jude.

– Donnez-moi votre main, je vous conduirai. C'est cela. Asseyez-vous ici et je vous ôterai vos chaussures. Je ne tiens pas à le réveiller.

– Qui, lui ?

– Le père. Il grognerait peut-être.

Elle lui enleva ses souliers.

– Maintenant, murmura-t-elle, appuyez-vous sur moi ; votre poids n'y fait rien. Allons... première marche, deuxième marche...

– Mais... sommes-nous dans notre vieille maison près de Marygreen ? demanda Jude stupéfait. Je n'étais jamais revenu de ce côté... Hé ? Où sont mes livres ?... C'est ce que je veux savoir.

– Nous sommes chez moi, cher ami, et personne ne peut voir combien vous êtes malade. Maintenant... troisième marche... quatrième marche... Ça y est... Là, nous avons fini.

VII

Arabella préparait le déjeuner dans une pièce du rez-de-chaussée de l'étroite maison récemment louée par son père. Elle passa sa tête dans la petite boutique située sur la façade, et avertit M. Donn que « c'était prêt ». Donn, qui se donnait des airs de maître charcutier, avec sa blouse gris-bleu et la pierre à aiguiser pendue à sa ceinture de cuir, arriva promptement.

– Vous veillerez à la boutique, ce matin, dit-il. Je dois aller à Lumsdon chercher des tripes et un demi-porc, et je dois encore passer ailleurs. Si vous restez ici, il faudra me donner un coup d'épaule, au moins jusqu'à ce que les affaires roulent toutes seules.

– Bien. Pour aujourd'hui, je ne peux rien dire.

Elle le regardait en face d'un air triomphant. J'ai une conquête là-haut.

– Oh ! qu'est-ce que c'est ?

– Un mari... ou presque.

– Non !

– Si ! C'est Jude. Il est revenu avec moi.

– Votre vieil original ? Eh bien, que le diable m'emporte...

– J'ai toujours eu du goût pour lui, je ne vous le cache pas.

– Mais comment est-il arrivé là ? dit Donn hochant la tête vers le plafond.

– Ne me faites pas de questions inconvenantes, papa. Ce que nous avons de mieux à faire, c'est de le garder ici, jusqu'à ce que lui et moi nous soyons ce que nous étions.

– Quoi ?

– Mariés.

– Ah !... Eh bien, c'est la chose la plus drôle dont j'aie jamais entendu parler : épouser un ancien mari. Il n'y a rien de fait, à mon idée. À votre place, j'en aurais pris un nouveau, tant que j'y étais.

– Ce n'est pas extraordinaire pour une femme de revenir à son ancien mari, quoique, pour un homme, rechercher son ancienne femme... oui, c'est un peu bizarre peut-être.

Et Arabella fut soudain saisie d'un accès de gros rire, auquel son père s'associa, avec plus de modération.

– Soyez poli pour lui, je ferai le reste, dit-elle quand elle eut repris son sérieux. Il m'a dit ce matin que sa tête lui faisait mal comme si elle allait éclater et il semblait à peine savoir où il était. Ce n'est pas étonnant, si l'on considère combien il a mélangé de boisson la nuit dernière. Nous devons le garder ici gracieusement et gentiment un jour ou deux, et ne pas le laisser rentrer chez lui. Quoi que vous avanciez, je vous rendrai l'argent de vos dépenses. Mais il faut que je monte voir comment il va maintenant, pauvre chéri.

Arabella monta l'escalier, ouvrit doucement la porte de la première chambre à coucher et regarda avec précaution. Ayant trouvé endormi le Samson qu'elle avait tondu, elle alla près du lit et resta debout à le contempler. La fiévreuse rougeur que la débauche de la veille avait laissée sur son visage atténuait l'apparente fragilité de ses traits, et ses longs-cils, ses sourcils sombres, les boucles noires de ses cheveux et de sa barbe sur la blancheur de l'oreiller, achevaient la physionomie d'un homme tel qu'Arabella sentit qu'il valait la peine d'être reconquis par une femme qui avait des passions grossières et qui, en outre, était gênée par son milieu et sa réputation. Son ardent regard semblait agir sur le dormeur : le souffle rapide de Jude se suspendit et il ouvrit les yeux.

– Comment êtes-vous, maintenant, chéri ? dit-elle. C'est moi… Arabella.

– Ah !.. Où ?… Oh ! oui, je me souviens… Vous m'avez donné asile… Je suis échoué… malade… démoralisé… perdu… voilà ce que je suis.

– Il faut donc rester là. Il n'y a personne dans la maison, excepté mon père et moi, et vous pouvez vous reposer jusqu'à ce que vous soyez mieux. Je dirai au chantier que vous avez reçu un coup.

– Je me demande ce qu'on pensera chez moi.

– J'irai tout expliquer. Peut-être feriez-vous mieux de me laisser payer, sinon l'on croira que nous sommes partis.

– Oui. Vous trouverez l'argent nécessaire ici, dans ma poche.

Une demi-heure s'était à peine écoulée qu'Arabella reparut, marchant près d'un garçon qui traînait une petite voiture où étaient empilés les objets appartenant à Jude et le peu d'effets qu'Arabella avait apportés pendant son bref séjour dans le logement garni. Jude était dans un tel accablement physique après son aventure de la nuit précédente, et dans un tel chagrin d'avoir perdu Sue et de s'être livré à Arabella pendant son demi-sommeil, qu'en voyant ses meubles déballés et gisant sous ses yeux, dans cette étrange chambre à coucher, mêlés à des vêtements de femme, il comprit à peine comment ils étaient arrivés là, et ce que leur présence signifiait.

– Maintenant, dit Arabella à son père, lorsqu'ils se trouvèrent tous deux au rez-de-chaussée, il faut avoir beaucoup de bonnes liqueurs dans la maison pendant quelques jours. Je connais son caractère ; s'il tombe dans l'état de tristesse mortelle où il est quelquefois, il ne fera jamais rien d'honorable pour moi, et je resterai dans l'embarras. Il faut le maintenir gai. Il a un peu d'argent à la caisse d'épargne et il m'a donné sa bourse pour payer tout ce qu'il faudrait. Eh bien ! j'en paierai le permis de mariage. Il faut que je l'aie sous la main pour saisir Jude au moment opportun. Vous fournirez la liqueur. Quelques amis et un petit dîner bien tranquille, ce serait l'affaire, si on pouvait y arriver. Ça ferait connaître la boutique et cela m'aiderait aussi.

– Ce n'est pas bien difficile. Il n'y a qu'à apporter des vivres et de la boisson... En effet, ça lancerait la boutique, c'est vrai.

Trois jours plus tard, quand Jude fut un peu revenu de l'affreux battement de ses yeux et de son cerveau, bien qu'avec l'esprit trouble encore de tout ce que lui avait donné Arabella dans l'intervalle – pour le maintenir gai, comme elle le disait – eut lieu le petit festin dont elle avait eu l'idée pour faire sauter le pas à Jude.

Une de leurs connaissances, Tinker Taylor, bien qu'il habitât la même rue, n'était pas invité ; mais en rentrant chez lui, le soir de la fête, après une affaire qui l'avait retardé, il eut l'occasion d'appeler à la boutique pour des pieds de mouton. Il n'y en avait pas, et on lui en promit pour le lendemain matin. Tout en faisant sa commande, Taylor jeta un regard dans l'arrière-boutique, et aperçut le cercle des convives qui jouaient aux cartes, buvaient et s'en donnaient de toutes les manières, aux frais de Donn. Il rentra se coucher. Le lendemain matin, il se demanda en sortant comment la partie avait fini. Il pensait que ce n'était guère la peine d'appeler à la boutique pour ses provisions à cette heure : Donn et sa fille n'étaient probablement pas levés, après la tardive ripaille de la nuit. Pourtant, il vit en passant que la boutique était ouverte, et il entendit des voix à l'intérieur, bien que les volets de l'étalage ne fussent pas encore ouverts. Il vint frapper à la porte du petit salon et l'ouvrit.

– Eh bien, vrai ! dit-il étonné.

Les hôtes et les convives étaient assis, jouant aux cartes, fumant, causant, tout comme il les avait laissés onze heures plus tôt. Le gaz brûlait et les rideaux étaient tirés, bien qu'il fit jour depuis deux heures au-dehors.

– Oui ! cria Arabella en riant. Nous sommes là toujours pareils. Nous devrions avoir honte de nous-mêmes, n'est-ce pas ? Mais c'est une sorte de *crémaillère*, vous voyez ; et nos amis ne sont pas du tout pressés. Entrez, monsieur Taylor, et asseyez-vous.

Le chaudronnier ne se fit pas prier, entra et prit un siège.

– Eh bien ? vraiment, je pouvais à peine en croire mes yeux quand je vous ai vus là. Il me semblait que j'étais rejeté dans la nuit dernière tout d'un coup.

– Mais c'est bien ainsi. Versez à M. Taylor !

Il s'aperçut alors qu'Arabella était assise à côté de Jude, et qu'elle l'enlaçait de son bras. Jude, comme le reste de la compagnie, portait sur son visage les marques de ses abondantes libations.

– Eh bien, nous avons attendu qu'il fût une certaine heure légale, si vous voulez savoir la vérité, continua-t-elle timidement, tandis qu'elle essayait de faire ressembler, autant qu'il était possible, la coloration cramoisie de l'ivresse à une rougeur de jeune fille. Jude et moi avons décidé d'arranger les affaires entre nous en resserrant le nœud de nouveau, car nous nous sommes aperçus qu'en fin de compte nous ne pouvions pas aller l'un sans l'autre. Voilà pourquoi nous avons décidé de rester là jusqu'à ce qu'il fût l'heure, et d'expédier l'affaire.

Jude ne semblait pas faire grande attention à ce qu'elle annonçait là, ni à rien du tout d'ailleurs. L'entrée de Taylor ranima un peu la compagnie, et on resta assis jusqu'à ce qu'Arabella dit tout bas à son père :

– Maintenant, nous pouvons partir.

– Mais le curé ne sait pas ?

– Si ! je lui ai dit hier soir que nous viendrions entre huit et neuf, à cause des raisons de convenance qu'il y avait à faire cela aussi tôt et aussi tranquillement que possible : j'ai allégué que c'était un remariage entre nous et que cela attirerait les curieux s'ils le savaient. Il a hautement approuvé.

– Oh ! très bien. Je suis prêt, lui dit son père en titubant.

– Maintenant, venez, chéri, dit-elle à Jude, venez, comme vous l'avez promis.

– Quand ai-je promis quelque chose ? demanda-t-il.

Elle l'avait tellement fait boire, avec sa science spéciale de ces matières, qu'il n'était presque plus gris, ou du moins pouvait sembler ne pas l'être à ceux qui ne le connaissaient pas.

– Comment ! dit Arabella avec une consternation affectée. Vous avez promis plusieurs fois de m'épouser depuis que nous sommes là, cette nuit. Ces messieurs vous ont entendu.

– Je ne me le rappelle pas, dit Jude avec obstination. Il n'y a qu'une femme… mais je ne veux pas la nommer dans ce capharnaüm !

Arabella fit signe à son père.

– Voyons, monsieur Fawley, soyez homme d'honneur, dit Donn. Vous avez vécu ensemble, ma fille et vous, ces trois ou quatre jours, parce qu'il était bien entendu que vous alliez l'épouser. Il va de soi que je n'aurais pas toléré de telles allures dans ma maison, si je n'avais compris cela. C'est un point d'honneur : vous devez le faire maintenant.

– Ne dites pas un mot de mon honneur ! ordonna Jude avec chaleur, en se dressant tout debout. J'épouserais la p… de Babylone plutôt que de rien faire de déshonorant ! Cela soit dit sans vous désobliger, mon cher. C'est une simple figure de rhétorique, – qu'on appelle dans les livres une hyperbole.

– Gardez vos figures pour vos dettes envers les amis qui vous abritent, dit Donn.

– Si je suis engagé d'honneur à l'épouser, – comme je suppose que je le suis (et que je meure si je sais comment j'en suis venu là avec elle !) – soit, je veux bien l'épouser, avec l'aide de Dieu ! Je n'ai jamais enfreint l'honneur avec une femme, ni avec âme qui vive. Je ne suis pas un homme qui veuille se sauver aux dépens des plus faibles.

– Là… ne faites pas attention à lui, chéri, dit-elle, sa joue contre celle de Jude. Montez vous laver et vous faire propre, et nous sortirons. Réconciliez-vous avec mon père.

Ils se serrèrent la main. Jude monta l'escalier avec Arabella et revint bientôt, l'air propre et calme. Elle aussi s'était arrangée en hâte ; et ils s'en allèrent, en compagnie de Donn.

– Restez, dit-elle en sortant aux convives. J'ai dit à la petite bonne de faire le déjeuner pendant notre absence ; et, quand nous reviendrons, tout le monde prendra quelque chose. Une bonne tasse de thé remettra chacun d'aplomb pour rentrer chez lui.

Quand Arabella, Jude et Donn eurent disparu pour leur expédition conjugale, les convives assemblés bâillèrent largement pour se réveiller et discutèrent la situation avec grand intérêt. Tinker Taylor, étant le moins gris, raisonnait avec le plus de clarté.

– Je ne voudrais pas parler contre des amis, dit-il. Mais cela me semble drôle pour un couple de se remarier ! S'ils n'ont pas pu s'y faire la première fois, quand leurs esprits étaient souples, ils ne pourront pas la seconde, m'est avis.

– Croyez-vous qu'il cède ?

– Elle l'a mis sur la question de l'honneur : il s'exécutera.

– Mais il ne pourrait même pas être en règle ainsi, il n'a ni permis ni rien.

– Elle a pris ses mesures, rassurez-vous. Ne l'avez-vous pas entendue le dire à son père ?

– Rien, dit Tinker Taylor en rallumant sa pipe au bec de gaz. À la prendre en bloc, ce n'est pas un si déplaisant morceau, surtout aux lumières. Bien sûr, les sous qui ont été en circulation, il ne faut pas leur demander d'être comme des neufs qui sortent de la Monnaie. Mais pour une femme qui a roulé sa bosse dans les deux hémisphères, elle est assez passable : un peu haute en graisse peut-être : mais j'aime une femme qu'une bouffée de vent ne renverse pas en soufflant dessus.

Leurs yeux suivaient les mouvements de la gamine, tandis qu'elle mettait la nappe du déjeuner sur la table, sans essuyer les rinçures de liqueur. Les rideaux n'étaient pas ouverts. Quelques-uns des convives s'étaient endormis sur leur chaise. Deux ou trois, Tinker Taylor en tête, allèrent à la porte et regardèrent longuement la rue plus d'une fois. Au bout d'un moment, il rentra et clignant de l'œil :

– Bon Dieu ! Je crois que c'est fait !

– Non, dit l'oncle Joe, en rentrant derrière lui. Entendez bien ce que je vous dis, il n'a pas marché à la dernière minute. Ils n'ont pas un air ordinaire et c'est cela que ça signifie.

Ils attendirent en silence jusqu'à l'entrée de la noce.

Arabella fit la première son entrée, en coup de vent ; et on voyait assez sur son visage que sa tactique avait réussi.

– Mme Fawley, je présume ? dit Tinker Taylor avec une politesse ironique.

– Parfaitement. Mme Fawley de nouveau, répliqua Arabella d'un ton aimable.

Elle tira un gant et tendit la main gauche.

– Voici le cadenas, voyez… Eh bien, il a été très gentil, très correct, en vérité. Je veux dire le clergyman. Il m'a dit, aussi doucement qu'à un bébé, quand tout a été fini : « Madame Fawley, je vous félicite de tout cœur. Je connais votre histoire et celle de votre mari : je crois que vous avez tous les deux bien et dûment agi. Quant à vos erreurs passées, comme femme, et aux siennes, comme mari, je crois que le monde devra vous pardonner, comme vous vous êtes mutuellement pardonnés. » Oui, il a été tout à fait gentil et correct. « L'Église ne reconnaît pas le divorce dans ses dogmes, strictement parlant ; ayez dans l'esprit, au sortir d'ici et en rentrant chez vous, ce mot du service : « Nul ne peut séparer ce que Dieu a joint. » Oui, il a été tout à fait gentil et correct… Mais, Jude, mon cher, vous étiez à faire rire un chat ; vous marchiez si droit, vous vous teniez si raide, qu'on vous aurait pris pour un apprenti juge ; mais je savais bien que vous y voyiez double tout le temps, à la manière dont vous tâtonniez pour trouver mon doigt.

– J'ai dit que je ferais tout pour sauver l'honneur d'une femme, marmotta Jude, et je l'ai fait !

– Eh bien, maintenant, vieux chéri, venez par là et déjeunez un peu.

– Je voudrais… un peu… plus de whisky, dit Jude d'un air hébété.

– Vous êtes fou, cher. Pas maintenant ! Il n'en reste plus. Le thé nous dégagera la tête et nous serons légers comme des alouettes.

– Très bien. Je vous ai épousée… Elle disait que je devais vous épouser de nouveau, et j'ai suivi la voie droite. C'est la vraie religion ! Ha ! ha ! ha !

VIII

La Saint-Michel était passée ; Jude et sa femme, qui n'étaient restés que peu de temps dans la maison du père d'Arabella après leur mariage, habitaient sous les combles d'une maison plus près du centre de la ville.

Il avait travaillé quelques jours dans les deux ou trois premiers mois qui avaient suivi l'évènement, mais sa santé avait été médiocre, et elle était maintenant précaire. Il se tenait assis dans un fauteuil près du feu et toussait beaucoup.

– J'ai fait un triste marché quand je t'ai épousé de nouveau, allait lui répéter Arabella. J'aurai à te garder complètement, c'est ce qui devait arriver ! J'aurai à faire le boudin et les saucisses et les colporter à travers les rues, tout cela pour soutenir un mari invalide que je n'avais pas besoin du tout de me mettre sur le dos. Pourquoi n'avez-vous pas gardé votre santé, au lieu de tromper quelqu'un comme ça ? Vous vous portiez assez bien quand je vous ai épousé !

– Ah ! oui ! disait-il avec un rire amer. J'ai souvent pensé à mon sentiment absurde près du porc que nous tuâmes, vous et moi, pendant notre premier mariage. Je sens aujourd'hui que la plus grande grâce qu'on aurait pu m'octroyer eût été de me traiter comme je traitai cet animal.

C'était là le genre de propos qu'ils tenaient entre eux chaque jour maintenant. Le propriétaire du logement, qui avait entendu dire que c'était un couple étrange, avait douté qu'ils fussent mariés, surtout parce qu'il avait vu Arabella embrasser Jude un soir où elle avait bu un peu de liqueur : et il était sur le point de leur signifier leur congé, lorsque par hasard il l'entendit une nuit haranguer Jude avec violence et finalement lui jeter un soulier à la tête ; il reconnut la marque du mariage ordinaire, et, concluant qu'ils devaient être respectables, il ne dit plus rien.

Jude n'allait guère mieux, et un jour il pria Arabella, avec une extrême hésitation, d'exécuter une commission pour lui. Elle lui demanda d'un air indifférent ce que c'était.

– Écrire à Suzanne.

– Pourquoi voulez-vous que je lui écrive ?

– Pour lui demander comment elle va et si elle veut venir me voir, parce que je suis malade et que je voudrais la voir, une fois encore.

– C'est bien de vous, d'insulter une femme légitime en lui demandant une chose pareille !

– C'est justement afin de ne pas vous insulter que je vous demande de le faire. Vous savez que j'aime Suzanne. Je ne tiens pas à y aller par quatre chemins. C'est un fait : je l'aime. Je pouvais trouver une douzaine de moyens de lui envoyer une lettre sans que vous le sachiez. Mais je préfère agir tout à fait ouvertement avec vous et avec son mari. Un message transmis par vous pour lui demander de venir a du moins l'avantage de ne sentir en rien l'intrigue. Si elle garde encore quelque chose de son ancienne nature, elle viendra.

– Vous n'avez aucun respect pour le mariage, pour ses droits et ses devoirs !

– Qu'importe ce que sont mes opinions, à un malheureux comme moi ! Peut-il importer à quelqu'un au monde que tel ou tel vienne me voir une demi-heure, quand j'ai un pied dans la tombe ?... Allez, je vous supplie d'écrire, Arabella. Récompensez ma candeur par un peu de générosité !

– Je pense que je ne devrais pas !

– Pas même une fois ? Oh ! faites-le !

Il sentait que sa faiblesse physique lui avait ôté toute dignité.

– Pourquoi voulez-vous qu'elle sache comment vous allez ? Elle n'a pas besoin de vous voir. Elle est le rat oublieux du vaisseau qui sombre !

– Ne dites pas, ne dites pas cela !

– Et si je m'obstinais à ne pas... Folle que je suis ! Avoir cette prostituée dans la maison, en vérité !

À peine avait-elle dit ces mots, que Jude s'élança de son siège ct, avant qu'Arabella eût le temps de se reconnaître, il la renversa en arrière sur une couchette qui se trouvait là et, la maintenant avec un genou :

– Dites un autre mot de cette sorte, murmura-t-il, et je vous tue, là, tout de suite ! J'ai tout à gagner à cela, sans compter ma propre mort, qui n'est pas le moins. Ne croyez donc pas que ce soit là propos en l'air.

– Que voulez-vous faire ? râlait Arabella.

– Promettez de ne jamais parler d'elle.

– Très bien. Je le promets.

– J'accepte votre parole, dit-il, avec mépris, en la lâchant. Quant à ce qu'elle vaut, je ne puis le dire.

– Vous ne pouviez pas tuer le porc, mais vous pouviez me tuer !

– Ah ! Vous me tenez là ! Non, je ne pouvais pas vous tuer, même dans la colère. Raillez-moi bien !

Il fut pris d'un terrible accès de toux et elle évalua sa vie d'un regard d'expert, tandis qu'il s'affaissait en arrière, pâle comme un mort.

– Je l'enverrai chercher, dit Arabella, si vous acceptez que je sois dans la chambre avec vous tout le temps qu'elle sera ici.

Ce qu'il y avait en lui de douceur, son désir de voir Suzanne, le rendirent incapable de décliner l'offre, même après la provocation de tout à l'heure ; et il répondit d'une voix éteinte :

– Oui, j'accepte ; seulement, envoyez !

Le soir, il s'informa si elle avait écrit.

– Oui, dit-elle, j'ai écrit un mot lui disant que vous étiez malade, et lui demandant de venir demain ou le soir suivant. Je ne l'ai pas encore mis à la poste.

Le lendemain, Jude se demanda avec inquiétude si elle avait réellement expédié le billet, mais ne voulut pas l'interroger ; et le fol espoir, dont il demeure toujours quelque chose, l'agita dans l'attente. Il savait les heures des trains possibles et prêtait l'oreille à tout propos, croyant l'entendre.

Elle ne vint pas. Mais Jude ne voulait pas questionner Arabella là-dessus. Il espéra et attendit tout le jour suivant ; mais Suzanne n'apparaissait pas ; il n'y avait non plus aucun mot de réponse. Alors Jude se forma la conviction intime qu'Arabella n'avait jamais mis son billet à la poste, bien qu'elle l'eût écrit. Il y avait quelque chose dans sa manière d'être qui lui disait cela. Il était physiquement si affaibli, qu'il pleurait de sa déception quand Arabella ne pouvait pas le voir. Et, de fait, ses soupçons étaient bien fondés. Arabella, comme toutes les gardes-malades, pensait que le devoir envers le malade était de le calmer par n'importe quels petits moyens capables d'agir réellement sur ses fantaisies.

Il ne lui dit jamais un mot de plus sur son désir ou son soupçon. Une silencieuse et encore confuse résolution grandissait en lui et lui donnait, sinon la force, du moins la constance et le calme. Un jour qu'elle rentrait, vers midi, après une absence de deux heures, elle vit le fauteuil vide.

Elle se laissa tomber sur le lit, et, assise, songea.

– Maintenant, où le diable d'homme est-il allé ? dit-elle.

Une pluie que chassait le vent du nord-est était tombée avec plus ou moins de répit toute la matinée, et lorsqu'on regardait de la fenêtre les gouttières ruisselantes, il semblait impossible de croire qu'un malade se fût exposé dehors à une mort presque certaine. Pourtant Arabella ne pouvait se défaire de la conviction qu'il était sorti et elle en eut la certitude quand elle eut exploré la maison.

– S'il est fou, laissons-le faire ! dit-elle. Je n'y puis plus rien.

Jude était à ce moment dans un train qui l'emportait vers Alfredston, étrangement emmailloté, pâle comme une statue d'albâtre, et en butte aux regards que fixaient sur lui les autres voyageurs. Une heure plus tard, on aurait pu voir sa figure maigre, dans le long pardessus et la couverture qu'il avait pris pour venir, mais sans parapluie, suivre la route de cinq milles qui conduit à Marygreen.

Sur son visage paraissait la résolution énergique qui seule le soutenait mais à laquelle sa faiblesse prêtait un triste appui. La montée l'essoufflait complètement, mais il se pressait d'avancer, et à trois heures et demie, il s'arrêta près du mur familier de Marygreen. La pluie tenait chez eux tous les gens. Jude traversa sans être vu la pelouse qui conduit à l'église, et il trouva l'édifice ouvert. Alors il s'arrêta, regardant de loin l'école, il pouvait entendre d'ici les notes monotones des petites voix qui ignoraient encore le gémissement de la création.

Il attendit jusqu'à ce qu'un petit enfant vint de l'école, – un évidemment qu'on avait laissé sortir avant l'heure pour une raison ou une autre. Jude leva la main et l'enfant s'approcha.

– Veux-tu aller à l'école et demander à Mme Phillotson si elle veut être assez bonne pour venir à l'église quelques minutes ?

L'enfant partit et Jude l'entendit frapper à la porte de la maison. Lui-même entra dans l'église. Tout était nouveau, excepté quelques morceaux de sculpture sauvés dans la ruine du vieux bâtiment et fixés aux murailles neuves. Il s'arrêta devant eux : ils paraissaient ressembler aux morts de ce lieu, qui furent ses ancêtres et ceux de Suzanne.

Un pas léger, qu'on aurait pu prendre pour le simple bruit d'une goutte d'eau dans l'averse résonna sous le porche, et Jude regarda autour de lui.

– Oh !... je ne pensais pas que c'était vous... Non... Oh !... Jude !...

Sa respiration s'arrêta dans un spasme ; elle suffoquait. Il s'avança, mais elle se remit vivement et revint en arrière.

– Ne vous en allez pas ! Ne vous en allez pas ! supplia-t-il. C'est la dernière fois ! Je pensais que ce serait moins indiscret que d'entrer dans votre maison. Et je ne reviendrai jamais plus. Ne soyez pas impitoyable. Suzanne ! Suzanne ! nous nous conduisons en ce moment d'après la lettre, et « la lettre tue ».

– Je resterai. Je ne veux pas être cruelle ! dit-elle. Ses lèvres tremblaient et ses larmes coulaient tandis qu'elle le laissait approcher. Mais pourquoi êtes-vous venu ? Pourquoi faites-vous cette chose, qui est si mal, après en avoir fait une qui est si bien ?

– Quelle chose si bien ?

– Épouser de nouveau Arabella. C'était dans le journal d'Alfredston. Elle n'a jamais cessé d'être vôtre, Jude, – au vrai sens du mot. Et c'est pourquoi vous fîtes si bien, oh ! si bien, en le reconnaissant et la reprenant avec vous.

– Grand Dieu ! et c'est là tout ce que je suis venu entendre ? S'il y a dans ma vie une chose plus dégradante, plus immorale, plus monstrueuse qu'une autre, c'est le contrat avec Arabella ; et c'est que vous appelez faire une chose bonne ! Et vous aussi, vous vous dites la femme de Phillotson ! Sa femme ! Vous êtes la mienne.

– Ne me faites pas fuir loin de vous… Je n'en puis tant supporter… Mais, sur ce point, je suis résolue.

– Je ne puis comprendre que vous ayez agi ainsi, que vous pensiez ainsi… Je ne puis pas !

– Ne pensez jamais à cela. Il est un bon mari pour moi… Et moi… j'ai lutté, combattu, jeûné, prié. J'ai presque mis mon corps en complète sujétion. Et il ne faut pas, dites, réveiller…

– Oh ! chère petite folle que vous êtes ! Où est votre raison ? Vous semblez avoir permis la perte de vos facultés. Je discuterais avec vous si je ne savais qu'une femme dans vos sentiments échappe tout à fait à tous les appels qu'on peut faire à son cerveau. D'ailleurs, ne vous dupez-vous pas vous-même, comme font tant de femmes en ces sortes de choses ; n'êtes-vous pas en train de vous forcer à croire et de vous complaire dans la volupté de l'émotion que fait naître cette foi affectée ?

– Volupté ! Comment pouvez-vous être si cruel ?

– Oh ! chère ! triste et douce chérie ! voilà le plus mélancolique naufrage qu'il m'ait été donné de voir des promesses d'une intelligence humaine ! Où est allé votre mépris de la convention ?

– Vous me torturez, vous m'insultez presque, Jude. Éloignez-vous de moi !

Elle se détourna vivement.

– Soit ! Je ne viendrai jamais vous revoir, même si j'avais la force de venir, – que je n'aurai plus. Suzanne, Suzanne, vous n'êtes pas digne de l'amour d'un homme !

Sa poitrine commençait à haleter.

– Je ne puis endurer ce que vous me dites, s'écria-t-elle.

Et, laissant ses yeux sur lui un moment, elle revint sur ses pas d'un mouvement brusque.

– Non, non, ne me méprisez pas ! Donnez-moi un baiser, oh ! donnez-moi une masse de baisers, et dites que je ne suis pas une lâche et méprisable dupe : je ne puis supporter cela.

Elle s'élança vers lui et, sa bouche sur celle de Jude, continua :

– Il faut que je vous dise… Oh ! il faut… mon cher amour… Cela a été… seulement un mariage à l'église… un mariage en apparence, je veux dire ! Il me le laissa entendre tout de suite.

– Comment ?

– Je veux dire que c'est un mariage de nom, simplement. Il n'y a rien eu de plus depuis que je suis revenue à lui !

– Sue ! dit-il.

Et, la pressant contre lui dans ses bras, il meurtrissait ses lèvres de baisers.

– Si la misère peut connaître le bonheur, j'ai eu un moment de bonheur maintenant ! Eh bien ! au nom de ce qui vous est sacré, dites-moi la vérité, et ne mentez pas. Vous m'aimez encore ?

– Je vous aime ! Vous le savez trop bien !... Mais *je ne dois pas* faire cela... Je ne dois pas vous rendre vos baisers comme je le voudrais !

– Mais, faites-le !

– Et pourtant vous m'êtes si cher !... et vous paraissez si malade...

– Et vous aussi ! En voici un de plus, en mémoire de nos enfants morts – les vôtres et les miens !

Les mots la frappaient comme un vent qui souffle et elle courba la tête. Je *ne dois pas*... Je *ne peux pas* continuer ainsi ! se mit-elle à dire, haletante. Mais ici, ici, chéri, je vous rends vos baisers, oui... oui... Et maintenant je me haïrai toujours pour mon péché !

– Non... Laissez-moi faire mon dernier appel. Écoutez-le ! Nous nous sommes, l'un et l'autre, remariés contre nos sentiments. On m'enivra pour m'amener là. Votre cas fut pareil. J'étais ivre de gin ; vous fûtes ivre de foi. L'un et l'autre de ces empoisonnements ôte la vue un peu noble des choses. Secouons donc nos erreurs et échappons-nous ensemble !

– Non ; encore une fois, non !... Pourquoi poussez-vous si loin la tentation, Jude ? C'est trop cruel !... Mais je me suis ressaisie moi-même maintenant. Ne me suivez pas... Ne me regardez pas. Laissez-moi, par pitié ! ...

Elle monta vers l'extrémité est de l'église et Jude fit comme elle avait demandé. Il ne tourna pas la tête, mais ramassa sa couverture qu'elle n'avait pas vue et alla tout droit vers la porte. Comme il traversait le bout de l'église, elle entendit sa toux qui se mêlait au bruit de la pluie sur les fenêtres, et dans un dernier élan d'humaine tendresse, à cette heure même où elle cédait à ses entraves, elle s'élança comme pour aller lui porter secours. Mais elle retomba à genoux et elle se ferma les oreilles avec les mains jusqu'à ce qu'il ne lui fût plus possible de rien entendre et que tout bruit fût évanoui.

Lui, pendant ce temps, était à l'extrémité de la pelouse d'où le sentier serpentait dans les champs. Il se retourna et regarda derrière lui, une fois de plus, la maison qui abritait encore Sue ; puis il partit, sachant bien que ses yeux ne se poseraient plus jamais sur ce paysage...

Il n'était pas moins de dix heures du soir quand il arriva à Christminster. Sur le quai de la gare, se tenait Arabella. Elle le toisa de haut en bas.

– Vous avez été la voir ? demanda-t-elle.

– J'y ai été, dit Jude, qui tremblait littéralement de froid et de fatigue.

– Bien ; maintenant vous marcherez mieux jusqu'à la maison.

L'eau ruisselait sur lui tandis qu'il allait, et il était obligé de s'appuyer contre les murs pour se soutenir pendant ses crises de toux.

– Vous vous êtes fait votre affaire avec cela, jeune homme, dit-elle. Je ne sais pas si vous le savez.

– Naturellement, je le sais. J'ai eu l'intention de me faire mon affaire.

– Quoi ? de commettre un suicide ?

– Certainement.

– Bien, je suis ravie ! Tuez-vous pour une femme !

– Écoutez-moi, Arabella. Vous pensez que vous êtes la plus forte ; et vous l'êtes, au sens matériel, aujourd'hui. Vous pourriez m'abattre comme une quille. Vous n'avez pas envoyé cette lettre l'autre jour, et je ne pouvais me venger de votre conduite. Mais je ne suis pas si faible, d'une autre manière, que vous le pensez. Je me suis mis en tête qu'un homme confiné dans sa chambre par une inflammation des poumons, un garçon qui ne désirait plus que deux choses au monde : voir une certaine femme et puis mourir, pouvait adroitement réaliser ces deux désirs d'un coup en faisant ce voyage dans la pluie. Ainsi ai-je fait. Je l'ai vue pour la dernière fois et je me suis achevé moi-même ; j'ai mis fin à une vie enfiévrée qui n'aurait jamais dû commencer !

– Seigneur ! Quel sublime langage ! Voulez-vous boire quelque chose de chaud ?

– Non, merci. Rentrons.

Ils allèrent, longeant les silencieux collèges. Tout à coup Jude s'arrêta.

– Que regardez-vous ?

– Stupides imaginations ! Je vois sur ma route, en cette dernière promenade, ces esprits des morts que j'y vis quand pour la première fois je vins ici !

– Quel curieux garçon vous faites !

– Il me semble les voir et presque les entendre frémir. Mais je ne les révère pas tous comme je faisais alors. Je ne crois pas à la moitié d'entre eux. Les théologiens, les apologistes et leurs alliés, les métaphysiciens, les hommes d'État et autres ne m'intéressent plus. Tout cela s'est évanoui pour moi devant l'austère réalité !

À l'expression de son visage fantomatique dans le brouillard lumineux, on eût dit vraiment que Jude voyait des gens là où il n'y avait personne. Par moments, il s'arrêtait près d'un portail comme pour voir sortir quelqu'un ; puis il regardait une fenêtre, comme s'il distinguait derrière une figure connue. Il semblait entendre des voix, dont il répétait les paroles comme pour en comprendre le sens.

– Ils ont l'air de se moquer de moi !

– Qui ?

– Oh ! je me parlais à moi-même ! Des fantômes partout ici, aux portails des collèges, aux fenêtres. Ils avaient d'ordinaire un regard ami pour moi, jadis, surtout Addison, Gibbon, Johnson, et le Dr Browne, et l'évêque Ken...

– Venez donc ! Des fantômes ! Il n'y a ni vivants ni morts par ici, à part un maudit policeman. Je n'ai jamais vu les rues plus vides.

– Chimère ! Ici, le poète de la Liberté avait coutume de se promener et là le grand Disséqueur de la Mélancolie.

– Je n'ai pas besoin d'entendre parler d'eux ! Ils m'ennuient.

– Walter Raleigh me fait signe de cette rue... Wycleff... Harvey... Hooker... Arnold... et toute une foule d'ombres...

– *Je n'ai pas besoin* de savoir leurs noms, vous dis-je. Qu'ai-je à faire de ces gens morts et enterrés ? Sur mon âme, vous êtes moins gris quand vous avez bu que quand vous êtes à jeun.

Il était nuit à Marygreen, et la pluie de l'après-midi n'avait pas l'air de vouloir cesser. Vers le temps où Jude et Arabella rentraient chez eux à travers les rues de Christminster, la veuve Edlin traversait la pelouse et entrait par la porte de derrière dans l'habitation du maître d'école, comme elle le faisait souvent maintenant à l'heure du coucher pour aider Suzanne à se déshabiller.

Suzanne travaillait seule dans la cuisine en désordre, car elle n'était pas bonne ménagère, malgré tous ses efforts, et elle ne pouvait se faire aux détails domestiques.

– Pour l'amour de Dieu ! qu'avez-vous donc à vous embarrasser de tout cela, quand je dois venir ? Vous saviez que je viendrais.

– Oh ! je ne savais pas... J'oubliais... Non, je n'ai pas oublié. Je fais cela pour me discipliner. J'ai frotté les escaliers depuis huit heures. Il faut, que je m'exerce à mes devoirs d'intérieur. Je les ai honteusement négligés !

– Pourquoi faire ? Il aura une meilleure école, peut-être une paroisse, avec le temps, et vous aurez deux servantes. C'est une pitié d'abîmer ces jolies mains.

– Ne parlez pas de mes jolies mains, mistress Edlin. Ce joli corps que j'ai a été ma ruine.

– Bah ! vous n'avez pas de corps pour en parler, vous me faites plutôt penser à un esprit. Mais il y a quelque chose qui ne va pas, je crois, ce soir, ma chérie. La croix du mari ?

– Non ; il n'en est jamais une. Il est allé se coucher de bonne heure.

– Alors, qu'est-ce ?

– Je ne puis vous le dire. J'ai mal fait aujourd'hui. Et je veux extirper cela… Tenez ! Je vais vous le dire. Jude était ici cet après-midi et je vois que je l'aime encore… Oh ! affreusement ! Je ne peux vous en dire plus.

– Ah ! dit la veuve, je vous avais prévenue que cela serait ainsi.

– Mais cela ne sera pas ! Je n'ai pas parlé à mon mari de sa visite ; il est inutile de le troubler avec cela. Je n'ai pas l'intention de revoir jamais Jude. Mais je vais mettre ma conscience en règle avec mon devoir envers Richard… par une pénitence… la suprême chose. Je le dois !

– Ne le faites pas, puisqu'il accepte que ce soit autrement et que trois mois se sont très bien passés ainsi.

– Oui, il me laisse vivre à ma guise ; mais je sens que c'est une complaisance que je ne devrais pas exiger de lui. Je n'aurais pas dû l'accepter. Changer cela serait terrible. Mais je dois être plus juste pour lui. Oh ! pourquoi suis-je si lâche ?…

– Je ne crois pas que vous deviez faire violence à votre nature. On ne doit demander cela à aucune femme.

– C'est mon devoir. Je boirai mon calice jusqu'à la lie.

Une demi-heure plus tard, quand Mme Edlin mit son chapeau et son châle pour partir, Suzanne parut saisie d'une vague terreur.

– Non, non… ne partez pas, mistress Edlin, supplia-t-elle, les yeux agrandis.

Et, nerveusement, elle jeta un rapide regard sur son épaule.

– Mais il est l'heure de se coucher, petite.

– Oui… mais il y a la petite chambre de libre… ma chambre. Elle est tout à fait prête. Restez, je vous en prie, mistress Edlin ! J'aurai besoin de vous le matin.

– Oh bien ! peu m'importe, si vous le désirez. Il n'arrivera rien à mes quatre vieilles murailles, que j'y sois ou non.

Suzanne ferma les portes, et elles montèrent ensemble l'escalier.

– Attendez ici, mistress Edlin, dit Suzanne. Je veux aller dans mon ancienne chambre, un moment.

Laissant la veuve sur le palier, Suzanne entra dans la chambre qui avait été exclusivement la sienne depuis son arrivée à Marygreen ; elle poussa la porte et s'agenouilla près du lit une ou deux minutes. Puis elle se leva, prit sa chemise de nuit sous l'oreiller et revint vers Mrs Edlin. On pouvait entendre un homme ronfler dans la chambre d'en face. Elle souhaita à Mrs Edlin une bonne nuit et la veuve entra dans la chambre que Suzanne venait d'abandonner.

Elle souleva le loquet de la porte de l'antichambre et s'affaissa, comme prise de faiblesse ; mais, se relevant, elle entrouvrit la porte et dit :

– Richard !

Au moment où le nom sortit de sa bouche, elle frissonna visiblement.

Le ronflement avait tout à fait cessé, mais l'homme ne répondait pas. Suzanne sembla ranimée et revint en hâte à la chambre de Mrs Edlin.

– Êtes-vous couchée, mistress Edlin ? demanda-t-elle.

– Non, chère, dit la veuve, en ouvrant sa porte. Je suis vieille et lente et il me faut longtemps pour me défaire. Je n'ai pas encore délacé mon corset.

– Je ne l'entends pas ! Et peut-être ?

– Quoi, petite ?

– Peut-être qu'il est mort, murmura-t-elle. Et alors… je serais *libre*, et je pourrais aller vers Jude… Ah !… non… j'oubliais *elle*… et Dieu !

– Allons écouter… Non… il ronfle encore. Mais le vent et la pluie sont si forts qu'on ne peut guère rien entendre si ce n'est par intervalles.

– Bonne nuit de nouveau, mistress Edlin. Je suis fâchée de vous avoir appelée.

La veuve se retira une seconde fois.

L'effort et la résignation reparurent sur le visage de Suzanne, quand elle fut seule.

– Je dois le faire… je dois ! Il faut boire jusqu'à la lie, murmura-t-elle.

Et elle appela une seconde fois :

– Richard !

– Eh ! Quoi ? Est-ce vous, Suzanne ?

– Oui.

– Que voulez-vous ? Avez-vous besoin de quelque chose ? Attendez un instant.

Il jeta sur lui quelques vêtements et vint à la porte.

– Eh bien ?

– Quand nous étions à Shaston, je sautai par la fenêtre plutôt que de vous laisser m'approcher. Je n'ai jamais réparé ce traitement, jusqu'à aujourd'hui… où je viens vous en demander pardon, et vous demander de me recevoir.

– Peut-être ne songez-vous qu'à l'obligation d'agir ainsi ? Je ne désire pas que vous vous fassiez violence pour venir, je vous l'ai déjà dit.

– Mais je sollicite d'être admise.

Elle attendit un moment et répéta :

– Je sollicite d'être admise ! J'ai été dans le péché... même aujourd'hui. J'ai outrepassé mes droits. Je n'avais pas l'intention de vous le dire, mais peut-être que je le dois. J'ai péché contre vous cet après-midi.

– Comment ?

– J'ai rencontré Jude ! J'ignorais sa venue. Et...

– Eh bien ?

– Je l'ai embrassé et me suis laissé embrasser.

– Oh ! le passé !

– Richard, je ne savais pas que nous allions nous embrasser, quand cela est arrivé !

– Combien de fois ?

– Beaucoup. Je ne sais pas. J'ai horreur d'y penser et le moins que je puisse faire après cela est de venir à vous, comme je fais.

– Venez... C'est assez mal, après ce que j'ai fait. Encore quelque chose à confesser ?

– Non.

Elle avait été sur le point de dire : « Je l'ai appelé mon cher amour. » Mais comme la contrition d'une femme ne va pas sans quelque petite réserve, ce détail de la scène fut passé sous silence. Elle continua :

– Je ne le reverrai plus. Il m'a parlé de certaines choses du passé, et cela m'a vaincue. Il m'a parlé... des enfants... Mais, comme j'ai dit, je suis joyeuse... presque joyeuse, je veux dire, qu'ils soient morts, Richard. Toute cette partie de ma vie est ainsi effacée !

– Bien... pour ce qui est de ne pas le revoir. Alors... vous voulez vraiment... ?

Il y avait quelque chose dans le ton de Phillotson, qui semblait indiquer que ses trois mois de remariage avec Suzanne n'avaient pas laissé, d'une manière ou d'une autre, de lui donner moins de satisfaction que sa grandeur d'âme ou la patience de ses désirs ne le lui avaient fait supposer.

– Oui ! oui !

– Voulez-vous bien le jurer sur le Nouveau Testament ?

– Je le veux bien.

Il rentra dans la chambre et revint avec un petit Testament brun.

– Maintenant, donc, que Dieu vous aide !

Elle jura.

– Très bien.

– Maintenant, je vous supplie, Richard, vous à qui j'appartiens, et à qui je veux rendre honneur et obéissance, comme j'en ai fait le vœu, je vous supplie de me laisser entrer.

– Pensez-y bien. Vous savez ce que cela signifie. Vous reprendre était une chose ; cela en est une autre. Ainsi, réfléchissez encore.

– J'ai réfléchi… C'est mon désir !

– C'est un esprit de condescendance, et peut-être avez-vous raison. Avec un amant qui rôde, le demi-mariage doit être complété. Mais je vous répète, une troisième et dernière fois, de bien réfléchir.

– C'est mon désir !… Oh ! Dieu…

– Pourquoi dites-vous : oh ! Dieu ?

– Je ne sais pas.

– Si ! vous le savez ! Mais…

Il regarda un assez longtemps sa forme délicate et fragile, tandis qu'elle s'humiliait devant lui dans ses vêtements de nuit.

– Soit ; je pensais que cela finirait ainsi, dit-il bientôt. Je ne vous dois rien après ces manifestations ; mais je veux bien, sur votre parole, vous recevoir et vous pardonner.

Il l'enlaça et la souleva. Suzanne se jeta en arrière.

– Qu'est cela ? demanda-t-il ; et pour la première fois sa voix était dure. Vous vous refusez à moi de nouveau, tout comme autrefois !

– Non, Richard… Je… je… ne pensais pas…

– Vous désirez entrer ici ?

– Oui.

– Vous vous rendez bien compte de ce que cela signifie ?

– Oui. C'est mon devoir !

Plaçant le chandelier sur la commode, il lui fit franchir le seuil, et, la soulevant de toutes ses forces, l'embrassa. Une violente expression de dégoût passa sur le visage de Suzanne ; mais serrant les dents, elle ne proféra pas un cri.

Pendant ce temps, Mrs Edlin s'était déshabillée et allait se mettre au lit, quand elle se dit à elle-même :

– Ah ! peut-être ferais-je bien d'aller voir si tout va bien pour la petite créature. Comme il vente et quelle pluie !

La veuve sortit sur le palier et vit que Suzanne avait disparu.

– Ah ! pauvre âme ! Les noces sont des funérailles, je crois bien, aujourd'hui. Cinquante-cinq ans que nous nous épousâmes, mon mari et moi. Les temps ont changé depuis !

X

Malgré lui, Jude se rétablit un peu et reprit les travaux de son métier pendant plusieurs semaines. Après Noël, cependant, il déclina de nouveau. Avec l'argent qu'il avait gagné, il changea son logement contre un autre situé dans un quartier plus central. Mais Arabella voyait qu'il ne serait pas capable de beaucoup travailler avant longtemps, et elle s'irritait de la tournure qu'avaient prise leurs affaires depuis son remariage avec Jude.

– Que je sois pendue, si vous n'avez pas été bien adroit dans cette dernière affaire, en m'épousant pour vous faire entretenir.

Jude était absolument indifférent à ce qu'elle disait, et, souvent même, en vérité, il voyait sous un jour drolatique la déception d'Arabella. Quelquefois son humeur était plus grave, et, quand il reposait, il divaguait à propos de l'échec de ses premiers projets.

– Chaque homme a quelque petite puissance dans un sens quelconque, disait-il. Réellement, je n'ai jamais été assez robuste pour le travail de la pierre, particulièrement pour le travail qui m'obligeait à l'immobilité. Remuer des blocs m'a toujours exténué, et quand il me fallait demeurer debout à essayer des esquisses dans les bâtiments sans fenêtre, j'ai toujours pris froid et je pense que par là commença mon délabrement intérieur. Mais je sentais que j'aurais pu faire une chose, si j'en avais eu l'opportunité. Je pouvais assembler des idées et les communiquer aux autres. Je me demande si les fondateurs avaient prévu l'existence de gens tels que moi, un garçon bon à rien sauf à cette seule chose ?... J'entends dire que bientôt les étudiants sans appui, comme j'étais, trouveront des chances meilleures. On cherche des systèmes pour rendre l'Université moins exclusive et pour étendre son influence. Je ne sais pas grand-chose sur tout cela. Et c'est trop tard, trop tard pour moi... Ah !... Et pour combien d'autres, plus dignes, qui m'ont précédé !

– Que marmottez-vous là ? dit Arabella. J'aurais cru qu'aujourd'hui toute cette folie des livres vous était sortie de l'esprit. Et c'est ce que vous devriez faire. Vous êtes aussi mauvais maintenant que vous l'étiez lors de notre premier mariage.

Par hasard, tandis qu'il monologuait, Jude l'appela « Sue » inconsciemment.

– Je voudrais que vous fissiez attention à qui vous parlez ainsi, dit Arabella avec indignation. Appeler une respectable femme mariée du nom de cette...

Elle se reprit et il ne saisit pas l'injure.

Mais, avec le temps, quand elle vit comment allaient les choses et combien peu elle devait craindre la rivalité de Sue, elle eut un accès de générosité :

– Je suppose que vous désirez voir votre... Sue ? dit-elle. Eh bien, sa venue ne m'inquiète pas. Vous pouvez la recevoir ici, si cela vous plaît.

– Je ne souhaite pas la revoir.

– Oh ! c'est un changement.

– Et ne lui faites rien dire sur moi, ni ma maladie, ni rien... Elle a choisi sa voie. Qu'elle aille où elle voudra.

Un jour, il eut une surprise. Mrs Edlin vint le voir, tout à fait de son propre mouvement. La femme de Jude, qui était devenue absolument indifférente aux affections de son mari, le laissa seul avec la vieille. Spontanément, il demanda comment se portait Sue, puis, brusquement, se rappelant ce que Sue lui avait dit :

– Je suppose qu'ils ne sont toujours mari et femme que de nom ?

Mrs Edlin hésita.

– Eh bien... non... C'est différent, maintenant. Elle s'y est résignée tout dernièrement... et de sa libre volonté.

– Quand cela ? demanda-t-il vite.

– La nuit qui suivit votre visite... Mais c'était comme punition pour sa pauvre petite personne. Lui n'y tenait pas, mais elle insista.

– Sue, ma Sue !... ma chère folle !... C'est plus que je ne puis endurer ! Mistress Edlin, ne soyez pas effrayée de ce que je dis là... J'ai pris l'habitude de me parler à moi-même depuis que je suis ici, gisant tout seul, pendant des heures. Elle fut naguère une femme dont l'intelligence était auprès de la mienne ce qu'est une étoile auprès d'une lampe à essence ; une femme qui voyait toutes mes superstitions comme des toiles d'araignées qu'elle crevait avec un mot. Puis il nous arriva une amère douleur, et son intelligence s'écroula, elle erra dans les ténèbres. Étrange différence entre les sexes, que le temps et les circonstances, qui élargissent les vues de la plupart des hommes, rétrécissent les vues des femmes presque invariablement. Et maintenant, la suprême horreur s'est accomplie : l'abandon d'elle-même à ce qu'elle déteste, dans sa servile soumission au formalisme. Elle, si sensitive, si facilement repliée, que le vent même semblait l'effleurer avec une nuance de respect... Pour Sue, comme pour moi, quand nous étions le plus heureux, il y a longtemps, quand nos esprits étaient clairs et notre amour de la vérité libre de crainte, les temps n'étaient pas mûrs. Nos idées avançaient de cinquante ans et ne pouvaient nous être bonnes. Et la résistance qu'elles rencontrèrent détermina chez Sue une réaction et me valut le mépris et la ruine… Voilà, mistress Edlin, ce que je me dis sans cesse, quand je repose ici. Je dois vous ennuyer horriblement.

– Non, pas du tout, mon cher garçon. Je vous écouterais toute la journée.

Jude ne pouvait détacher sa pensée de ce qu'il venait d'apprendre au sujet de Suzanne. Dans une agitation d'agonie morale, il commença à employer un langage terriblement profane contre les conventions sociales, ce qui lui occasionna un accès de toux. À ce moment, un coup fut frappé à la porte du rez-de-chaussée. Comme personne ne répondait, Mrs Edlin descendit.

Le visiteur dit avec grâce :

– Le docteur.

Cette silhouette efflanquée était celle du Dr Vilbert, qui avait été mandé par Arabella.

– Comment va mon malade, à présent ? demanda le médecin.

– Oh ! mal, très mal. Pauvre garçon, il est devenu très excité, et blasphème furieusement, depuis que je lui ai rapporté, par hasard, quelques commérages ; c'est moi qui suis à blâmer. Mais vous devez excuser un homme qui souffre, quoi qu'il dise, et j'espère que Dieu lui pardonnera.

– Ah ! Je vais monter et le voir. Mrs Fawley est-elle à la maison ?

– Pas encore, mais elle reviendra bientôt.

Vilbert monta. Mais quoique Jude eût pris jusqu'ici,

avec la plus grande indifférence, les remèdes de cet habile praticien, lorsque Arabella les lui versait dans la gorge, il était disposé, par les évènements, à tenir tête au docteur, et il lui jeta son opinion à la face, si énergiquement, avec de telles épithètes cinglantes, que Vilbert dégringola bientôt l'escalier. À la porte, il rencontra Arabella, Mrs Edlin étant partie. Arabella demanda comment se trouvait son mari, et, voyant que le docteur semblait bouleversé, elle lui proposa de prendre quelque chose. Il consentit.

– Je vous apporterai cela dans le couloir, dit-elle. Aujourd'hui, il n'y a personne à la maison, excepté moi.

Elle apporta une bouteille et un verre, et il but. Arabella commença à hocher la tête, avec des rires étouffés.

– Qu'est-ce donc, ma chère ? demanda-t-il, en claquant des lèvres.

– Oh ! une goutte de vin et quelque chose dedans. Riant toujours, elle ajouta :

– J'ai mêlé à ce vin un philtre d'amour que je vous ai acheté, autrefois ; vous en souvenez-vous ?

– Oui, oui. Femme adroite ! Mais vous devez être prête à en subir les conséquences.

Entourant de son bras les épaules d'Arabella, il l'embrassa çà et là.

– Non, non, murmura-t-elle, riant avec bonne humeur. Mon mari entendra.

Elle emmena Vilbert hors de la maison, et, quand elle revint, elle se disait à elle-même :

– Bien ! De faibles femmes doivent se prémunir pour les mauvais jours. Et si mon pauvre diable crève – ce qu'il fera bientôt, je suppose – il faut bien me préparer de nouvelles chances. Je ne peux pas cueillir et choisir maintenant comme au temps où j'étais jeune. Et si l'on ne peut avoir un jeune, il faut accepter un vieux.

XI

L'été verdoyant avait reparu, Jude ne quittait plus sa chambre.

Il avait le visage si amaigri que ses vieux amis auraient eu peine à le reconnaître. Cet après-midi, Arabella, devant une glace, se frisait les cheveux avec un manche de parapluie qu'elle chauffait à la flamme d'une bougie. Quand elle eut fini, elle se fit une fossette, s'habilla et jeta un regard vers Jude. Il semblait dormir, bien qu'il fût presque assis sur son lit, où il ne pouvait s'étendre à cause de son mal.

Arabella, avec son chapeau, ses gants, et toute prête, s'était assise et semblait attendre que quelqu'un vint prendre sa place de garde-malade. Certains bruits du dehors révélaient une ville en fête, bien que, de là, on n'en pût voir grand-chose. Les cloches prenaient leur volée et les notes entraient dans la chambre à travers la fenêtre ouverte, et bourdonnaient autour de la tête de Jude. Arabella ne pouvait tenir en place, et elle finit par se dire à elle-même :

– Pourquoi donc mon père n'arrive-t-il pas ?

Elle regarda de nouveau vers Jude, sembla faire le compte des heures qu'il lui restait à vivre, comme elle l'avait fait si souvent pendant les derniers mois, et, jetant les yeux sur sa montre, qu'elle portait attachée comme un petit cartel, se leva avec impatience. Il dormait encore, et, se décidant enfin, elle sortit doucement hors de la chambre, ferma la porte sans bruit, et descendit l'escalier. La maison était vide. L'attraction qui faisait sortir Arabella avait évidemment entraîné depuis longtemps les autres locataires.

C'était une chaude journée, sans nuage, et tentante. Arabella ferma la grande porte d'entrée et se hâta vers la Grand-Rue. Quand elle fut près du théâtre, elle put entendre les notes de l'orgue : on répétait pour le concert de tout à l'heure. Elle entra sous le porche de Oldgate-Collège où des ouvriers tendaient la cour carrée pour le bal du soir. Les gens qui étaient venus de la campagne pour cette journée goûtaient sur l'herbe et Arabella marchait le long des allées sablées, sous les vieux tilleuls. Mais, trouvant qu'il y avait trop de monde, elle revint vers les rues et regarda les équipages qui se rendaient au concert, les nombreux personnages et leurs femmes, les étudiants en joyeuse compagnie féminine, qui arrivaient en foule ainsi. Quand on ferma les portes et que le concert commença, elle continua sa promenade.

Les notes puissantes de ce concert roulaient à travers les stores jaunes des fenêtres ouvertes, par-dessus les toits des maisons et dans l'air silencieux des allées. Elles arrivèrent jusqu'à la chambre où Jude était couché. Sa toux venait justement de le reprendre et elle le réveillait.

Dès qu'il put parler, il murmura, les yeux encore fermés :

– Un peu d'eau, s'il vous plaît.

Seule, la chambre déserte reçut cet appel. Un nouvel accès de toux l'épuisa. Il dit, d'une voix encore plus faible :

– De l'eau... un peu d'eau... Sue... Arabella !

La chambre resta silencieuse comme devant. Il murmura encore, haletant :

– Gorge... de l'eau... Sue... chérie... goutte d'eau... de grâce... oh ! de grâce !...

Pas une goutte d'eau ne venait, et les notes de l'orgue, confuses, comme un bourdonnement d'abeilles, roulaient toujours leurs ondes.

Tandis qu'il demeurait là, son visage se décomposant, des cris et des hourras vinrent de quelque part dans la direction de la rivière.

– Ah ! oui ! Les jeux commémoratifs, murmura-t-il. Et moi ici. Et Sue partie !

Les hourras se répétèrent, couvrant les faibles notes de l'orgue. Le visage de Jude changea encore ; il murmura lentement, les lèvres remuant à peine :

« Périsse le jour où je suis né et la nuit où il a été dit : Un homme est conçu.

Que ce jour soit ténèbres ; que Dieu ne le regarde pas d'en haut, et qu'il ne soit point éclairé de la lumière. Que cette nuit soit solitaire, qu'aucune voix joyeuse n'y vienne jamais.

Pourquoi ne suis-je pas mort dans le sein de ma mère ? Pourquoi n'ai-je point cessé de vivre aussitôt que j'en suis sorti ?... Car je dormirais maintenant dans le silence et je me reposerais dans mon sommeil.

C'est là que ceux qui étaient autrefois enchaînés ensemble ne souffrent aucun mal et qu'ils n'entendent plus la voix de l'oppresseur... Les grands et les petits s'y retrouvent et l'esclave est affranchi de son maître. Pourquoi la lumière a-t-elle été donnée à un misérable et la vie à ceux qui sont dans l'amertume du cœur ? »

Cependant Arabella, dans son voyage de découvertes, prit un petit chemin de traverse au bas d'une rue étroite, traversa un coin obscur et arriva devant Cardinal. Le collège était plein de tumulte ; les fleurs et tous les apprêts du bal brillaient dans le soleil couchant. Un charpentier lui fit signe ; il avait travaillé avec Jude. On construisait, de l'entrée au vestibule du palier, un passage tendu de rouge vif et d'étamine chamois. Des files de caisses contenant des plantes brillantes en pleine fleur s'alignaient tout le long et le grand escalier était couvert d'un tapis rouge. Arabella fit quelques signes de tête à des ouvriers de côté et d'autre, et, grâce à ces relations, monta voir le hall que l'on parquetait à neuf et décorait pour la danse. La cloche de la cathédrale toute proche sonnait pour l'office de cinq heures.

– Cela me serait égal d'avoir une épine là, avec le bras d'un cavalier autour de ma taille, dit-elle à l'un des hommes. Mais, Seigneur ! il faut que je rentre à la maison. Il y a des tas de choses à faire. Point de danse pour moi !

Comme elle arrivait à la maison, elle rencontra à la porte Stagg et un ou deux autres des tailleurs de pierre qui travaillaient avec Jude.

– Nous descendons justement à la rivière, dit le premier, pour voir les régates. Mais nous sommes passés par là pour demander des nouvelles de votre mari.

– Il dort tranquillement, je vous remercie, dit Arabella.

– Ça va bien. Ne pouvez-vous donc alors vous donner une heure de répit, mistress Fawley, et venir avec nous ? Cela vous ferait du bien.

– J'aimerais bien à y aller, dit-elle. Je n'ai jamais vu de régates et on dit que c'est si amusant !

– Venez donc !

– Oh ! je voudrais bien pouvoir ! (Elle jetait vers le bas de la rue des regards d'envie.) Attendez une minute, alors. Le temps de monter au galop et de voir comment il va maintenant. Mon père est avec lui, je pense. Alors, je pourrai mieux venir.

Ils attendirent et elle entra. Les locataires du rez-de-chaussée n'étaient pas rentrés. En arrivant à la chambre, elle vit que son père n'était pas venu.

– Il ne pourrait donc pas être là ! dit-elle avec impatience. Il veut voir les bateaux, lui aussi, tout simplement !

Elle regarda vers le lit et son visage s'éclaira, car elle vit que Jude semblait dormir, bien qu'il ne fût pas, comme à l'ordinaire, dans la posture à demi-assise que nécessitait sa toux. Il avait glissé, tout de son long. Un second regard la fit tressaillir, et elle s'approcha du lit. Le visage de Jude était absolument pâle et devenait peu à peu rigide. Elle tourna ses doigts : ils étaient froids bien que son corps fût encore chaud. Elle écouta à sa poitrine : rien n'y remuait plus. Le battement de près de trente années avait cessé.

Elle eut d'abord un mouvement d'épouvante devant le fait accompli. Mais les notes affaiblies d'une fanfare militaire ou autres vinrent de la rivière à ses oreilles, et d'un ton irrité elle s'écria :

– Il fallait qu'il mourût juste aujourd'hui ! Pourquoi est-il mort juste aujourd'hui ?

Puis, après une ou deux minutes de réflexion, elle sortit de la pièce, referma doucement la porte comme avant, et redescendit les escaliers.

– La voici, dit un des ouvriers. Nous demandions si vous alliez finir par arriver. Allons ! en route ! Il faut nous hâter pour avoir une bonne place… Eh bien, comment va-t-il ? Dort-il bien tranquille ? Naturellement, nous ne voulons pas vous entraîner si…

– Oh ! oui... il dort profondément. Il ne s'éveillera pas encore, dit-elle avec précipitation.

Ils descendirent avec la foule la rue du Cardinal et arrivèrent bientôt au pont. Les bateaux éclatants brillèrent à leurs yeux. Un petit raidillon les mena au sentier du bord de l'eau ; on s'y écrasait dans la chaleur et la poussière. Presque aussitôt après leur arrivée, le grand défilé des bateaux commença ; les rames, abaissées perpendiculairement, claquaient sur l'eau comme un baiser sonore.

– Oh ! que c'est joli ! je suis contente d'être venue ! dit Arabella. Et ça ne peut pas faire de mal à mon mari que je sois partie.

De l'autre côté de la rivière, sur des bateaux chargés de monde, c'étaient de splendides bouquets de beauté féminine, d'élégantes toilettes grises, roses, bleues et blanches. Le pavillon bleu du *Boat Club* indiquait le centre principal de l'intérêt ; au-dessous de lui, un orchestre en uniforme rouge lançait les notes qu'Arabella avait déjà entendues dans la chambre mortuaire. Les étudiants des collèges, en canots avec des dames, suivaient avidement des yeux « leur » bateau. Pendant qu'Arabella regardait ce tableau si animé, on lui pinça la taille, et, tournant les yeux, elle aperçut Vilbert.

– Le philtre opère, vous savez ? dit-il avec une œillade. C'est honteux de faire sombrer les cœurs ainsi.

– Je ne parle pas d'amour aujourd'hui.

– Pourquoi pas ? C'est congé général.

Elle ne répondit pas. Le bras de Vilbert enlaça furtivement sa taille, ce qui pouvait passer inaperçu dans la foule. Une expression malicieuse glissa sur le visage d'Arabella au contact du bras : mais elle tint ses yeux fixés sur la rivière comme si elle ne s'apercevait pas de cette étreinte.

La foule devint houleuse, poussant Arabella et ses amis parfois presque jusque dans la rivière, et la jeune femme aurait ri de bon cœur au jeu de mains qui suivit si l'œil de son esprit n'avait gardé l'empreinte d'une pâle attitude de statue, récemment contemplée et qui la dégrisait un peu.

Le divertissement de l'eau atteignait son apogée. Ce n'étaient que plongeons, ce n'étaient que cris : la course était perdue et gagnée ; les toilettes grises, les bleues, les jaunes, quittaient les bateaux et les curieux commençaient à avancer.

– Eh bien ! ç'a été rudement réussi ! s'écria Arabella. Mais je crois qu'il faut aller retrouver mon pauvre homme. Mon père y est, autant que je sache. Mais je ferai mieux de retourner.

– Qu'est-ce qui vous presse ?

– Il faut bien que j'y aille... Cher, cher, c'est vilain !

À la première rampe où l'on remontait du bord de l'eau sur le pont, la foule n'était plus qu'un bloc compact et surchauffé. Arabella et Vilbert agglutinés au reste. Ils restaient là, immobiles. Arabella s'écriant : « Cher, cher ! » de plus en plus impatiente : car elle venait justement de songer que si on découvrait que Jude était mort seul, une enquête pourrait être jugée nécessaire.

– Quel remue-ménage vous faites, mon amour, dit le médecin, qui, pressé contre elle par la cohue, n'avait personnellement rien à faire pour le contact. Ayez donc un peu de patience : il n'y a pas moyen de s'échapper encore.

Il se passa près de dix minutes avant qu'un remous de la masse pût leur livrer passage. Aussitôt qu'elle se trouva dans la rue, Arabella pressa le pas, et défendit au médecin de l'accompagner plus loin pour aujourd'hui. Elle ne rentra pas tout droit chez elle, mais passa au domicile d'une femme qui rendait les derniers devoirs aux pauvres morts. Elle y frappa.

– Mon mari vient de mourir, le pauvre ! dit-elle. Pouvez-vous venir et l'ensevelir ?

Arabella attendit quelques minutes : et les deux femmes partirent ensemble, se frayant un chemin avec les coudes à travers le flot des élégances qui s'épanchaient du pré Cardinal, et se heurtant presque aux voitures.

– Il faut que je prévienne le sacristain pour la cloche aussi, dit Arabella. C'est justement par là n'est-ce pas ? Je vous rejoindrai à ma porte.

Vers dix heures, ce soir-là, Jude gisait sur son lit : un drap recouvrait son cadavre rigide. Par la fenêtre entrouverte entrait le joyeux rythme d'une valse envolé de la salle de bal de Cardinal.

Deux jours plus tard, le ciel était sans nuage, l'air calme, deux personnes étaient assises près du cercueil de Jude, dans la même petite chambre à coucher. D'un côté, Arabella, de l'autre, la veuve Edlin ; toutes les deux regardaient le visage de Jude, et les vieilles paupières ridées de Mrs Edlin étaient rouges.

– Comme il est beau ! dit-elle.

– Oui. C'est un joli cadavre, dit Arabella.

La porte était encore ouverte pour aérer la chambre, et, vers cette heure de midi, l'air transparent était immobile et calme au-dehors. Au loin, on entendait des voix et comme un bruit de trépignements.

– Qu'est-ce donc ? dit tout bas la vieille femme.

– Oh ! ce sont les docteurs qui confèrent, au théâtre, les degrés d'honneur au duc de Hamptoushire et à un tas d'illustrations de cette sorte. C'est la semaine commémorative, vous savez. Les acclamations viennent des jeunes gens.

– Oui, jeunes et avec de forts poumons. Ce n'est pas comme notre pauvre garçon qui est là.

Un mot de circonstance, détaché peut-être d'un discours, vint des fenêtres ouvertes du théâtre jusqu'à ce coin paisible : il semble que je ne sais quel sourire glissait sur les traits de marbre de Jude, tandis que les vieilles éditions *ad usam Delphini* de Virgile et d'Homère, et le Testament grec sur la planche voisine et les quelques autres volumes de ce genre dont il ne se séparait pas, rudes encore de la poussière où il les ramassait quelques minutes aux intervalles de son travail, semblaient gagnés d'une pâleur maladive à ce bruit. Les cloches carillonnaient joyeusement, et leurs sons se répercutaient à travers la chambre.

Les yeux d'Arabella se détournèrent de Jude vers Mme Edlin.

– Croyez-vous qu'*Elle* viendra ? demanda-t-elle.

– Je ne saurais le dire. Elle a juré de ne pas le revoir.

– Comment est-elle ?

– Épuisée et misérable, pauvre cœur. Des années et des années plus vieille que quand vous l'avez vue la dernière fois. Tout à fait une femme éteinte, usée aujourd'hui. C'est le mari… Elle ne peut pas le digérer, même maintenant.

– Si Jude avait été en vie pour la voir, il ne se serait presque plus soucié d'elle, peut-être ?

– C'est ce que nous ne savons pas… Vous a-t-il jamais demandé de l'envoyer chercher depuis qu'il lui fit cette étrange visite ?

– Non. C'est tout le contraire. Je le lui ai offert et il m'a dit que je ne lui fisse pas savoir combien il était malade.

– L'a-t-il oubliée ?

– Non, que je sache.

– Eh bien ! pauvre petite créature, c'est à croire qu'elle a trouvé le pardon quelque part. Elle dit qu'elle a trouvé la paix.

– Elle peut jurer cela à genoux, devant la sainte Croix, mais ce n'est pas vrai, dit Arabella. Elle n'a jamais trouvé la paix depuis qu'elle est sortie de ses bras, et elle ne la retrouvera jamais, qu'elle ne soit comme il est maintenant.